CEDU(쎄듀)는 A **C**omprehensive **E**nglish e**DU**cation(종합적 영어교육)의 약자입니다.

저자

김기훈   現 ㈜ 쎄듀 대표이사
　　　　　現 메가스터디 영어영역 대표강사
　　　　　前 서울특별시 교육청 외국어 교육정책자문위원회 위원

저서   천일문 / 천일문 Training Book / 천일문 GRAMMAR
　　　　　어법끝 / 어휘끝 / 첫단추 / 쎈쓰업 / 파워업 / 빈칸백서 / 오답백서
　　　　　쎄듀 본영어 / 거침없이 Writing / 쓰작 / 리딩 릴레이 / 리딩 플랫폼
　　　　　Grammar Q / Reading Q / Listening Q 등

쎄듀 영어교육연구센터
쎄듀 영어교육센터는 영어 콘텐츠에 대한 전문지식과 경험을 바탕으로
최고의 교육 콘텐츠를 만들고자 최선의 노력을 다하는 전문가 집단입니다.

인지영 책임연구원

마케팅	콘텐츠 마케팅 사업본부
영업	문병구
제작	정승호
인디자인 편집	올댓에디팅
디자인	쎄듀 디자인팀
영문교열	Stephen Daniel White

중학영어

쓰작

쓰기 + 작문

1

중학 내신
서술형 완벽대비

Features 구성과 특징

<쓰작> 시리즈는 단순히 '문법 학습을 위한 영작 연습'에서 벗어나, '영작을 위한 도구로서의 문법 지식'을 담고 있으며,
교과서에 가장 자주 등장하는 어휘와 표현으로 다양한 구문을 써 볼 수 있도록 구성했습니다.

1 한 페이지로 끝내는
중1 공통 핵심 문법 요소별 서술형 대비!

❶ 문장을 쓰는 데 꼭 필요한 기본 문법 개념과 원리를 확인한 후,
❷ 다양한 기출 유형으로 통합 서술형을 효과적으로 대비할 수 있도록 구성했습니다.

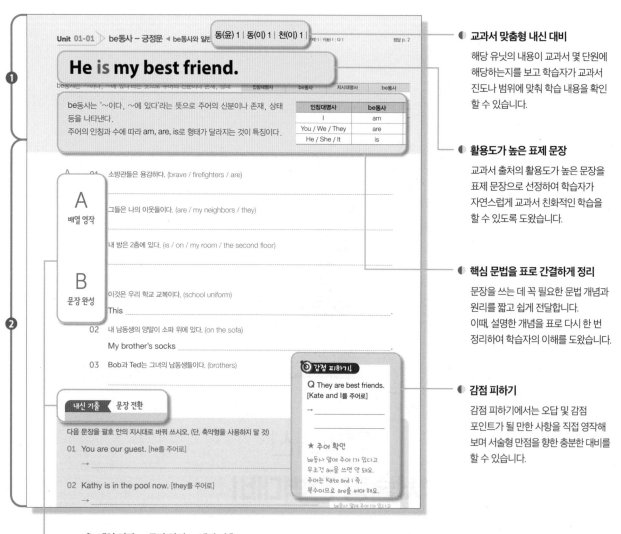

교과서 맞춤형 내신 대비
해당 유닛의 내용이 교과서 몇 단원에 해당하는지를 보고 학습자가 교과서 진도나 범위에 맞춰 학습 내용을 확인할 수 있습니다.

활용도가 높은 표제 문장
교과서 출처의 활용도가 높은 문장을 표제 문장으로 선정하여 학습자가 자연스럽게 교과서 친화적인 학습을 할 수 있도록 도왔습니다.

핵심 문법을 표로 간결하게 정리
문장을 쓰는 데 꼭 필요한 문법 개념과 원리를 짧고 쉽게 전달합니다.
이때, 설명한 개념을 표로 다시 한 번 정리하여 학습자의 이해를 도왔습니다.

감점 피하기
감점 피하기에서는 오답 및 감점 포인트가 될 만한 사항을 직접 영작해 보며 서술형 만점을 향한 충분한 대비를 할 수 있습니다.

배열 영작 → 문장 완성 → 내신 기출
체계적인 3단계 쓰기 훈련을 통해 문장 쓰기가 수월해집니다.
영작의 기본 틀을 잡는 것은 물론 내신 서술형에 대한 자신감을 얻을 수 있습니다.

2 최신 서술형 유형 대비를 위한
내신 서술형 잡기

최신 서술형 유형이 100% 반영된 챕터별 <내신 서술형 잡기>를 통해 적용 및 실전 대비가 가능합니다. 1단계 → 2단계 → 3단계로 서술형 유형 난도에 따라 문제를 구성하여, 가장 기본적인 유형뿐 아니라 고난도 유형도 확실히 연습할 수 있도록 했습니다.

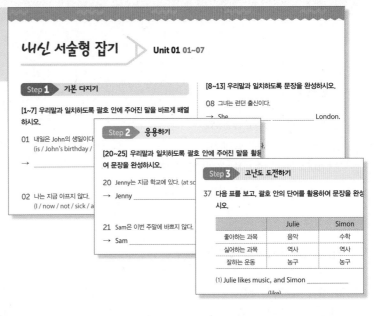

내신 서술형 잡기 ▷ Unit 01 01~07

Step 1 기본 다지기

[1~7] 우리말과 일치하도록 괄호 안에 주어진 말을 바르게 배열하시오.

01 내일은 John의 생일이다.
(is / John's birthday ...

02 나는 지금 아프지 않다.
(I / now / not / sick / a ...

[8~13] 우리말과 일치하도록 문장을 완성하시오.

08 그녀는 런던 출신이다.
→ She _____ London.

Step 2 응용하기

[20~25] 우리말과 일치하도록 괄호 안에 주어진 말을 활용하여 문장을 완성하시오.

20 Jenny는 지금 학교에 있다. (at sc ...
→ Jenny _____

21 Sam은 이번 주말에 바쁘지 않다.
→ Sam _____

Step 3 고난도 도전하기

37 다음 표를 보고, 괄호 안의 단어를 활용하여 문장을 완성하시오.

	Julie	Simon
좋아하는 과목	음악	수학
싫어하는 과목	역사	역사
잘하는 운동	농구	농구

(1) Julie likes music, and Simon _____
(like)

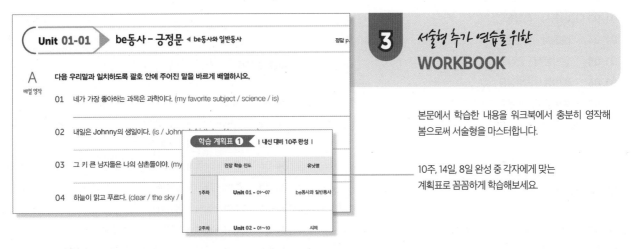

Unit 01-01 ▷ be동사 - 긍정문 ◁ be동사와 일반동사   정답 p.

A 배열 영작

다음 우리말과 일치하도록 괄호 안에 주어진 말을 바르게 배열하시오.

01 네가 가장 좋아하는 과목은 과학이다. (my favorite subject / science / is)

02 내일은 Johnny의 생일이다. (is / Johnn ...

03 그 키 큰 남자들은 나의 삼촌들이야. (my ...

04 하늘이 맑고 푸르다. (clear / the sky / ...

학습 계획표 ❶ ▏내신 대비 10주 완성 ▏

	권장 학습 진도	유닛명
1주차	Unit 01 - 01~07	be동사와 일반동사
2주차	Unit 02 - 01~10	시제

3 서술형 추가 연습을 위한
WORKBOOK

본문에서 학습한 내용을 워크북에서 충분히 영작해 봄으로써 서술형을 마스터합니다.

10주, 14일, 8일 완성 중 각자에게 맞는 계획표로 꼼꼼하게 학습해보세요.

특별 부록 구성 📝

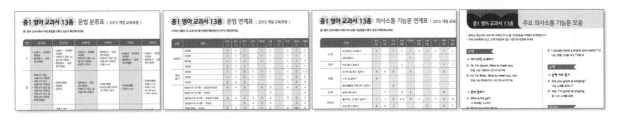

교과서별 문법 분류표와 연계표, 의사소통 기능문 연계표, 의사소통 기능문 모음을 제공하여, 학년별로 반드시 학습해야 하는 내용뿐 아니라, 그 내용이 본 책 어느 유닛에 해당하는지도 한눈에 확인할 수 있습니다.

무료 부가서비스
www.cedubook.com

① 어휘 리스트
② 어휘 테스트
③ 주요 의사소통 기능문 (영작/해석)

Contents 목차

중1 영어 교과서 13종 문법 분류표 | 2015 개정 교육과정 |

중1 영어 교과서에서 어떤 문법을 다루고 있는지 확인해 보세요.

단원	동아(윤)	동아(이)	천재(이)	천재(정)	미래엔	능률(김)	능률(양)
1	• be동사 – 긍정문/부정문 • 일반동사 – 긍정문/부정문	• be동사 – 긍정문/부정문 • 의문사가 없는 be동사의 의문문 • 일반동사 – 긍정문/부정문	• be동사 – 긍정문/부정문 • 의문사가 없는 be동사의 의문문 • 비인친 주어 it	• 일반동사 – 긍정문/부정문 • 의문사가 없는 일반동사의 의문문 • 조동사 will	• be동사 – 긍정문/부정문 • 일반동사 – 긍정문/부정문	• be동사 – 긍정문/부정문 • 일반동사 – 긍정문/부정문	• 동명사를 목적어로 취하는 동사 • 동격의 콤마
2	• 의문사가 없는 be동사의 의문문 • 의문사가 있는 be동사의 의문문 • 의문사가 없는 일반동사의 의문문 • 의문사가 있는 일반동사의 의문문 • 현재진행형	• 현재진행형 • 명령문 • 감탄문	• 일반동사 – 긍정문/부정문 • 의문사가 없는 일반동사의 의문문	• 현재진행형 • to부정사를 목적어로 취하는 동사	• 현재진행형 • 조동사 can	• 현재진행형 • 조동사 can • 조동사 will • be going to • There is[are]	• be going to • to부정사를 목적어로 취하는 동사
3	• 명령문 • 조동사 can • 조동사 will	• 조동사 can • 의문형용사 which 의문문 • 의문부사 how 의문문 • 의문사가 없는 일반동사의 의문문	• 현재진행형 • 조동사 will • be going to	• 과거시제 • 의문사가 없는 일반동사(과거형)의 의문문 • 부가의문문	• 동명사를 목적어로 취하는 동사 • 2형식 감각동사 • There is[are]	• 과거시제 • 동명사를 목적어로 취하는 동사 • 의문사가 있는 be동사(과거형)의 의문문	• 명사절 접속사 that • 조동사 must
4	• 과거시제 • There is[are]	• 과거시제 • 재귀대명사	• There is[are] • 조동사 can	• 수여동사+간접목적어+직접목적어 • to부정사의 부사적 용법(목적)	• 과거시제 • 조동사 will • 의문사가 있는 일반동사(과거형)의 의문문	• 수여동사+간접목적어+직접목적어 • to부정사를 목적어로 취하는 동사 • 접속사 because	• to부정사의 부사적 용법(목적) • 감탄문
5	• 동명사의 명사적 용법(주어/보어) • 동명사를 목적어로 취하는 동사 • 동명사의 관용 표현 • 비인칭 주어 it	• 조동사 will • be going to • 수량형용사 a few, many	• 과거시제 • 의문사가 있는 be동사(과거형)의 의문문 • 의문사가 있는 일반동사(과거형)의 의문문 • 동명사의 명사적 용법(주어) • 동명사를 목적어로 취하는 동사	• There is[are] • 재귀대명사 • 원급비교	• be going to • to부정사를 목적어로 취하는 동사	• 명사절 접속사 that • 비교급 • 최상급	• 접속사 and • 접속사 when • 접속사 because
6	• to부정사를 목적어로 취하는 동사 • 2형식 감각동사	• to부정사를 목적어로 취하는 동사 • 접속사 when	• to부정사를 목적어로 취하는 동사	• 조동사 must • 동명사를 목적어로 취하는 동사	• 명사절 접속사 that • to부정사의 부사적 용법(목적) • 수여동사+간접목적어+직접목적어	• 조동사 must • to부정사의 부사적 용법(목적) • 접속사 when	• 부사 too • 수여동사+간접목적어+직접목적어
7	• be going to • 비교급 • 최상급	• 수여동사+간접목적어+직접목적어 • 조동사 have to/don't have to	• to부정사의 부사적 용법(목적) • 접속사 when	• 과거진행형 • 접속사 because • 최상급	• 조동사 have to • 조동사 should • 접속사 when	• 부가의문문 • 감탄문 • 형용사를 목적격 보어로 취하는 5형식 동사	• 과거진행형 • 부가의문문
8	• 명사절 접속사 that • 접속사 before, after, when	• 동명사를 목적어로 취하는 동사 • 비교급 • 비교급 강조 부사 much	• 수여동사+간접목적어+직접목적어 • 접속사 because • 비교급	• 감탄문 • 접속사 when	• 접속사 because • 비교급 • 최상급		• 최상급 • the+형용사+one

단원	비상	YBM(박)	YBM(송)	지학	금성	다락원
1	• be동사 – 긍정문/부정문 • 의문사가 없는 be동사의 의문문 • 일반동사 – 긍정문/부정문 • 의문사가 없는 일반동사의 의문문	• be동사 – 긍정문/부정문 • 의문사가 없는 be동사의 의문문	• be동사 – 긍정문/부정문 • 의문사가 없는 be동사의 의문문 • 일반동사 – 긍정문/부정문	• 일반동사 – 긍정문/부정문 • 의문사가 없는 일반동사의 의문문 • 과거시제 • 조동사 will	• 일반동사 – 긍정문/부정문 • 의문사가 없는 일반동사의 의문문	• be동사 – 긍정문/부정문 • 재귀대명사 • 동명사를 목적어로 취하는 동사
2	• 명령문 • be going to • 현재진행형	• 일반동사 – 긍정문/부정문 • 의문사가 없는 일반동사의 의문문	• 일반동사 – 긍정문/부정문 • 의문사가 없는 일반동사의 의문문	• 현재진행형 • to부정사를 목적어로 취하는 동사	• 현재진행형 • 조동사 will • 조동사 should • 조동사 can • 조동사 may	• 일반동사 – 긍정문/부정문 • 동사+목적어+전치사구 • 감탄문
3	• 과거시제 • 2형식 감각동사	• 과거시제 • 2형식 감각동사	• There is[are] • 조동사 can	• be going to • to부정사의 형용사적 용법 • 동명사를 목적어로 취하는 동사	• 과거시제 • 감탄문	• 과거시제 • There is[are] • to부정사를 목적어로 취하는 동사
4	• 조동사 will • be going to • 수여동사+간접목적어+직접목적어	• 조동사 will • 조동사 can	• 과거시제 • 조동사 will	• 접속사 when • 조동사 should	• 2형식 감각동사 • 접속사 when • 접속사 because	• 명령문 • to부정사의 부사적 용법(목적) • 부가의문문
5	• 비교급 • 최상급	• to부정사를 목적어로 취하는 동사 • 감탄문	• 현재진행형 • 2형식 감각동사	• to부정사의 부사적 용법(목적) • 부가의문문	• to부정사를 목적어로 취하는 동사 • 빈도부사	• 수여동사+간접목적어+직접목적어 • 명사절 접속사 that • 접속사 when
6	• to부정사를 목적어로 취하는 동사 • 부가의문문	• 동명사를 목적어로 취하는 동사 • 비교급	• 명령문 • 접속사 when	• 비교급 • 비교급 강조 부사 much • 최상급	• 명사절 접속사 that • to부정사의 부사적 용법(목적)	• 과거진행형 • 수동태 • 한정사 any
7	• to부정사의 부사적 용법(목적) • 명사절 접속사 that	• 접속사 because • 부가의문문	• to부정사를 목적어로 취하는 동사 • 동명사의 명사적 용법(주어)	• There is[are] • 명사절 접속사 that • 수여동사+간접목적어+직접목적어	• 수여동사+간접목적어+직접목적어 • 형용사를 목적격 보어로 취하는 5형식 동사	• 조동사 should • 문장 전체를 수식하는 부사 • 간접화법과 직접화법
8	• 동명사를 목적어로 취하는 동사 • 접속사 when	• be going to • 접속사 when • 형용사를 목적격 보어로 취하는 5형식 동사	• 비교급 • 접속사 because		• 동명사를 목적어로 취하는 동사 • 동명사의 명사적 용법(주어) • 동명사의 관용 표현 • 비교급 • 최상급	• to부정사의 형용사적 용법 • 접속사 if • 접속부사
9			• be going to • 수여동사+간접목적어+직접목적어 • 감탄문			
S1		• 현재진행형 • 명령문				
S2		• to부정사의 부사적 용법(목적) • 수여동사+간접목적어+직접목적어				

본 분류표는 참고 자료일 뿐임을 알려 드립니다.

중1 영어 교과서 13종 문법 연계표 | 2015 개정 교육과정 |

쓰작의 내용이 내 교과서의 몇 단원에 해당하는지 여기서 확인하세요.

단원	목차	동아 (윤)	동아 (이)	천재 (이)	천재 (정)	미래엔	능률 (김)	능률 (양)	비상	YBM (박)	YBM (송)	지학	금성	다락원
be동사	긍정문	1	1	1		1	1		1	1	1			1
	부정문	1	1	1		1	1		1	1	1			1
	축약형	1	1	1		1	1		1	1	1			1
	의문문	2	1	1					1	1	1		1	
일반동사	긍정문	1	1	2	1	1	1		1	2	1, 2	1	1	2
	부정문	1	1	2	1	1	1		1	2	2	1	1	
	의문문	2	3	2	1				1	2	2	1	1	
시제	be동사의 과거형 – 긍정문/부정문	4	4	5		4	3		3	3	4		3	
	be동사의 과거형 – 의문문						3				4			
	일반동사의 과거형 – 긍정문/부정문	4	4	5	3	4	3		3	3	4	1	3	3
	일반동사의 과거형 – 의문문			5	3	4	3			3	4	1	3	
	현재진행형 – 긍정문	2	2	3	2	2	2		2	S1	5	2	2	
	현재진행형 – 부정문	2		3						S1			2	
	현재진행형 – 의문문	2		3	2		2			S1		2		
	미래형: will – 긍정문/부정문/의문문	3	5	3	1	4	2		4	4	4	1	2	
	미래형: be going to – 긍정문/부정문	7	5	3		5	2	2	4	8	9	3		
	미래형: be going to – 의문문							2						
조동사	can – 긍정문/부정문	3	3	4		2	2			4	3		2	
	can – 의문문	3	3	4		2		6	3	4, 6	2	2		7
	may – 긍정문/부정문												2	
	may – 의문문					6								
	will/would – 의문문													
	must				6		6	3						
	should			6		7						4	2	7
	have to		7			7								
문장형식	비인칭 주어 it	5		1										
	There be동사 – 긍정문	4		4	5	3	2				3	7		3
	There be동사 – 부정문	4												3
	There be동사 – 의문문	4										7		
	주어+동사+형용사	6				3			3	3	5		4	
	주어+동사+목적어													
	주어+동사+간접목적어+직접목적어		7	8	4	6	4	6	4	S2	9	7	7	5
	주어+동사+직접목적어+전치사+간접목적어													
	주어+make+목적어+목적격 보어(형용사)						7			8			7	
	주어+keep+목적어+목적격 보어(형용사)									8				
부정사	want+to부정사	6	6, 7	6	2	5	4	2	6	5	7	2	5	3
	목적어나 보어로 쓰인 to부정사	6	6	6	2	5	4		6	5	7	2	5	3
	부사로 쓰인 to부정사			7	4	6	6	4	7	S2		5	6	4

단원	목차	동아(윤)	동아(이)	천재(이)	천재(정)	미래엔	능률(김)	능률(양)	비상	YBM(박)	YBM(송)	지학	금성	다락원
동명사	주어나 보어로 쓰인 동명사	5		5			1		1		7		8	
	목적어로 쓰인 동명사	5	8	5	6	3	3	1	8	6		3	8	1
	동명사의 관용 표현	5											8	
전치사	시간 전치사 in, on, at													
	기타 시간 전치사													
	장소 전치사 in, on, at													
	기타 장소 전치사													
접속사	and, but, or							5						
	before, after	8												
	when	8	6	7	8	7	6	5	8	8	6	4	4	5
	so													
	because			8	7	8	4	5		7	8		4	
	that	8			6		5	3	7			7	6	5
부사	빈도부사												5	
비교	비교급	7	8	8		8	5		5	6	8		6	8
	최상급	7			7	8	5	8	5				6	8
의문사	의문대명사 who가 주어일 때													
	의문대명사 who가 주어가 아닐 때			3		1								
	의문대명사 what이 주어일 때													
	의문대명사 what이 주어가 아닐 때	2		5		4		7						
	의문형용사 what		5						5					
	의문형용사 which		1		7	8		8						
	의문부사 when+be동사													
	의문부사 when+일반동사			5										
	의문부사 where+be동사	2	4	5			3				5			
	의문부사 where+일반동사			7										
	의문부사 why				7	8	4			7	8		4	
	의문부사 why 주요 표현	3			4	2	7	3	8	4	6	4	7	3
	의문부사 how	4	3	1, 4, 5	1	4, 5			8	4	1	1	1	1
	how+형용사/부사		7	5, 8			5			5				
문장 유형	긍정 명령문	3	2						2	S1	6			4
	부정 명령문	3	2						2	S1	6			4
	부가의문문				3		7	7	6	7		5		4
	What 감탄문		2		8		7					9	3	2
	How 감탄문		2		8		7	4		5		9	3	2

본 분류표는 참고 자료일 뿐임을 알려 드립니다.

중1 영어 교과서 13종 의사소통 기능문 연계표 | 2015 개정 교육과정 |

중1 영어 교과서에서 어떤 의사소통 기능문을 다루고 있는지 확인해 보세요.

	주제	동아(윤)	동아(이)	천재(이)	천재(정)	미래엔	능률(김)	능률(양)	비상	YBM(박)	YBM(송)	지학	금성	다락원
소개	자기/타인 소개하기	1		1	1	1	1	1	1	1	1		1	1
	관계 말하기					1								
안부	안부 묻고 답하기				1					1	1		1	1
경험	과거의 일 묻고 말하기	4	4	5		4				3				
	느낀 점 말하기	4												
	일상생활에 관해 묻고 답하기			2										
능력	능력 여부 묻기		1		6	2				6		1	3	4
관심사	좋아하는 것 묻고 말하기	1	1	3	2, 6	3	1	1	1	2	3	1		
	관심 묻고 말하기	6	6	7				2		3	7	5		5
계획과 장래 희망	의도나 계획 묻고 말하기	7	5	3		5	2	2	4	8	9	3	2, 6	3
	장래 희망 묻고 말하기	6	6				5				7			
정보	길 묻기			4		5		8	4					
	날씨 묻고 말하기	5		1										
	숫자와 관련된 정보 묻기		7	5, 8						5	5			
	찾는 물건 말하기		7											
	위치 묻고 말하기	2	4								5			
	구체적 정보 말하기							8						
의견	의견 묻고 말하기	8	8	6			6			7			6	
	동의/반대하기	8			2		4			8				
	만족/불만족 묻기					4				2				
	원하는 것 묻고 답하기				7	7	7					5		
이유	이유 묻고 답하기				8	7	8	4	5		7	8		4
확인	궁금증 표현하기											7		
	모르고 있음 표현하기								5					
	상기시켜 주기												4	7
	확실성 정도 표현하기												8	
묘사	외모 묘사하기		3									6		
	행동 묘사하기	2	3						2		5			
	진술하기				5		2					7		
	비교하기				8					6	8			

주제		동아(윤)	동아(이)	천재(이)	천재(정)	미래엔	능률(김)	능률(양)	비상	YBM(박)	YBM(송)	지학	금성	다락원
제안과 권유	도움 제안하기				3									
	시간 약속 정하기		5											
	제안/권유하기	3			4	2	7	3	8	4	6	4	7	3
	음식 권하기				4	3		4	6	5	3	3	2	
감사와 기원	감사하기										2	2		4
	축하/칭찬하기							4					3	
	격려/기원하기	7					5							
감정 표현	기쁨 표현하기								3					
	슬픔, 불만족, 실망의 원인에 대해 묻고 답하기		2								4		4	8
	희망/기대 표현하기					6							8	6
	놀람 표현하기							5	8			6		6
	유감/동정 표현하기							6			4			
	걱정/두려움 표현하기				8				7					2
	안도감 표현하기													2
	감탄하기										9			
담화 구성	주제 소개하기								7					
	열거하기												5	
	전화하거나 받기													5
요청	확인 요청하기				3		7	7	6					
	설명 요청하기		8										7	
	지시하기			2							6			
	요청하기	3		4	5			6	3		2	2		7
	반복 요청하기												5	
	허락 요청하기					6	3							
당부	충고/조언/의무 표현하기	5	2	6	8	7	3	3	7	4				8
	경고하기								2					
	금지하기						6							

본 분류표는 참고 자료일 뿐임을 알려 드립니다.

- 중학교 1학년 영어 교과서에 수록된 의사소통 기능문들을 주제별로 분류했습니다.
- 여러 번 반복해서 보고, 교재 자료실에 있는 시험지로 점검해 보세요.

소개

자기/타인 소개하기

A : Hi, I'm Jiyoon. Nice to meet you.
　안녕, 나는 지윤이야. 만나서 반가워.

B : Hi, I'm Brian. Nice to meet you, too.
　안녕, 나는 Brian이야. 나도 만나서 반가워.

관계 말하기

A : Who is the girl?
　그 여자애는 누구야?

B : She's my sister, Nara.
　그녀는 내 여동생 나라야.

안부

안부 묻고 답하기

A : How are you doing, Minji?
　민지야, 잘 지내?

B : Fine. / I'm fine. / I'm great.
　잘 지내.

경험

과거의 일 묻고 말하기

A : What did you do yesterday?
　너는 어제 뭐 했어?

B : I played baseball.
　나는 야구를 했어.

느낀 점 말하기

A : How was it?
　그건 어땠어?

B : It was fun.
　재밌었어.

일상생활에 관해 묻고 답하기

A : What do you do after school?
　너는 학교 끝나면 뭐 해?

B : I usually have a snack and watch TV.
　나는 보통 간식을 먹고 TV를 봐.

능력

능력 여부 묻기

A : Are you good at singing?
　너는 노래를 잘하니?

B : Yes, I'm good at singing.
　응, 나는 노래를 잘해.

관심사

좋아하는 것 묻고 말하기

A : What is your favorite subject?
　네가 가장 좋아하는 과목은 뭐야?

B : I like math.
　나는 수학을 좋아해.

관심 묻고 말하기

A : What are you interested in?
　너는 뭐에 관심이 있니?

B : I'm interested in taking pictures.
　나는 사진 찍는 것에 관심이 있어.

계획과 장래 희망

의도나 계획 묻고 말하기

A : What are you going to do this weekend?
　너는 이번 주말에 뭐 할 거야?

B : I'm going to go on a camping trip.
　나는 캠핑 여행을 갈 거야.

A : Have a nice trip!
　좋은 여행이 되길!

장래 희망 묻고 말하기

A : What do you want to be in the future?
　너는 장차 뭐가 되고 싶어?

B : I want to be a movie director.
　나는 영화감독이 되고 싶어.

정보

● 길 묻기

A : How can I get to the city library?
시립 도서관까지 어떻게 갈 수 있나요?

B : Go straight two blocks and turn left.
두 블록 쭉 가서 왼쪽으로 도세요.

● 날씨 묻고 말하기

A : What's the weather like? / How's the weather?
날씨가 어때?

B : It's hot and sunny.
덥고 맑아.

● 숫자와 관련된 정보 묻기

A : How much are these shoes?
이 신발은 얼마인가요?

B : They are 30,000 won.
3만 원입니다.

● 찾는 물건 말하기

A : Can I help you?
도와드릴까요?

B : Yes, I'm looking for a T-shirt for my brother.
네, 저는 제 남동생을 위한 티셔츠를 찾고 있어요.

● 위치 묻고 말하기

A : Where is Jenny?
Jenny는 어디에 있어?

B : She's in the library.
그녀는 도서관에 있어.

의견

● 의견 묻고 말하기

A : What do you think about the painting?
너는 그 그림에 대해 어떻게 생각해?

B : I think it's beautiful.
나는 그것이 아름답다고 생각해.

● 동의/반대하기

A : This movie is boring.
이 영화는 지루해.

B : I think so, too. / I don't think so.
나도 그렇게 생각해. / 나는 그렇게 생각하지 않아.

● 만족/불만족 묻기

A : How did you like the movie?
그 영화는 어땠어?

B : I liked it a lot.
나는 아주 좋았어.

A : Are you happy with your new shoes?
너는 새 신발이 마음에 들어?

B : Yes, I am. / No, I'm not.
응, 그래. / 아니, 그렇지 않아.

● 원하는 것 묻고 답하기

A : Where do you want to travel?
너는 어디로 여행 가고 싶어?

B : I want to go to Switzerland.
나는 스위스에 가보고 싶어.

이유

● 이유 묻고 답하기

A : Why do you use this computer?
너는 왜 이 컴퓨터를 사용해?

B : Because it's fast.
빠르기 때문이야.

확인

● 상기시켜 주기

A : Don't forget to turn off the lights.
불 끄는 것을 잊지 마.

B : Okay!
알겠어!

묘사

● 외모 묘사하기

A : What does Nate look like?
Nate는 어떻게 생겼어?

B : He is tall and thin.
그는 키가 크고 말랐어.

● 행동 묘사하기

A : What's she doing there?
    그녀는 거기서 뭐 하고 있어?

B : She's looking at the painting.
    그녀는 그림을 보고 있어.

● 진술하기

A : Is there a cap on the bed?
    침대 위에 모자가 있니?

B : Yes, there is. / No, there is a ball on the bed.
    응, 있어. / 아니, 침대 위에는 공이 하나 있어.

● 비교하기

A : Which is heavier, the red one or the green one?
    빨간색인 것과 초록색인 것 중에 어느 것이 더 무겁니?

B : The red one is heavier than the green one.
    빨간색인 것이 초록색인 것보다 더 무거워.

제안과 권유

● 도움 제안하기

A : Your books look heavy. Can I give you a hand?
    네 책들이 무거워 보여. 내가 도와줄까?

B : Oh, yes, please.
    아, 응, 부탁해.

● 시간 약속 정하기

A : What time should we meet?
    우리 몇 시에 만날까?

B : How about 11:00 a.m.?
    오전 11시 어때?

● 제안/권유하기

A : Why don't we walk to school?
    우리 학교까지 걸어가는 게 어때?

B : That's a good idea. / Sounds good.
    좋은 생각이야. / 좋아.

● 음식 권하기

A : Would you like some chocolate cake?
    초콜릿 케이크 좀 드시겠어요?

B : Yes, please. / No, thanks.
    네, 주세요. / 아니요, 괜찮아요.

감사와 기원

● 감사하기

A : Thank you for the present.
    선물 고마워.

B : Don't mention it. / No problem.
    천만에.

● 축하/칭찬하기

A : I cleaned the windows.
    제가 창문을 청소했어요.

B : You did a good job!
    잘했구나!

A : Thank you.
    감사해요.

● 격려/기원하기

A : The school play is this Friday. I'm really nervous.
    학교 연극이 이번 주 금요일에 있어. 나는 정말 긴장돼.

B : Don't worry. You can do it!
    걱정하지 마. 너는 할 수 있어!

감정 표현

● 기쁨 표현하기

A : Jane found my cellphone.
    Jane이 내 핸드폰을 찾았어.

B : I'm glad to hear that.
    그 말을 들으니 기쁘다.

● 슬픔, 불만족, 실망의 원인에 대해 묻고 답하기

A : What's the matter? / What's wrong?
    무슨 일이야?

B : I have a lot of homework.
    숙제가 너무 많아.

● 희망/기대 표현하기

A : I will visit Japan this winter.
    나는 이번 겨울에 일본을 방문할 거야.

B : I hope you will have fun.
    즐겁게 보내길 바라.

A : Why don't we watch some movies on Saturday?
    우리 토요일에 영화 보는 게 어때?

B : Good idea. I can't wait.
좋은 생각이야. 정말 기다려져.

놀람 표현하기

A : The man stood on a ball for over five hours.
그 남자는 공 위에서 5시간 넘게 서 있었어.

B : Wow! That's surprising!
와! 놀라운데!

유감/동정 표현하기

A : I hurt my knees.
나는 무릎을 다쳤어.

B : I'm sorry to hear that.
안됐다.

걱정/두려움 표현하기

A : What's the matter?
무슨 일이야?

B : I'm worried about my sister. She's sick in the hospital.
나는 언니가 걱정돼. 그녀는 아파서 병원에 있거든.

담화 구성

주제 소개하기

A : Now let's talk about fine dust.
이제 미세 먼지에 관해 이야기해보자.

B : Okay. It's a serious problem.
그래. 그것은 심각한 문제야.

요청

확인 요청하기

A : You love magazines, don't you?
너는 잡지를 정말 좋아해. 그렇지 않니?

B : Yes, I do. / No, I don't.
응, 그래. / 아니, 그렇지 않아.

설명 요청하기

A : Can you tell me about him?
그에 대해 내게 말해줄 수 있어?

B : Sure. He is wearing glasses.
물론이지. 그는 안경을 쓰고 있어.

지시하기

A : Stand in line.
줄을 서.

B : Okay, I will.
알겠어, 그럴게.

요청하기

A : Can you do the dishes?
설거지 좀 해줄래?

B : Sure. / I'm sorry, but I can't.
물론이지. / 미안하지만, 할 수 없어.

허락 요청하기

A : Can I try on this shirt?
이 셔츠를 입어 봐도 될까요?

B : Yes, of course. / I'm sorry, but you can't.
네, 물론이에요. / 죄송하지만, 입어보실 수 없습니다.

당부

충고/조언/의무 표현하기

A : I'm always late for school.
나는 항상 학교에 지각해.

B : You should get up earlier.
너는 더 일찍 일어나야 해.

경고하기

A : Be careful. Watch your step.
조심해. 발밑을 조심해.

B : Oh, thank you.
아, 고마워.

금지하기

A: Excuse me. You must not take pictures here.
실례합니다. 여기서는 사진을 찍으시면 안 됩니다.

B: Oh, I see. I'm sorry.
아, 알겠습니다. 죄송합니다.

He is my best friend.

be동사는 '~이다, ~에 있다'라는 뜻으로 주어의 신분이나 존재, 상태
등을 나타낸다.
주어의 인칭과 수에 따라 am, are, is로 형태가 달라지는 것이 특징이다.

인칭대명사	be동사	지시대명사	be동사
I	am	This / That	is
You / We / They	are	These / Those	are
He / She / It	is		

A
배열 영작

01 소방관들은 용감하다. (brave / firefighters / are)

_____

02 그들은 나의 이웃들이다. (are / my neighbors / they)

_____

03 내 방은 2층에 있다. (is / on / my room / the second floor)

_____

B
문장 완성

01 이것은 우리 학교 교복이다. (school uniform)

This _____.

02 내 남동생의 양말이 소파 위에 있다. (on the sofa)

My brother's socks _____.

03 Bob과 Ted는 그녀의 남동생들이다. (brothers)

_____.

내신 기출 ◀ 문장 전환

다음 문장을 괄호 안의 지시대로 바꿔 쓰시오. (단, 축약형을 사용하지 말 것)

01 You are our guest. [he를 주어로]

→ _____

02 Kathy is in the pool now. [they를 주어로]

→ _____

03 Matt is a member of the school band. [I를 주어로]

→ _____

감정 피하기!

Q They are best friends.
[Kate and I를 주어로]

→ _____

_____

★ 주어 확인

be동사 앞에 주어 I가 있다고
무조건 am을 쓰면 안 돼요.
주어는 Kate and I 즉,
복수이므로 are를 써야 해요.

His sister is not shy.

be동사의 부정문은 '~가 아니다, ~에 없다'라는 뜻으로 be동사 뒤에
not을 붙여 「주어+be동사+not」의 형태로 쓴다.

인칭대명사	be동사+not	지시대명사	be동사+not
I	am not	This / That	is not
You / We / They	are not	These / Those	are not
He / She / It	is not		

A
배열 영작

01 그 노래는 인기가 없다. (is / popular / the song / not)

_____

02 이 책들은 내 것이 아니다. (not / these books / mine / are)

_____

03 나는 도서관에 있지 않다. (am / I / the library / in / not)

_____

B
문장 완성

01 Chris는 바쁘지 않다. (busy)

Chris _____.

02 소율이와 지민이는 나의 반 친구들이 아니다. (classmates)

Soyul and Jimin _____.

03 나는 춤을 잘 추는 사람이 아니다. (a good dancer)

_____.

내신 기출 ◣ 문장 전환

주어진 그림에 맞게 다음 문장을 부정문으로 바꿔 쓰시오.

01 They are sisters.

→ _____

02 Kevin is strong.

→ _____

We're late for class again.

주어(대명사)와 be동사 또는 be동사와 not은 축약하여 쓸
수 있다.
단, 주어가 지시대명사 this일 때는 is와 줄여 쓰지 않으며,
am도 not과 줄여 쓰지 않는다.

「주어+be동사」 축약	「주어+be동사」 축약+not	주어+「be동사+not」 축약
I'm	I'm not	–
You're / We're / They're	You're / We're / They're not	You / We / They aren't
He's / She's / It's	He's / She's / It's not	He / She / It isn't
That's	That's not	This / That isn't

A

배열 영작

01 나는 지금 피곤하지 않다. (now / I'm / tired / not)

_____

02 이것이 너의 마지막 기회이다. (last / your / this / chance / is)

_____

03 너는 언제나 내 마음속에 있다. (always / on / you're / my mind)

_____

[축약형을 사용할 것]

B

문장 완성

01 그것은 내 가방에 없다. (in my bag)

It _____.

02 그들은 중학생이 아니다. (middle school students)

They _____.

03 그는 유명한 프랑스 화가이다. (famous, a, French painter)

_____.

내신 기출 ▷ 문장 전환

다음 문장을 괄호 안의 지시대로 바꿔 쓰시오. (단, 축약형을 사용할 것)

01 Sandy is tall and thin. [I를 주어로]

→ _____

02 My dad is not busy. [we를 주어로]

→ _____

03 Jane is at the bus stop. [they를 주어로]

→ _____

감점 피하기!

Q It's not my bag.
[this를 주어로]

_____

_____

★ 축약하지 않는 말

주어 this는 be동사와 줄여
쓰지 않으니 This's라고 쓰
면 안돼요.

Is this your little sister?

be동사의 의문문은 「Be동사+주어 ~?」의 형태로 쓴다. 긍정의 대답은 「Yes, 주어+be동사.」로, 부정의 대답은 「No, 주어+be동사+not.」으로 한다. 단, 의문사가 있으면 「의문사+be동사+주어 ~?」로 쓰며, 이때는 Yes/No로 답하지 않는다.

질문	긍정 대답	부정 대답
Am I ~?	Yes, you are.	No, you are not.
Are you ~?	Yes, I am.	No, I am not.
Is he / she / this[that, it] ~?	Yes, he / she / it is.	No, he / she / it is not.
Are we / you / they ~?	Yes, you / we / they are.	No, you / we / they are not.

A 배열 영작

01 Jake가 또 늦니? (Jake / again / late / is)

_____

02 그는 지금 어디에 있니? (now / he / is / where)

_____

03 그 소년들은 축구를 잘하니? (the boys / soccer / good at / are)

_____

B 문장 완성

01 Amy는 그 가수의 열성 팬이니? (a big fan)

_____ of the singer?

02 Sam과 그의 딸이 지금 공항에 있나요? (at the airport)

_____ now?

03 그의 새 책은 재미있니? (interesting)

_____ ?

내신 기출 ◀ 대화 완성

다음 대화가 자연스럽도록 빈칸에 알맞은 말을 쓰시오. (단, 축약형을 쓸 수 있는 곳은 모두 사용할 것)

01 A: _____ you in the music club?

B: Yes, _____ _____.

02 A: _____ _____ the Taj Mahal? _____ it in Thailand?

B: No, _____ _____. It is in India.

03 A: _____ the sun and Sirius stars?

B: Yes, _____ _____.

⊙ 감점 피하기!

Q
A: _____ you good friends?

B: Yes, _____
_____.

★ 단수와 복수 형태가 같은 you

문맥상 you가 단수(너)일 때는 I로 응답하고, 복수(너희들)일 때는 we로 응답해요.

Becky runs fast.

일반동사는 주어의 동작이나 행동을 나타낸다. 일반동사는 주어가 3인칭 단수이면서 현재시제일 때 대부분 끝에 -s나 -es를 붙여 규칙적으로 변화하지만, 동사마다 규칙이 다르므로 유의해야 한다. 주어가 복수이고 현재시제이면 원형 그대로 쓴다.

규칙 변화	대부분의 동사	동사원형+-s	eat → eats
	-o, -s, -sh, -ch, -x로 끝나는 동사	동사원형+-es	go → goes
	[자음+y]로 끝나는 동사	y를 i로 고치고+-es	try → tries
	[모음+y]로 끝나는 동사	동사원형+-s	play → plays
불규칙 변화		have → has	

A
배열 영작

01 민호는 기타를 가지고 있다. (has / Minho / a guitar)

_____

02 Emily는 아파트에 산다. (in an apartment / lives / Emily)

_____

03 나는 아이스크림을 정말 좋아한다. (like / really / ice cream / I)

_____

B
문장 완성

01 Noah는 지하철을 타고 학교에 간다. (go to school)

_____ by subway.

02 그들은 토요일 아침마다 축구를 한다. (play, soccer)

_____ every Saturday morning.

03 Jacob은 3개 국어를 한다. (speak, three languages)

_____ .

내신 기출 ◀ 오류 수정

다음 문장에서 어법상 틀린 부분을 찾아 바르게 고쳐 쓰시오.

01 Kyle enjoies outdoor activities.

_____ → _____

02 Tim and I goes to the movies once a month.

_____ → _____

03 My father sometimes fixs my bike.

_____ → _____

⚲ 감점 피하기!

Q Andy haves a math class on Monday.

_____
→ _____

★ 불규칙동사 have
주어가 3인칭 단수이고 현재시제일 때 대부분의 일반동사가 -(e)s를 붙여서 변화하지만, have는 불규칙하게 has로 변해요.

I don't have an aunt.

일반동사의 부정문은 「주어+do[does] not+동사원형 ~.」 형태로 쓴다.
주어가 3인칭 단수일 때는 do not 대신에 does not을 쓰는데, do[does]와
not은 축약해서 쓸 수 있다.

주어	부정형	축약형
I / You / We / They	do not	don't
He / She / It	does not	doesn't

A
배열 영작

01 어떤 사람들은 고기를 먹지 않는다. (meat / some people / eat / don't)

_____

02 그들은 정답을 알지 못한다. (don't / they / the answer / know)

_____

03 그는 피아노를 잘 치지 못한다. (doesn't / he / the piano / play / well)

_____

[축약형을 사용할 것]

B
문장 완성

01 북극곰은 물을 마시지 않는다. (drink, water)

Polar bears _____.

02 우리는 토요일에는 수업이 없다. (have, classes)

_____ on Saturday.

03 내 남동생은 나를 좋아하지 않는다. (like)

_____.

내신 기출 문장 전환

주어진 그림에 맞게 다음 문장을 부정문으로 바꿔 쓰시오. (단, 축약형을 사용할 것)

01  The people read books.

→ _____

02 Adam drives a truck.

→ _____

🎯감점 피하기!

Q He has a car.

→ _____

_____

★ 조동사 do, does

not과 함께 부정문을 만드는 do[does]는 조동사이므로 don't[doesn't] 다음에는 동사원형을 써야 해요.

Does Peter live in Toronto?

일반동사의 의문문은 「Do[Does]+주어+동사원형 ~?」 형태로 쓴다.
이때, 주어가 3인칭 단수일 때는 do 대신 does를 쓴다.
단, 의문사가 있으면 「의문사+do[does]+주어+동사원형 ~?」 형태
로 쓴다.

주어	질문	대답
I / You / We / They	Do+주어+동사원형 ~?	Yes[No], 주어+do[don't].
He / She / It	Does+주어+동사원형 ~?	Yes[No], 주어+does[doesn't].

A
배열 영작

01 너는 그 이야기를 아니? (do / the story / you / know)

_____

02 그는 마술을 믿니? (does / magic / he / believe in)

_____

03 너는 매일 아침 어디로 산책하러 가니? (do / where / go for a walk / you / every morning)

_____

B
문장 완성

01 Smith 씨는 자동차 회사에서 일하나요? (work)

_____ at a car company?

02 너는 밴드에서 무엇을 연주하니? (play)

_____ in the band?

03 Becky는 별명이 있니? (have, a nickname)

_____ ?

내신 기출 ▎ 대화 완성

다음 대화가 자연스럽도록 빈칸에 알맞은 말을 쓰시오. (단, B는 A에 나온 동사를 활용할 것)

01 A: _____ your mom like dogs?

B: Yes, _____ _____. She _____ them very much.

02 A: _____ _____ _____ have for lunch?

B: He _____ a sandwich for lunch.

03 A: _____ _____ wear a school uniform?

B: No, I _____. But my brother _____ a school uniform.

Step **1**	기본 다지기

[1~7] 우리말과 일치하도록 괄호 안에 주어진 말을 바르게 배열하시오.

01 내일은 John의 생일이다.
(is / John's birthday / tomorrow)

→ _____

02 나는 지금 아프지 않다.
(I / now / not / sick / am)

→ _____

03 네 차례가 아니야.
(turn / it / your / isn't)

→ _____

04 토마토가 과일인가요?
(a fruit / a tomato / is)

→ _____

05 우리는 일요일마다 외식한다.
(we / every Sunday / eat out)

→ _____

06 사막에는 물이 많지 않다.
(a lot of / the desert / have / water / doesn't)

→ _____
_____

07 그들은 영어를 하니?
(they / English / do / speak)

→ _____

[8~13] 우리말과 일치하도록 문장을 완성하시오.

08 그녀는 런던 출신이다.

→ She _____ _____ London.

09 올겨울은 춥지 않다.

→ This winter _____ _____
_____.

10 그는 축구부에 있나요?

→ _____ _____ at the soccer club?

11 나는 매일 밤 TV를 본다.

→ I _____ _____ every night.

12 준호는 별명이 없다.

→ Junho _____ _____ a nickname.

13 그녀는 초콜릿을 좋아하니?

→ _____ _____ _____
chocolate?

[14~19] 우리말을 영어로 옮긴 문장의 어법이나 의미가 틀린 부분을 찾아 바르게 고치시오.

14
(Ted와 Kate는 지금 기차에 있다.)
Ted and Kate is on the train now.

_____ → _____

15
(나는 Andy이고, 민지의 반 친구야.)
I'am Andy, Minji's classmate.

_____ → _____

16

(초콜릿이 건강에 좋나요?)

Chocolate is good for your health?

_____ → _____

17

(민준이는 매일 학교에 걸어간다.)

Minjun walk to school every day.

_____ → _____

18

(보미는 교복을 입지 않는다.)

Bomi don't wear a school uniform.

_____ → _____

19

(너는 아침 식사로 무엇을 먹니?)

What you do eat for breakfast?

_____ → _____

Step 2 **응용하기**

[20~25] 우리말과 일치하도록 괄호 안에 주어진 말을 활용하여 문장을 완성하시오.

20 Jenny는 지금 학교에 있다. (at school)

→ Jenny _____ now.

21 Sam은 이번 주말에 바쁘지 않다. (busy)

→ Sam _____ this weekend.

22 파란색 원피스를 입은 저 소녀는 누구니? (who, that girl)

→ _____ in the blue dress?

23 그는 한 달에 한 번 낚시하러 간다. (go fishing)

→ He _____ once a month.

24 얼룩말은 사막에 서식하지 않는다. (live, deserts)

→ Zebras _____ .

25 Henry는 중국어를 하나요? (speak, Chinese)

→ _____ ?

[26~30] 다음 문장을 괄호 안의 지시대로 바꿔 쓰시오.

26 My cat's tail is long. [부정문으로]

→ _____

27 They are in the same class. [의문문으로]

→ _____

28 She enjoys shopping on weekends. [I를 주어로]

→ _____

29 He brushes his teeth after lunch. [부정문으로]

→ _____

_____

30 Amy works at a hospital. [의문문으로]

→ _____

**[31~36] 다음 빈칸에 알맞은 말을 넣어 대화를 완성하시오.
(단, B는 A에 나온 동사를 활용할 것)**

31

A: _____ _____ busy this weekend?

B: No, _____ _____ . I'm free this weekend.

32

A: _____ _____ know her number?

B: No, we _____ . But Chris _____ her number.

33

A: _____ Ian and Ted good at soccer?

B: No, _____ _____. They _____ good at basketball.

34

A: _____ this your little sister?

B: Yes, _____ my sister, Lily.

A: _____ really cute.

35

A: _____ you like math?

B: No, _____ _____.

A: Then, what _____ _____ like?

B: My favorite subject _____ science.

36

A: Who's the boy in the picture?

B: _____ my brother, Mike.

A: _____ _____ have a sister, too?

B: No, _____ _____.

I only _____ a brother.

Step 3 고난도 도전하기

37 다음 표를 보고, 괄호 안의 단어를 활용하여 문장을 완성하시오.

	Julie	Simon
좋아하는 과목	음악	수학
싫어하는 과목	역사	역사
잘하는 운동	농구	농구

(1) Julie likes music, and Simon _____ _____. (like)

(2) Julie and Simon _____ _____ history. (like)

(3) Julie plays basketball well. Simon _____ _____ _____, too. (play)

38 다음 우리말과 일치하도록 주어진 〈조건〉에 맞게 문장을 완성하시오.

〈조건〉

1. good, cook, but, like를 사용할 것
2. 축약형을 쓸 수 있는 곳은 모두 사용할 것
3. 빈칸에 모두 9단어로 쓸 것

(아빠는 훌륭한 요리사는 아니지만, 나는 그의 피자를 좋아한다.)

Dad _____

_____.

39 다음 밑줄 친 ⓐ~ⓔ에서 어법상 틀린 것을 찾아 기호를 쓰고, 바르게 고치시오.

My name ⓐis Matt. I ⓑlike rap music. ⓒI'm a member of the school's music club. I ⓓwrite rap songs well. My friends ⓔloves my songs.

(_____) → _____

40 다음 그림을 보고 대화를 완성하시오. (단, 축약형을 쓸 수 있는 곳은 모두 사용할 것)

A: Do you like vegetables, Sally?

B: No, _____ _____. What about you?

A: I like them. Then, _____ _____ like cake?

B: _____, _____. I love it.

A: Me, too. We both _____ _____.

It was rainy yesterday.

be동사의 과거형은 '~이었다, ~에 있었다'라는 뜻으로 주어의 과거 상태를 나타내며, am과 is는 was로, are는 were로 쓴다. 부정문은 be동사 뒤에 not을 붙여 「주어+be동사의 과거형+not」의 형태로 쓴다. 「be동사의 과거형+not」은 축약할 수 있지만, 주어와 be동사의 과거형은 축약하여 쓰지 않는다.

주어	be동사	be동사 과거형
I	am	was
You / We / They	are	were
He / She / It	is	was

A
배열 영작

01 그 영화는 정말 슬펐다. (was / really / the movie / sad)

_____

02 그는 수의사였다. (a vet / he / was)

_____

03 나는 그때 수업 중이지 않았다. (then / not / was / in class / I)

_____

B
문장 완성

01 그것은 Jake의 잘못이 아니었다. (fault)

It _____ .

02 열쇠 하나가 바닥에 있었다. (on the floor)

A key _____ .

03 우리는 도쿄로 가는 비행기를 타고 있었다. (on a plane)

_____ to Tokyo.

내신 기출 **오류 수정**

다음 밑줄 친 ⓐ~ⓔ에서 어법상 틀린 두 곳을 찾아 기호를 쓰고, 바르게 고치시오.

> Last week, I ⓐwas in Bangkok with my family. Bangkok was a unique and interesting city. The weather ⓑwas beautiful! Everything ⓒis perfect. The food was great, and the people ⓓwere really warm. We ⓔare so happy there!

(   ) → _____   (   ) → _____

⊙ 감점 피하기!

Q They are at school yesterday.

→ _____

★ 시제를 나타내는 말 확인

yesterday(어제)라는 과거 시제를 나타내는 말이 있으므로 be동사는 are 대신 과거형 were를 써야 해요.

Were you at home yesterday?

be동사의 과거 의문문은 「Was[Were]+주어 ~?」 형태로 쓴다. 긍정으로 대답할 때는 「Yes, 주어+was[were].」로, 부정으로 대답할 때는 「No, 주어+was[were] not.」으로 한다. 단, 부정의 대답은 「No, 주어+wasn't[weren't].」로 축약할 수 있다. 의문사가 있으면 「의문사+was[were]+주어 ~?」로 쓴다.

질문	긍정 대답	부정 대답
Was I ~?	Yes, you were.	No, you were not[weren't].
Were you ~?	Yes, I was.	No, I was not[wasn't].
Was he / she / it ~?	Yes, he / she / it was.	No, he / she / it was not[wasn't].
Were we / you / they ~?	Yes, you / we / they were.	No, you / we / they were not[weren't].

A
배열 영작

01 그때 그 방이 비어 있었니? (the room / empty / was / then)

_____

02 Max와 Leo는 서로 가까운 사이였니? (Max and Leo / close to / were / each other)

_____

03 오늘 하루 어땠어요? (was / your day / today / how)

_____

B
문장 완성

01 너는 오늘 아침에 학교에 늦었니? (late, for school)

_____ this morning?

02 그녀의 대답이 너에게 중요했니? (answer, important)

_____ to you?

03 Jason은 어젯밤에 어디에 있었니? (last night)

_____?

내신 기출 대화 완성

다음 대화가 자연스럽도록 빈칸에 알맞은 말을 쓰시오. (단, 축약형을 사용할 것)

01 A: _____ was my phone?

　　B: _____ _____ under the sofa.

02 A: _____ you at the party last night?

　　B: No, _____ _____. We _____ busy.

03 A: _____ the boy hungry?

　　B: Yes, _____ _____. He was really hungry.

I played basketball this afternoon.

일반동사의 과거형을 만드는 규칙에는 동사의 끝에 -(e)d를 붙이는 규칙 변화와 다양한 형태로 변하는 불규칙 변화가 있다. 부정문은 「주어+did not(didn't)+동사원형」 형태로 쓴다.

규칙 변화	대부분의 동사	동사원형+-ed	listen → listened
	-e로 끝나는 동사	동사원형+-d	hope → hoped
	「단모음+단자음」으로 끝나는 동사	마지막 자음 한 번 더 쓰고+-ed	plan → planned
	「자음+y」로 끝나는 동사	y를 i로 고치고+-ed	try → tried
불규칙 변화	현재형과 과거형이 같은 동사 read → read		
	현재형과 과거형이 다른 동사 go → went, see → saw		

A
배열 영작

01 나는 지난달에 그 책을 읽었다. (last month / read / I / the book)

_____

02 지수는 어젯밤에 열심히 공부했다. (studied / Jisu / hard / last night)

_____

03 그는 그의 방을 청소하지 않았다. (he / his room / clean / didn't)

_____

B
문장 완성

01 그녀의 차가 신호등에서 멈췄다. (stop)

_____ at the traffic lights.

02 나는 우리 언니랑 일주일 동안 말을 하지 않았다. (talk with)

_____ for a week.

03 우리는 온라인에서 네 사진들을 봤다. (see, picture, online)

_____ .

내신 기출 ◀ 도표·그림

보라의 지난주 계획표를 보고, 보라가 지난주에 한 일과 하지 않은 일을 쓰시오.

Bora's Weekly Plan		
01	walk my dog	○
02	go on a picnic	×
03	do volunteer work	○

01 Bora _____ last week.

02 She _____ last week.

03 She _____ last week.

Did you have breakfast?

일반동사의 과거 의문문은 주어의 인칭이나 수와 관계없이 did를 사용해서 「Did+주어+동사원형 ~?」 형태로 쓴다. 긍정으로 대답할 때는 「Yes, 주어+did.」로, 부정으로 대답할 때는 「No, 주어+did not[didn't].」으로 한다. 단, 의문사가 있으면, 의문사를 맨 앞에 써서 「의문사+did+주어+동사원형 ~?」 형태로 쓴다.

질문	긍정 대답	부정 대답
Did+주어+동사원형 ~?	Yes, 주어+did.	No, 주어+did not[didn't].

A 배열 영작

01 너는 그곳에서 나를 보았니? (see / did / me / you / there)

_____

02 Alex가 너와 영화를 봤니? (Alex / watch / did / with you / a movie)

_____

03 너는 지난여름에 어디에 갔었니? (you / where / go / did / last summer)

_____

B 문장 완성

01 Sam이 창문을 깼니? (break)

_____ the window?

02 너희는 그 병들을 재활용했니? (recycle)

_____ the bottles?

03 너는 어제 무엇을 했니? (do)

_____?

내신 기출 대화 완성

다음 대화가 자연스럽도록 빈칸에 알맞은 말을 쓰시오.

01 A: _____ you _____ badminton at the park?

B: No, _____ _____. We played badminton at school.

02 A: How long _____ _____ _____ at the hotel?

B: I stayed there for three days.

03 A: _____ you _____ fishing last weekend?

B: Yes, _____ _____. I went fishing with my dad.

감점 피하기!

Q
A: When _____

_____ _____
her?
B: I met her at 7.

★ 의문사가 있는 일반동사 과거형 의문문

의문사 다음에 「did+주어+동사원형」 순서로 쓰며, 문장 마지막에 물음표(?)를 쓰는 것을 잊지 마세요.

A boy is playing the piano.

현재진행형은 '~하고 있다, ~하는 중이다'라는 뜻으로 현재
진행 중인 일이나 동작을 나타내며, 「be동사+동사원형+-ing」
형태로 쓴다. 대부분의 동사는 끝에 -ing를 붙이지만, 다른
규칙이 적용되는 동사도 있어 주의해야 한다.

대부분의 동사	동사원형+-ing	read → reading
-e로 끝나는 동사	e를 빼고+-ing	give → giving
-ie로 끝나는 동사	ie를 y로 고치고+-ing	lie → lying
「단모음+단자음」으로 끝나는 동사	마지막 자음을 한 번 더 쓰고+-ing	swim → swimming

A
배열 영작

01 그들은 해변을 따라 걷고 있다. (are / they / along / the beach / walking)

_____

02 그녀는 재킷을 입고 있다. (putting on / she / is / her jacket)

_____

03 Liz가 공원에서 사진을 찍고 있다. (Liz / taking / pictures / is / in the park)

_____

B
문장 완성

01 그녀는 휴대전화로 영화를 보고 있다. (watch, a movie)

_____ on her cell phone.

02 많은 사람들이 그 버스를 기다리고 있다. (wait for)

Lots of people _____.

03 그는 그의 자전거를 고치고 있다. (fix, bicycle)

_____.

내신 기출 ▶ 도표 · 그림

다음 〈보기〉에서 고른 단어를 활용하여 Linda의 가족이 하고 있는 일을 묘사하는 문장을 완성하시오.
(단, 현재진행형을 사용할 것)

보기 ▶	set	help	chase	cook

01 Linda's father _____ in the yard.

02 Linda and her mother _____ the table.

03 Linda's older brother _____ her father.

04 Linda's younger brother _____ butterflies.

He is not listening to music.

현재진행형의 부정문은 '~하고 있지 않다, ~하는 중이 아니다'라는 뜻으로, be동사 뒤에 not을 붙여 「주어+be동사+not+동사원형+-ing」 형태로 쓴다. 이때, 주어와 be동사 또는 be동사와 not은 축약해서 쓰는 경우가 많다.

「주어+be동사」 축약+not	주어+「be동사+not」 축약
I'm not	–
You're / We're / They're not	You / We / They aren't
He's / She's / It's not	He / She / It isn't
+동사원형+-ing	

A
배열 영작

01 나는 모바일 게임을 하고 있지 않아요. (am / playing / I / not / mobile games)

_____

02 프린터가 작동하지 않고 있다. (working / the printer / not / is)

_____

03 그들은 책을 읽고 있지 않다. (not / they / reading / are / books)

_____

B
문장 완성

01 지호는 숙제를 하고 있지 않다. (do one's homework)

Jiho _____ .

02 비행기가 이륙하고 있지 않다. (take off)

The airplane _____ .

03 그들은 지도를 그리고 있지 않다. (draw, a map)

_____ .

내신 기출 문장 전환

다음 그림을 보고, 주어진 문장을 부정문으로 바꿔 쓰시오.

01 The woman is listening to music.

→ _____

02 The man is riding a bike.

→ _____

03 The two girls are running.

→ _____

Is it snowing outside?

현재진행형의 의문문은 be동사와 주어의 순서를 바꿔 「Be동사+주어+동사원형+-ing ~?」 형태로 쓴다. 단, 의문사가 있으면 의문사를 문장 맨 앞에 두어 「의문사+be동사+주어+동사원형+-ing ~?」 형태로 쓴다. 긍정으로 대답할 때는 「Yes, 주어+be동사.」로, 부정일 때는 「No, 주어+ be동사+not.」으로 한다. 보통 부정 대답에서는 「be동사+not」을 줄여 쓰는 것이 일반적이다.

질문	긍정 대답	부정 대답
Be동사+주어+동사원형+-ing ~?	Yes, 주어+be동사.	No, 주어+ be동사+not.

A
배열 영작

01 그들은 벤치에 앉아 있니? (they / are / on the bench / sitting)

_____

02 Mike는 설거지를 하고 있니? (doing / Mike / is / the dishes)

_____

03 그 남자는 누구를 보고 있니? (who / the man / looking at / is)

_____

B
문장 완성

01 Jeff가 우리를 위해 점심을 만들고 있나요? (make, lunch)

_____ for us?

02 그들은 Beth의 집에서 파티를 열고 있나요? (have, a party)

_____ at Beth's house?

03 너는 지금 무엇을 만들고 있니? (make)

_____ ?

내신 기출 도표 · 그림

다음 그림을 보고, 괄호 안에 주어진 표현을 활용하여 대화를 완성하시오. (단, 현재진행형을 사용할 것)

01 A: _____ those women _____ on their boats? (cook, food)

B: _____, _____.

02 A: Then, _____ they _____? (what, do)

B: _____ from their boats. (sell, fruit)

It will be sunny tomorrow.

미래 의미를 나타내는 표현은 will과 be going to가 있다. will은 '~일(할) 것이다'라는 뜻으로 미래의 일이나 주어의 의지를 나타 내며, 인칭이나 수에 따른 형태 변화가 없다.
부정형은 will not을 축약하여 won't로 쓰고, 의문문은 「(의문사) +will+주어+동사원형 ~?」 형태로 쓴다.

「인칭대명사+will」의 축약형	인칭대명사+「will+not」의 축약형
I / You / We / They / He / She / It'll	I / You / We / They / He / She / It won't
will 의문문	
(의문사)+will+주어+동사원형 ~?	

A 배열 영작

01 그는 서울로 이사를 할 것이다. (will / to Seoul / move / he)

_____

02 추워. 내가 창문을 닫아야겠어. (the window / I'll / cold / close / it's)

_____

03 너는 방과 후에 무엇을 할 거니? (do / will / you / what / after school)

_____

B 문장 완성

[will을 사용할 것]

01 우리는 일주일에 한 번 만날 것이다. (meet)

_____ once a week.

02 그들은 Houston 씨를 좋아하지 않을 것이다. (like)

_____ Mr. Houston.

03 Judy가 오늘 밤 그곳에 있을까? (be, there)

_____?

내신 기출 ▶ 문장 전환

다음 문장을 괄호 안의 지시대로 바꿔 쓰시오.

01 She watches a talk show. [will을 사용하여]

→ _____

02 They aren't be late. [will을 사용하여]

→ _____

03 The class begins at 10. [will을 사용하여 의문문으로]

→ _____

감점 피하기!

Q The bus will come soon. [부정문으로]

→ _____

_____

★ will의 축약
will은 주어인 인칭대명사와 축약하거나, 부정문일 때 not과 축약하여 쓰는 경우가 많아요.

I'm going to watch a movie tonight.

be going to는 '~할 것이다(미래), ~할 예정이다(계획)'라는 뜻으로 이미 결정된 미래의 일이나 계획을 말할 때 쓴다. 「be going to+동사원형」 형태로 쓰며, be동사는 주어의 인칭과 수에 일치시킨다. 부정문은 「주어+be동사+not+going to+동사원형 ~.」 형태로 쓴다.

A
배열 영작

01 우리는 늦을 것 같아요. (be / are / going / we / to / late)

_____

02 그는 유명한 배우가 될 것이다. (be / a famous actor / going / he's / to)

_____

03 그들은 오늘 농구를 하지 않을 것이다. (not / to play / basketball / going / they're / today)

_____

B
문장 완성

[be going to를 사용할 것]

01 Ted는 내일 아침에 떠날 것이다. (leave)

_____ tomorrow morning.

02 그 전쟁은 일어나지 않을 것이다. (happen)

The war _____ .

03 그들은 곧 만날 것이다. (meet)

_____ .

내신 기출 ▸ 도표 · 그림

다음 Amy의 메모를 보고, Amy가 토요일에 할 일을 쓰시오. (단, be going to를 사용할 것)

Saturday the 15th	
01	Go shopping with Kate
02	Buy sneakers
03	Don't buy a new bag
Q	Ride bikes with Nancy

01 Amy _____ with Kate this Saturday.

02 Amy _____ .

03 Amy _____ .

🎯 **감점 피하기!**

Q Amy and Nancy

_____

_____

_____

★ **be going to의 be동사**

be going to를 쓸 때 be동사는 주어의 인칭과 수에 일치시켜야 하므로 주어가 무엇인지 잘 확인해야 해요.

Is Owen going to visit us?

be going to의 의문문은 be동사와 주어의 순서를 바꿔 「Be동사+주어+going to+동사원형 ~?」 형태로 쓰고, 긍정일 때는 「Yes, 주어+be동사.」로, 부정일 때는 「No, 주어+ be동사+not.」으로 대답한다. 의문사가 있으면 의문사를 문장의 맨 앞에 두어 「의문사+be동사+주어+going to+동사원형 ~?」 형태로 쓴다.

의문사가 없는 be going to 의문문	대답
Be동사+주어+going to+동사원형 ~?	Yes, 주어+be동사. / No, 주어+be동사+not.
의문사가 있는 be going to 의문문	**대답**
의문사+be동사+주어+going to+동사원형 ~?	대답은 Yes/No로 하지 않고, 구체적으로 답함

A 배열 영작

01 너는 방과 후에 수영하러 갈 거니? (are / go / you / going / swimming / to / after school)

_____

02 내일 아침에 비가 내릴까요? (going / to / rain / tomorrow morning / is / it)

_____

03 그들은 토요일에 무엇을 할 거니? (they / are / what / going / do / to / on Saturday)

_____

B 문장 완성

[be going to를 사용할 것]

01 너는 그 청바지를 살 거니? (buy)

_____ those jeans?

02 Jackie는 괜찮아지겠죠? (be)

_____ fine?

03 그들은 언제 돌아올까요? (come back)

_____ ?

내신 기출 ▌ 문장 전환

다음 문장을 괄호 안의 지시대로 바꿔 쓰시오.

01 He is going to drive his car along the beach. [의문문으로]

→ _____

02 She is going to stay in the hotel today. [의문문으로]

→ _____

03 What are you going to do during vacation? [where, go를 사용하여]

→ _____

[1~7] 우리말과 일치하도록 괄호 안에 주어진 말을 바르게 배열하시오.

01 Daisy는 어리고 예뻤다.
(and / Daisy / young / was / pretty)

→ _____

02 과학 캠프는 어땠니?
(was / the science camp / how)

→ _____

03 나는 오늘 아침에 우유를 마셨다.
(drank / I / this morning / milk)

→ _____

04 너는 거기서 얼마나 오랫동안 머물렀니?
(did / how long / you / there / stay)

→ _____

05 아빠가 내 컴퓨터를 고치고 계신다.
(fixing / is / my dad / my computer)

→ _____

06 내 고양이들은 자고 있지 않다.
(not / are / my cats / sleeping)

→ _____

07 그들은 왜 줄을 서 있나요?
(they / why / standing / are / in line)

→ _____

[8~16] 우리말과 일치하도록 문장을 완성하시오.

08 그것들은 네 것이 아니었어. 네 것은 저쪽에 있었어.
→ They _____ yours.
   Yours _____ over there.

09 당신은 그 상점에 있었나요?
→ _____ _____ at the store?

10 그들은 일찍 그 역에 도착했다.
→ _____ _____ at the station early.

11 그들이 나를 기다렸니?
→ _____ _____ _____ for me?

12 그는 지금 TV를 보고 있지 않다.
→ He _____ _____ _____ TV
   now.

13 너는 지금 잡지를 읽고 있니?
→ _____ _____ _____
   a magazine now?

14 내일은 날이 흐릴 것입니다.
→ It _____ _____ _____
   tomorrow.

15 그들은 그곳에서 4일간 머무를 예정이다.
→ They _____ _____ _____
   _____ there for 4 days.

16 Tom은 중국어를 배울 예정이니?
→ _____ Tom _____ _____
   _____ Chinese?

[17~25] 우리말을 영어로 옮긴 문장의 어법이나 의미가 <u>틀린</u> 부분을 찾아 바르게 고치시오.

17

(Thomas Edison은 부자였나요?)

Is Thomas Edison rich?

_____ → _____

18

(그들은 8시에 이곳을 떠났다.)

They leaved here at 8 o'clock.

_____ → _____

19

(Peter는 동아리에 가입했니?)

Did Peter joins the club?

_____ → _____

20

(그는 사진을 찍고 있다.)

He is take pictures.

_____ → _____

21

(나는 지금 컴퓨터를 사용하고 있지 않다.)

I'm using not the computer now.

_____ → _____

22

(Dennis 씨는 전화 통화 중인가요?)

Are Mr. Dennis talking on the phone?

_____ → _____

23

(나는 태국에서의 시간을 절대 잊지 않을 것이다.)

I am never forget my time in Thailand.

_____ → _____

24

(오늘 밤에 첫눈이 내릴 것이다.)

The first snow is going to falls tonight.

_____ → _____

25

(그녀는 언제 중국을 방문할 예정이니?)

When she is going to visit China?

_____ → _____

Step 2 응용하기

[26~33] 우리말과 일치하도록 괄호 안에 주어진 말을 활용하여 문장을 완성하시오.

26 할아버지는 나의 영웅이셨다. (hero)

→ My grandfather _____.

27 너의 베트남 여행은 어땠니? (trip)

→ _____ to Vietnam?

28 우리는 한 시간 동안 그 기차를 기다렸다. (wait for)

→ _____ for an hour.

29 너는 오늘 학교에 어떻게 왔니? (come to)

→ _____ today?

30 그들은 낮잠을 자고 있다. (take a nap)

→ _____.

31 그들은 지금 소풍 가는 중인가요? (go on a picnic)

→ _____ now?

32 Mike는 이번 주 금요일에 시합을 할 것이다. (play, the match)

→ _____

_____ this Friday.

33 그녀는 내일 아침 일찍 일어날 건가요? (get up)

→ _____

tomorrow morning?

[34~40] 다음 문장을 괄호 안의 지시대로 바꿔 쓰시오.

34 He was from France. [부정문으로]

→ _____

35 Ms. Kim was Suho's homeroom teacher last year.
   [의문문으로]

→ _____

→ _____

36 I didn't put my bag under the desk. [긍정문으로]

→ _____

37 She got my email yesterday. [의문문으로]

→ _____

38 Taylor sang a song on the stage. [미래 시제로]

→ _____

→ _____

39 He is running in the hallway.
   [축약형을 사용하여 부정문으로]

→ _____

40 Brad is going to visit Busan. [when을 사용하여 의문문으로]

→ _____

[41~46] 다음 빈칸에 알맞은 말을 넣어 대화를 완성하시오.
(단, B는 A에 나온 동사를 활용할 것)

41
| A: How _____ the weather last night? |
| B: It _____ snowy, but it _____ cold. |

42
| A: What _____ you watch yesterday? |
| B: I _____ a baseball game at the ballpark. |
| A: _____ it exciting? |
| B: Yes, _____ _____ . |

43
| A: What _____ you _____ here? |
| B: _____ looking for my sister, Susan. |
| A: _____ _____ she wearing? |
| B: She _____ _____ a red T-shirt. |

44
| A: _____ _____ you going to visit this summer? |
| B: _____ _____ _____ _____ Sokcho. |
| A: What are you going to do there? |
| B: I'm going to _____ in the sea and _____ a lot of seafood. |

45
| A: _____ _____, Jina _____ _____ do after school? |
| B: _____ _____ _____ practice hip-hop dancing. Her club _____ perform at the school festival next month. |

46
| A: Mom, _____ _____ the weather _____ tomorrow? |
| B: It _____ _____ hot and sunny tomorrow. |
| A: Good. I'm going to go on a picnic tomorrow. |
| B: Why don't you take your hat? |
| A: OK. _____ _____ forget it. |

47 Kate가 지난주에 한 일을 적은 표를 보고 물음에 답하시오.

Day	Things to do
Monday	Read a book
Wednesday	See a movie
Friday	Wash my dog
Saturday	Go to the mall

(1) Q: Did Kate read a book last Monday?

A: _____

(2) Q: Did Kate wash her dog last Wednesday?

A: _____

She _____ on Wednesday.

(3) Q: What did Kate do last Saturday?

A: _____

48 다음 우리말과 일치하도록 주어진 〈조건〉에 맞게 문장을 완성하시오.

〈조건〉
1. spend, lots of, on을 사용할 것
2. 축약형을 사용하지 말 것
3. 모두 9단어로 쓸 것

(그는 새 신발에 많은 돈을 쓸 것이다.)

_____

_____

49 다음 밑줄 친 ⓐ~ⓔ에서 어법상 틀린 것을 찾아 기호를 쓰고, 바르게 고치시오.

Last Sunday, I ⓐwent to the dog shelter to volunteer. There ⓑwere many dogs in the shelter. First, I ⓒfeed the dogs. I ⓓbrought a lot of food to them. Next, I cleaned up their cages. The smell ⓔwasn't good, but it wasn't that bad.

(   ) → _____

50 다음 문자 메시지를 보고, 괄호 안에 주어진 동사를 활용하여 각 사람들이 지금 하고 있는 일을 쓰시오.

(1) Ken _____ at the bus stop.

(wait for a bus)

(2) Eric _____ with his friends.

(play soccer)

(3) Sophia _____ and

she is_____.

(lie on a sofa, watch TV)

I can play the piano.

can은 동사 앞에서 특정한 의미를 더해주는 조동사의 하나로, 기본적으로 가능성을 말할 때 쓴다. '~할 수 있다'라는 뜻으로 주어의 능력을 나타내거나, '~해도 된다'라는 허가의 의미를 나타낸다. 부정형은 cannot 또는 can't로 쓰며, 뒤에 동사원형이 온다.

can 긍정문	can+동사원형	~할 수 있다(능력)
		~해도 된다(허가)
can 부정문	cannot[can't]+동사원형	~할 수 없다(능력)
		~하면 안 된다(금지)

A
배열 영작

01 말은 자신의 머리 뒤를 볼 수 있다. (see / can / behind / horses / their heads)

_____

02 그는 테니스를 칠 줄 모른다. (cannot / he / tennis / play)

_____

03 여기서 사진을 찍으시면 안 됩니다. (can't / here / take pictures / you)

_____

B
문장 완성

01 Jake는 오늘 밤 그곳에 갈 수 없다. (go)

_____ tonight.

02 박쥐들은 어둠 속에서도 볼 수 있다. (bats)

_____ in the dark.

03 나는 내 방에서 와이파이를 사용하지 못한다. (use, the Wi-Fi)

_____ .

> **내신 기출** 도표·그림
>
> 다음 두 사람이 할 수 있는 일을 나타낸 표를 보고, can을 활용하여 문장을 완성하시오.
>
> | Name \ Things they can do | ride a bike | play the guitar | speak Chinese |
> |---|---|---|---|
> | Judy | ○ | ○ | × |
> | Brian | ○ | × | ○ |
>
> **01** Judy _____ a bike and she _____ .
> **02** Judy _____ Chinese.
> **03** Brian _____ and he _____ Chinese.
>
> **감점 피하기!**
>
> **Q** Judy and Brian _____ _____ bikes.
>
> ★ 주어와 관계없는 조동사
>
> 조동사는 주어의 인칭이나 수와 관계없이 같은 형태로 써요. 따라서 주어가 Judy나 Brian처럼 3인칭 단수여도 cans가 아니라 can을 써야 해요.

Can you do the dishes?

can을 쓴 의문문은 「Can+주어+동사원형 ~?」 형태로 쓴다. 「Can you ~?」는 '네가 ~해 줄 수 있어?'라는 뜻으로 상대에게 무언가를 요청할 때 쓰고, 「Can I ~?」는 '내가 ~해도 돼?'라는 뜻으로 상대에게 허가를 구할 때 쓴다. 긍정으로 대답할 때는 「Yes, 주어+can.」으로, 부정으로 대답할 때는 「No, 주어+can't.」로 한다. 또한 의문사를 쓸 때는 문장 맨 앞에 둔다.

can 의문문	Can+주어+동사원형 ~?	긍정의 대답	Yes, 주어+can.
		부정의 대답	No, 주어+can't.

A
배열 영작

01　저를 좀 도와주실래요? (you / help / can / me)

_____

02　제가 창문을 열어도 될까요? (I / the window / can / open)

_____

03　부탁 하나만 들어주실래요? (a favor / can / do / you / me)

_____

B
문장 완성

[can을 사용할 것]

01　제가 잠시 당신과 이야기를 나눌 수 있을까요? (talk to)

_____ for a minute?

02　Taylor는 내일 바이올린을 연주할 수 있나요? (play)

_____ the violin tomorrow?

03　문을 좀 닫아줄래요? (close)

_____ ?

내신 기출 ▶ 대화 완성

괄호 안에 주어진 말과 can을 활용하여 다음 대화를 완성하시오.

A: _____ me? (help)

B: Sure. What is it?

A: _____ to the ice cream shop? (how, get)

B: Go straight and turn left at the corner. You _____

_____ it. (miss)

A: Thank you.

It may rain tonight.

may는 '~일지도 모른다'라는 추측이나 '~해도 좋다'라는 허가의 의미를 나타내는데, 허가의 뜻일 때는 can과 바꿔 쓸 수 있다. 부정형은 may not으로 「주어+may+not+동사원형 ~」 형태로 쓴다.

긍정문		부정문	
may+동사원형	~일지도 모른다 (추측)	may not+동사원형	~하지 않을 것이다(추측)
may[can]+동사원형	~해도 좋다 (허가)	may not[cannot, can't]+동사원형	~하면 안 된다(금지)

A
배열 영작

01 Anna가 그녀의 여동생일지도 모른다. (her / Anna / may / sister / be)

_____

02 여기 있는 동물들을 만져도 됩니다. (may / you / the animals / touch / here)

_____

03 그는 오지 않을지도 모른다. (may / he / come / not)

_____

B
문장 완성

01 너는 파티에 네 친구들을 데려와도 된다. (bring)

_____ to the party.

02 동물들에게 먹이를 주셔도 됩니다. (feed)

_____ the animals.

03 너는 내 컴퓨터를 써도 된다. (use)

_____ .

내신 기출 ▶ 대화 완성

다음 우리말과 일치하도록 may를 활용하여 대화를 완성하시오.

01 A: What are your plans for summer vacation?

　　B: I'm not sure. _____ Island with my family.
　　　　　　　　　(나는 가족과 제주도에 갈지도 몰라.)

02 A: Did you hear the news? I can't believe it.

　　B: I heard it too, but _____ .
　　　　　　　　　　　　　(그것은 사실이 아닐지도 몰라.)

⊙ 감점 피하기!

Q

_____

(그가 나를 좋아하지 않을지도 몰라.)

★ **may의 부정형**
조동사의 부정형은 조동사 바로 다음에 not을 써요. can't처럼 「조동사+not」은 줄여 쓰는 경우가 많은데 may not은 줄여 쓸 수 없어요.

May I bring my pet?

may의 의문문은 「May+주어+동사원형 ~?」의 형태로 쓰며, 상대에게 허가를 구하는 표현으로 '~해도 됩니까?'라는 뜻이다. 허가를 구할 때 may 대신 can을 쓰기도 한다. 긍정으로 대답할 때는 「Yes, 주어+may.」로, 부정으로 대답할 때는 「No, 주어+may not.」으로 한다.

질문	긍정 대답	부정 대답
May[Can] I ~?	Yes, you may[can].	No, you may not. / No, you cannot[can't].

A

배열 영작

01 주문받아도 될까요? (I / take / may / your order)

_____

02 안으로 들어가도 되나요? (I / in / may / come)

_____

03 지금 가도 될까요? (I / may / now / leave)

_____

B

문장 완성

01 제가 그 표를 취소해도 되나요? (cancel)

_____ the ticket?

02 당신의 전화번호 좀 알려주시겠어요? (have)

_____ your phone number?

03 제가 도와드릴까요? (help)

_____ ?

내신 기출 ▷ 대화 완성

괄호 안에 주어진 말과 may를 활용하여 다음 대화를 완성하시오.

01 A: Hi. _____ to Mr. Carter? (speak)

    B: Sure, just a moment, please.

02 A: _____ my car over there? (park)

    B: No, you _____.

03 A: _____ the air conditioner? (turn on)

    B: Yes, you _____. Go ahead.

Will you wait for me?

will의 의문문은 「Will+주어+동사원형 ~?」 형태로 쓴다. 상대에게 무언가를 요청할 때 「Will you ~?」를 쓸 수 있으며, 긍정으로 대답할 때는 「Yes, 주어+will.」 또는 Sure.로, 부정으로 대답할 때는 「No, 주어+won't.」 또는 「I'm sorry, but I can't.」로 한다. 또한, 좀 더 정중한 표현으로 will 대신 would를 쓰기도 하며, 상대방에게 음식 등을 권할 때 '~하시겠습니까?'라는 뜻의 「Would you like+명사?」를 많이 쓴다.

A
배열 영작

01 나와 함께 거기 갈래요? (you / with me / go / there / will)

_____

02 부탁 하나 들어주시겠어요? (do / you / will / me / a favor)

_____

03 따뜻한 차 좀 드시겠어요? (like / you / some hot tea / would)

_____

[will/would를 사용할 것]

B
문장 완성

01 나한테 설탕을 좀 주실래요? (give)

_____ some sugar, please?

02 불을 켜 줄래요? (turn on)

_____ the light?

03 좀 더 드시겠어요? (some more)

_____?

내신 기출 ▶ 오류 수정

다음 대화가 자연스럽도록 어법이나 의미가 <u>어색한</u> 부분을 찾아 고쳐 쓰시오.

01 A: Will you wake me up in half an hour?

B: Sure, I won't. I'll set an alarm.

_____ → _____

02 A: Will you give me a ride to the hotel?

B: I'm sorry, but I will. You can ask Jay.

_____ → _____

You must buy a ticket.

must는 '~해야 한다'라는 강한 의무나 '~임이 틀림없다'라는 강한 추측을 나타내는데, 중1 과정에서는 의무의 뜻을 주로 배운다.
부정형은 must not으로 '~해서는 안 된다'라는 강한 금지를 나타내며 축약하여 mustn't로도 쓴다.

A
배열 영작

01 너는 정오까지 그 일을 끝내야 한다. (you / finish / by noon / the work / must)

_____

02 이곳에 반려동물을 데려오시면 안 됩니다. (you / here / bring / must / your pet / not)

_____

03 저것은 매우 비싼 차임에 틀림없어. (must / that / a very expensive car / be)

_____

B
문장 완성

[must를 사용할 것]

01 너는 먼저 담당 의사에게 물어봐야 한다. (ask)

_____ your doctor first.

02 그의 할머니는 90세가 넘으셨음에 틀림없다. (be)

_____ over ninety.

03 너는 너 자신을 사랑해야 한다. (yourself)

_____.

내신 기출 ▷ 도표 · 그림

다음 표지판을 보고, 괄호 안에 주어진 단어와 must를 활용하여 경고문을 완성하시오.

01 You _____. (stop)

02 _____ your car here. (park)

03 Children _____ in this area. (play)

You should get some rest.

should는 '~해야 한다'라는 뜻으로 의무를 나타내는데, must보다 강제성이 약해서 주로 충고할 때 많이 쓴다. 부정형은 should not으로 「주어 +should not+동사원형 ~」형태로 부정문을 만든다. 이때 should not은 축약하여 shouldn't로 쓸 수 있다.

A
배열 영작

01 당신은 다른 사람들을 도와야 합니다. (should / you / others / help)

_____

02 너는 그를 믿으면 안 된다. (you / not / him / should / trust)

_____

03 너는 선생님 말씀을 들어야 한다. (listen / should / to your teacher / you)

_____

B
문장 완성

[should를 사용할 것]

01 너는 채소를 더 많이 먹어야 한다. (eat)

_____ more vegetables.

02 우리는 녹색 신호를 기다려야 한다. (wait for)

_____ the green light.

03 너는 그 꽃들에 물을 주면 안 돼. (water)

_____ .

내신 기출 ▷ 도표·그림

다음 Paul이 세운 규칙을 적은 표를 보고, should를 활용하여 Paul이 해야 할 일과 하지 말 아야 할 일을 쓰시오.

	Dos		Don'ts
01	eat more fruit	03	fight with my brother
02	sleep more	Q	be rude to my teacher

01 Paul _____ .

02 Paul _____ .

03 He _____ with his brother.

🎯 감점 피하기!

Q Paul _____
_____
to his teacher.

★ should (not)+동사 원형

should는 조동사이기 때문에 뒤에 동사원형이 와야 해요. 따라서 주어가 Paul이어도 should not 다음에 is가 아니라 be를 써야 해요.

We have to be on time for class.

have to는 '~해야 한다'라는 뜻으로 필요나 의무를 나타내는 must[should]와 바꿔 쓸 수 있다. 주어가 3인칭 단수이면 has to로, 과거 시제일 때는 had to로 쓴다.
의문문은 「Do[Does]+주어+have to+동사원형 ~?」 형태로 쓴다. have to의 부정문은 「주어+don't[doesn't] have

주어	현재 시제	과거 시제	의문문	부정문
I / You / We / They	have to	had to	Do+주어+have to +동사원형 ~?	주어+don't have to +동사원형 ~.
He / She / It	has to		Does+주어+have to +동사원형 ~?	주어+doesn't have to +동사원형 ~.

to」로 '~할 필요가 없다'라는 뜻으로 '~하지 말아야 한다'라는 뜻의 must의 부정문과 의미가 서로 다른 점에 유의해야 한다.

A 배열 영작

01 너는 곧 돌아가야 하니? (you / soon / have to / do / go back)

_____

02 수업 중에는 조용히 해야 한다. (be / have to / you / quiet / in class)

_____

03 그는 그것을 지금 시작할 필요가 없다. (have to / now / doesn't / it / he / start)

_____

B 문장 완성

[have to를 사용할 것]

01 Laura는 크고 분명하게 말해야 한다. (speak)

_____ loudly and clearly.

02 너는 그를 두려워할 필요가 없어. (be)

_____ afraid of him.

03 우리가 다른 사람들을 도와야 하나요? (help, others)

_____ ?

내신 기출 ◀ 문장 전환

다음 문장을 괄호 안의 지시대로 바꿔 쓰시오.

01 Max has to wash his car. [과거 시제로]

→ _____

02 She doesn't have to worry about it. [주어를 they로]

→ _____

03 They have to wear uniforms. [의문문으로]

→ _____

감정 피하기!

Q I have to learn Chinese. [주어를 Ted로]

→ _____

_____

★ 주어와 시제에 따라 변하는 조동사

have to는 현재 시제이면서 주어가 3인칭 단수이면 has to로 쓰고, 과거 시제일 때는 주어의 인칭이나 수에 관계없이 had to를 써요.

[1~8] 우리말과 일치하도록 괄호 안에 주어진 말을 바르게 배열하시오.

01 어떤 새들은 말할 수 있다.
(can / some birds / talk)

→ _____

02 너는 자전거 탈 수 있니?
(you / ride / can / a bike)

→ _____

03 너는 내 우산을 써도 된다.
(may / my umbrella / use / you)

→ _____

04 제 외투를 여기에 두어도 되나요?
(I / may / my coat / put / here)

→ _____

05 문을 열어 줄래요?
(the door / open / will / you)

→ _____

06 불꽃놀이를 하면 안 됩니다.
(you / play / not / must / with fireworks)

→ _____

07 우리는 항상 부모님께 감사해야 한다.
(should / all the time / thank / we / our parents)

→ _____
_____

08 나는 숙제를 위해 조사를 좀 해야 한다.
(for my homework / I / do / have to / some research)

→ _____
_____

[9~16] 우리말과 일치하도록 문장을 완성하시오.

09 지수는 체스를 둘 줄 모른다.

→ Jisu _____ play chess.

10 Andrew 씨에 대해 제게 말해줄 수 있나요?

→ _____ _____ tell me about
Mr. Andrew?

11 Jack은 거짓말쟁이일지도 몰라.

→ Jack _____ be a liar.

12 제가 이곳을 둘러봐도 될까요?

→ _____ _____ look around here?

13 우리랑 점심 함께할래요?

→ _____ _____ join us for lunch?

14 여러분은 자전거 헬멧을 써야 합니다.

→ You _____ wear a bike helmet.

15 David는 이 기회를 놓쳐서는 안 된다.

→ David _____ _____ miss this chance.

16 그녀는 새 옷을 살 필요가 없다.

→ She _____ _____ _____ buy
new clothes.

17

(Daniel은 드럼을 칠 수 있다.)

Daniel cans play the drums.

_____ → _____

18

(라디오를 꺼 주시겠어요?)

Can you turned off the radio?

_____ → _____

19

(그녀는 곤경에 처한 것인지도 모른다.)

She must be in trouble.

_____ → _____

20

(좀 더 명확하게 말씀해 주시겠어요?)

Will speak you more clearly?

_____ → _____

21

(이 강에서 수영해서는 안 된다.)

You not must swim in this river.

_____ → _____

22

(너는 학교에 결석하면 안 된다.)

You shouldn't are absent from school.

_____ → _____

23

(너는 서두를 필요가 없다.)

You must not hurry up.

_____ → _____

Step 2 응용하기

[24~28] 우리말과 일치하도록 괄호 안에 주어진 말을 활용하여 문장을 완성하시오.

24 펭귄들은 날 수 없지만 수영을 잘한다. (fly, swim)

→ Penguins _____, but they

_____ well.

25 제가 다른 것을 봐도 될까요? (see)

→ _____ another one?

26 저에게 나중에 다시 전화 주시겠어요? (call)

→ _____ back later?

27 이곳에서 사진을 찍으시면 안 됩니다. (take)

→ You _____ pictures here.

28 그는 내일 일찍 일어날 필요가 없다. (get up)

→ _____ early tomorrow.

[29~32] 다음 문장을 괄호 안의 지시대로 바꿔 쓰시오.

29 You can bring your children here. [부정문으로]

→ _____

30 You will cook breakfast for us. [의문문으로]

→ _____

31 You must cross the road now. [부정문으로]

→ _____

32 You have to throw away the old clothes.
[Kate를 주어로]

→ _____

[33~36] 다음 괄호 안에 주어진 말을 활용하여 대화를 완성하시오.

33
> A: I like this shirt. _____ _____
> _____ it on? (try)
> B: Sure, the fitting room is over there.

34
> A: Jimin, _____ you join us tonight?
> B: Sorry, I _____ _____ _____
> my homework. (do) It _____ take a long
> time.

35
> A: It's hot. _____ _____ go to Sweet
> Juice with me?
> B: Sure. But there's a rule there.
> A: I know. We _____ _____ our own
> cups. (take)

36
> A: We're late for school. We _____ _____
> hurry.
> B: Sorry, but I _____ _____ fast
> because of my bag. _____ _____
> _____ me? (run, help)
> A: OK. Give me your bag.

Step 3 고난도 도전하기

37 다음 우리말과 일치하도록 주어진 〈조건〉에 맞게 문장을
완성하시오.

> 〈조건〉
> 1. worry about, the exam을 사용할 것
> 2. 축약형을 사용할 것
> 3. 모두 8단어로 쓸 것

(너는 시험에 대해 걱정할 필요가 없다.)

_____

_____

38 다음 박물관 규칙을 보고, must와 적절한 동사를 활용하
여 문장을 완성하시오.

> 🏛 **MUSEUM MANNERS**
> (1) No drinks in the museum.
> (2) Do not touch the exhibits.
> (3) Talk softly in the museum.

(1) You _____
in the museum.

(2) _____ the exhibits.

(3) _____ in the museum.

39 다음 밑줄 친 ⓐ~ⓔ에서 어법상 틀린 것을 찾아 기호를
쓰고, 바르게 고치시오.

> Many people are catching colds these days. But
> you ⓐnot have to be afraid. You ⓑshould wash
> your hands often. You should also ⓒwear a mask.
> Some people ⓓmay find it difficult. But we
> ⓔhave to be patient.

(_____) → _____

40 다음 〈보기〉에서 적절한 조동사를 골라 대화를 완성하시오.

> 〈보기〉 will   can   should   have to

> A: I want to be a police officer. What _____
> I do?
> B: Because police officers protect people from
> danger, they _____ _____ stay in
> good health.
> A: I exercise every day.
> B: Good. Then you _____ be strong and
> _____ become a police officer.

It is sunny and hot.

시간, 날짜, 날씨, 거리, 명암 등을 나타내는 문장의 주어로 it이 사용된다. 이때 it은 아무런 뜻이 없는 형식상의 주어이므로 비인칭 주어라고 부르며 '그것'으로 해석하지 않는다.

A
배열 영작

01 오늘은 금요일이다. (is / Friday / it / today)

_____

02 내일은 추울 거예요. (it / be / cold / will / tomorrow)

_____

03 포항에는 눈이 내리고 있다. (snowing / in / it's / Pohang)

_____

B
문장 완성

01 토요일이자 Jim의 생일이었다. (Saturday)

_____ and Jim's birthday.

02 그곳에 가려면 버스로 20분이 걸립니다. (take, 20 minutes)

_____ to get there by bus.

03 밖이 어둡다. (dark, outside)

_____.

내신 기출 ▷ 도표·그림

다음 그림을 보고, 날씨를 알려주는 대화를 완성하시오. (단, 축약형을 사용할 것)

01 A: How's the weather today in Seoul?

B: It's not good. _____ now.

02 A: How's the weather tomorrow?

B: _____ sunny.

There is **a book on the table.**

「There is[are] ~」 구문은 '~가 있다'라는 뜻으로 존재나 수량을 나타낼 때 쓴다. 「주어+동사」로만 이루어진 구문으로 뒤에 오는 명사의 수와 시제에 따라 be동사는 is[was]나 are[were]로 달라진다. 이때, there은 아무런 뜻이 없는 형식상의 주어이므로 '거기에'라고 해석하지 않도록 유의한다.

There is	+단수명사, 셀 수 없는 명사	~가 있다
There are	+복수명사	

A
배열 영작

01 하늘에 별이 하나 떠 있다. (a star / is / there / in the sky)

_____

02 바다에 배가 한 척 있다. (is / a boat / on the sea / there)

_____

03 동물원에는 코끼리가 많이 있었다. (many elephants / there / in the zoo / were)

_____

B
문장 완성

01 천장에 거미가 한 마리 있어! (spider)

_____ on the ceiling!

02 이탈리아에는 유명한 건물들이 많다. (many, famous)

_____ in Italy.

03 그의 집에는 방이 세 개 있다. (room)

_____ .

내신 기출 도표 · 그림

다음 그림을 보고, 「There be동사 ~」 구문을 활용하여 괄호 안에 주어진 단어의 수를 나타내는 문장을 완성하시오.
(단, 축약형을 사용하지 말 것)

01 _____ in the classroom. (people)

02 _____ .
(student)

03 _____ on the locker. (globe)

04 _____ and _____

_____ . (boy, girl)

There are not many trees in the park.

「There be동사 ~」 구문의 부정문은 '~가 있지 않다, ~가 없다'라는 뜻으로 be동사 뒤에 not을 붙여 현재형은 「There is[are]+not ~」으로, 과거형은 「There was[were]+not ~」의 형태로 쓴다. 이때, be동사와 not은 축약해서 많이 쓴다.

「There be동사」 부정형	「There be동사」 줄임형	의미
There is[was]+not	There isn't[wasn't]	~가 있지 않다, ~가 없다
There are[were]+not	There aren't[weren't]	

A 배열 영작

01 이 구역에는 식당이 없다. (there / a restaurant / isn't / in this area)

_____

02 하늘에 구름 한 점 없다. (is / there / not / a cloud / in the sky)

_____

03 캠퍼스에 학생들이 별로 없었다. (not / were / on campus / many students / there)

_____

B 문장 완성

01 우리 마을에는 도서관이 없다. (library)

_____ in my town.

02 공항에 사람들이 별로 없었다. (many people)

_____ in the airport.

03 이 방에는 시계가 없다. (clock)

_____ .

내신 기출 문장 전환

다음 문장을 부정문으로 바꿔 쓰시오. (단, 「be동사+not」 축약형을 사용할 것)

01 There are many books on the desk.

→ _____

02 There was a bakery on Main Street.

→ _____

03 There were many children in the playground.

→ _____

Is there a giraffe in this zoo?

「There be동사 ~」 구문의 의문문은 '~가 있나요?'라는 뜻으로 be동사와 there의 순서를 바꾼다. 현재형은 「Is[Are]+there ~?」로, 과거형은 「Was[Were]+there ~?」의 형태로 쓴다. 긍정으로 대답할 때는 「Yes, there is[are]」로, 부정으로 대답할 때는 「No, there isn't[aren't]」로 한다.

	질문	긍정 대답	부정 대답
현재	Is[Are]+there ~?	Yes, there is[are].	No, there isn't[aren't].
과거	Was[Were]+there ~?	Yes, there was[were].	No, there wasn't[weren't].

A
배열 영작

01 11월에 공휴일이 있나요? (a holiday / there / in November / is)

_____

02 이 근처에 한식당이 있습니까? (here / there / a Korean restaurant / is / near)

_____

03 도로에 교통 체증이 심하던가요? (there / on the roads / heavy traffic / was)

_____

B
문장 완성

01 세계에는 다섯 개의 대양이 있나요? (ocean)

_____ in the world?

02 이 문장에 오류가 있나요? (mistake)

_____ in this sentence?

03 테이블 위에 컵이 두 개 있었나요? (cup)

_____ ?

내신 기출 대화 완성

다음 그림을 보고 대화를 완성하시오.

01

A: _____ _____ a bird in the cage?

B: Yes, _____ _____ . It's a parrot.

02

A: _____ _____ five cooks in the kitchen?

B: _____ , _____ _____ . _____ only one cook in the kitchen.

Her hair smelled good.

주어가 '~해 보이다, 들리다, 맛이 나다, 냄새가 나다, 느껴지다'라고 표현할 때 look, sound, taste, smell, feel처럼 감각을 나타내는 동사를 주로 써서 「감각동사+형용사」 형태로 나타낸다. 감각동사 이외에 be(~이다), become, grow, keep, turn(~가 되다) 등의 동사도 이러한 형태로 쓸 수 있다. 이때 형용사는 주어의 상태나 동작을 설명하는 주격 보어인데, 우리말로 부사처럼 해석되지만 반드시 형용사를 써야 한다는 점에 주의한다.

주어+	look	+형용사	~해 보이다
	sound		~하게 들리다
	taste		~한 맛이 나다
	smell		~한 냄새가 나다
	feel		~하게 느껴지다

A
배열 영작

01 너는 아주 멋져 보인다. (cool / you / look / so)

_____

02 그 수프는 짠맛이 났다. (tasted / the soup / salty)

_____

03 내 얼굴이 빨개졌다. (turned / red / my face)

_____

B
문장 완성

01 그 이야기는 이상하게 들린다. (strange)

The story _____.

02 나는 늘 행복하다고 느낀다. (happy)

_____ all the time.

03 이 달걀은 상한 냄새가 난다. (bad)

_____.

내신 기출 ◀ 오류 수정

다음 문장에서 어법상 틀린 부분을 찾아 바르게 고쳐 쓰시오.

01 The sky became clearly after the rain.

_____ → _____

02 Her voice sounds sadly.

_____ → _____

03 You look differently in this picture.

_____ → _____

감점 피하기!

Q The pizza tastes well.

_____

→ _____

★ 감각동사+형용사

well은 '좋게, 잘'이라는 뜻의 부사이므로 감각동사 다음에 쓸 수 없어요. 따라서 형용사 good으로 써야 해요.

I have a big family.

「주어+동사+목적어」로 이루어져 실제로 가장 많이 쓰이는 문장 형식이다. 주로 know, want, have, like, meet, eat 등의 동사를 많이 쓰며, 이때 목적어는 주어가 하는 동작의 대상이다.

A
배열 영작

01 그는 네 이름을 안다. (knows / your name / he)

_____

02 Kate는 스포츠를 좋아한다. (likes / Kate / sports)

_____

03 우리는 팬이 많다. (many / we / fans / have)

_____

B
문장 완성

01 그는 서점에서 그의 친구들을 만났다. (his friends)

_____ at the bookstore.

02 많은 사람들이 그 팀의 새 로고를 원한다. (a new logo)

_____ for the team.

03 그녀가 나를 많이 도왔다. (a lot)

_____ .

내신 기출 도표 · 그림

다음 Judy가 자신에 대해 소개한 표를 보고, 적절한 동사를 활용하여 문장을 완성하시오.

All About Me					
Sisters or brothers		Favorite music		Breakfast	
01	two brothers: Ted and Bill	02	rap music	03	blueberry pancakes

01 Judy _____. They are Ted and Bill.

02 She _____ .

03 She _____ for breakfast every day.

Roy gave his sister a hat.

「주어+동사+간접목적어+직접목적어」로 이루어진 문장으로 목적어
가 두 개인 것이 특징이다. 대체로 사람은 간접목적어(~에게), 사물
은 직접목적어(~을)로 쓴다. 주로 give, send, teach, lend, ask,
cook, show, tell, buy 등의 동사를 쓰는데, '~에게 …를 (해)주다'
라는 뜻이기 때문에 '수여동사'라고도 부른다.

give **A B**	A에게 B를 주다	ask **A B**	A에게 B를 묻다
send **A B**	A에게 B를 보내다	show **A B**	A에게 B를 보여 주다
teach **A B**	A에게 B를 가르치다	tell **A B**	A에게 B를 말하다
lend **A B**	A에게 B를 빌려주다	buy **A B**	A에게 B를 사 주다

A
배열 영작

01 Jenny는 나에게 선물을 보냈다. (me / Jenny / sent / a gift)

_____

02 내일은 아빠가 너에게 아침을 해주실 거야. (cook / you / dad / tomorrow / will / breakfast)

_____

03 그녀는 남동생에게 돈을 약간 빌려주었다. (some money / lent / she / her brother)

_____

[간접목적어를 직접목적어 앞에 쓸 것]

B
문장 완성

01 나는 이 사진을 내 친구들에게 보여줄 것이다. (show)

I will _____ this picture.

02 저에게 저기 있는 소금을 건네주세요. (pass, the salt)

Please _____ over there.

03 태양은 우리에게 에너지를 준다. (give, energy)

_____ .

내신 기출 ◀ 오류 수정

다음 문장에서 어법상 **틀린** 부분을 찾아 바르게 고쳐 쓰시오. (단, 단어를 추가하지 말 것)

01 My brother sent a letter Santa Claus.

_____ → _____

02 Please tell a funny story me.

_____ → _____

03 Alex bought two books me online.

_____ → _____

Bees give honey to us.

목적어가 두 개인 문장은 전치사를 넣어 의미 변화 없이 두 목적어의 순서를 바꾼 후 간접목적어를 뒤로 보내어 「주어+동사+직접목적어+전치사+간접목적어」의 형태로 쓸 수 있다. 이때 동사에 따라 전치사가 달라지므로 유의한다.

to를 쓰는 동사	give, send, teach, show, tell …
for를 쓰는 동사	buy, make, cook, find, get …
of를 쓰는 동사	ask, require …

> ※ **간접목적어를 뒤로 보낼 때**
> I gave her a book. (주어+동사+간접목적어+직접목적어)
> I gave a book to her. (주어+동사+직접목적어+전치사
>   +간접목적어)

A
배열 영작

01 그는 남동생에게 장난감 차를 주었다. (to / a toy car / He / my brother / gave)

_____

02 내가 Myers 씨에게 방을 찾아줄게요. (Mr. Myers / a room / find / for / I'll)

_____

03 나는 너에게 무언가를 물어보고 싶다. (you / I / ask / of / something / want to)

_____

B
문장 완성

[전치사를 사용할 것]

01 Nick이 친구들에게 자신의 사진들을 보여주었다. (show, photos)

Nick _____ his friends.

02 나는 종종 내 가족에게 쿠키를 만들어준다. (make, cookies)

I often _____ .

03 Brown 씨는 우리에게 영어를 가르쳐주신다. (teach)

_____ .

내신 기출 ◁ 문장 전환

다음 문장에서 알맞은 전치사를 사용하여 목적어의 순서를 바꿔 쓰시오.

01 Sophia cooked us pasta.

→ _____

02 Eddie gave me his sneakers.

→ _____

03 My little brother asks me many questions.

→ _____

감점 피하기!

Q Joan sent Jen a card.

→ _____

_____

★ 간접목적어와 직접목적어

'~에게'를 뜻하는 간접목적어가 '~을(를)'을 뜻하는 직접목적어 앞에 올 때는 전치사가 필요 없지만, 뒤에 올 때는 전치사가 반드시 필요해요.

This song makes me happy.

「주어+make+목적어+목적격 보어(형용사)」 구문은 '주어가 목적
어를 ~하게 하다'라는 뜻이다. 목적격 보어 자리에는 형용사 또는
명사가 올 수 있는데 여기에서는 형용사가 오는 경우만 다룬다.
형용사는 목적어의 성질이나 상태를 설명하는 목적격 보어이다.
자주 사용하는 구문이므로 외워두는 것이 좋다.

주어	+make	+목적어	+목적격 보어(형용사)	주어가 목적어를 ~하게 하다

A
배열 영작

01 긴 여행은 그를 피곤하게 했다. (him / made / the long trip / tired)

_____

02 이 음악은 나를 차분하게 만든다. (this music / calm / me / makes)

_____

03 너무 많은 스트레스는 여러분을 아프게 할 수 있습니다. (make / can / you / too much stress / sick)

_____

B
문장 완성

[make를 사용할 것]

01 그 영화는 나를 졸리게 했다. (sleepy)

The movie _____.

02 그 축구 경기는 나를 지루하게 했다. (bored)

The soccer game _____.

03 카페인은 여러분을 깨어있게 할 수 있습니다. (Caffeine, awake)

_____

내신 기출 ▶ 오류 수정

다음 문장에서 어법상 틀린 부분을 찾아 바르게 고쳐 쓰시오.

01 What makes you sadness?

_____ → _____

02 The strange man made us nervously.

_____ → _____

03 Sunshine on my window makes me happily.

_____ → _____

🎯 감점 피하기!

Q This sauce makes it deliciously.

_____

→ _____

★ make+목적어+목적격
보어(형용사)

이 구문에서 목적격보어 자리
에 형용사 대신 부사를 쓰지
않도록 주의하세요.

He keeps his room clean.

「주어+keep+목적어+목적격 보어(형용사)」 구문은 '주어가 목적어를 ~하게 유지하다(~한 채로 두다)'라는 뜻으로 앞 유닛과 마찬가지로 여기에서는 목적격 보어로 형용사가 오는 경우만 다룬다. 형용사가 목적격 보어로 올 경우 목적어의 성질이나 상태를 설명한다. 자주 사용하는 구문이므로 외워두는 것이 좋다.

주어	+keep	+목적어	+목적격 보어(형용사)	주어가 목적어를 ~하게 유지하다 (~한 채로 두다)

A
배열 영작

01 이 스웨터를 입으면 따뜻해질 거예요. (warm / will / you / keep / this sweater)

_____

02 그 프로젝트가 그를 바쁘게 했다. (him / the project / busy / kept)

_____

03 네 사랑이 나를 살아있게 해. (alive / your love / keeps / me)

_____

B
문장 완성

[keep을 사용할 것]

01 채소들을 냉장고 안에 신선하게 두세요. (vegetable, fresh)

_____ in the fridge.

02 우정은 당신을 건강하게 해줍니다. (healthy)

Friendship _____ .

03 여름철에 당신의 차를 시원하게 유지하세요. (cool)

_____ .

내신 기출 ◀ 문장 완성

다음 우리말과 일치하도록 괄호 안에 주어진 표현과 keep을 활용하여 문장을 완성하시오.

01 안전띠가 당신을 안전하게 지켜 줍니다. (the seat belt, safe)

_____

02 그녀는 자신의 책상을 깔끔하게 유지한다. (desk, neat)

_____

03 물을 차갑게 유지하자. (the water, cold)

_____

[1~8] 우리말과 일치하도록 괄호 안에 주어진 말을 바르게 배열하시오.

01 내일은 비가 올 거예요.
(it / rain / will / tomorrow)

→ _____

02 냉장고에 우유가 약간 있다.
(some milk / is / in the fridge / there)

→ _____

03 무슨 다른 질문 있으세요?
(there / any other questions / are)

→ _____

04 우리 아빠의 농담은 재미없다.
(jokes / my dad's / funny / are / not)

→ _____

05 그가 너를 도울 수 있다.
(can / he / help / you)

→ _____

06 그는 Judy에게 꽃을 좀 주었다.
(Judy / gave / some flowers / he)

→ _____

07 여가 활동은 삶을 즐겁게 한다.
(make / enjoyable / life / leisure activities)

→ _____

→ _____

08 그림 그리기는 그를 살아있게 한다.
(keeps / painting / him / alive)

→ _____

[9~16] 우리말과 일치하도록 문장을 완성하시오.

09 밖이 어둡고 흐리다.
→ _____ _____ dark and cloudy
outside.

10 평일에는 쇼핑몰에 손님이 많지 않다.
→ _____ _____ many customers at the
mall on weekdays.

11 경기장에 대형 스크린이 있나요?
→ _____ _____ a big screen in the
stadium?

12 아이스크림은 맛이 달콤하다.
→ Ice cream _____ _____ .

13 나는 구내식당에서 Jane을 만났다.
→ _____ _____ _____ at the
cafeteria.

14 우리 할머니께서 나에게 크리스마스카드를 보내주셨다.
→ My grandmother _____ _____
a Christmas card.

15 그 회사는 아이들을 위한 도서관을 지어주었다.
→ The company _____ _____
_____ for children.

16 그의 솔직한 조언이 나를 행복하게 만들었다.
→ His honest advice _____ _____
_____ .

[17~25] 우리말을 영어로 옮긴 문장의 어법이나 의미가 <u>틀린</u> 부분을 찾아 바르게 고치시오.

17
(한라산에 눈이 많이 내리고 있다.)

That is snowing a lot on Mt. Halla.

_____ → _____

18
(많은 건물에 13층이 없다.)

There not is a thirteenth floor in many buildings.

_____ → _____

19
(센트럴 파크에 수영장이 있나요?)

Are there a pool in Central Park?

_____ → _____

20
(Amy는 항상 진지해 보인다.)

Amy always looks seriously.

_____ → _____

21
(그 학생은 선생님께 질문을 했다.)

The student asked a question to his teacher.

_____ → _____

22
(나는 눈사람에게 내 스카프를 주었다.)

I gave my scarf the snowman.

_____ → _____

23
(나는 Kate에게 홍차를 좀 만들어 주었다.)

I made black tea to Kate.

_____ → _____

24
(이 책은 나를 슬프게 했다.)

This book made me sadness.

_____ → _____

25
(그는 항상 옷을 깨끗하게 유지한다.)

He always keeps clean his clothes.

_____ → _____

Step 2 응용하기

[26~33] 우리말과 일치하도록 괄호 안에 주어진 말을 활용하여 문장을 완성하시오.

26 여기는 봄이다. 날씨가 따뜻하다. (spring, warm)
→ _____ here.

_____ .

27 하늘에 많은 풍선들이 있다. (a lot of, balloons)
→ _____ in the sky.

28 사막에는 물이 조금도 없다. (any water)
→ _____ in the desert.

29 카레와 난이 맛있어 보인다. (delicious)
→ The curry and naan _____ .

30 방에 침대가 있나요? (a bed)
→ _____ in the room?

31 Ann은 여동생에게 선물을 사 주었다. (a present)
→ Ann _____ her sister.

32 네 자전거를 나에게 빌려줄 수 있니? (lend, bike)
→ Can you _____ ?

33 너는 네 우산을 말려 두어야 한다. (keep, umbrella, dry)

→ You have to _____ .

[34~40] 다음 문장을 괄호 안의 지시대로 바꿔 쓰시오.

34 The weather is sunny. [it을 사용해서]

→ _____

35 There are wild animals in the park.
[any를 사용해서, 부정문으로]

→ _____

36 There is a magazine on the table. [의문문으로]

→ _____

37 Eric is very tired now. [look을 사용해서]

→ _____

38 Can I ask a question of you? [전치사를 사용하지 않고]

→ _____

39 Sally told her sister funny stories. [전치사를 사용해서]

→ _____

40 I was angry with my friend.
[my friend를 주어로 하고, make를 사용해서]

→ _____

[41~46] 다음 빈칸에 알맞은 말을 넣어 대화를 완성하시오.

41
A: What was the date yesterday?

B: _____ _____ July fourth.

42
A: _____ _____ three rooms in this house?

B: _____, _____ _____ . It has only two rooms.

A: How about that house? How many rooms _____ _____ ?

B: _____ _____ four rooms.

43
A: Did you go to Adam's birthday party yesterday?

B: Yes. It was great. Adam _____ happy.

A: What did Sandy do?

B: Sandy played the piano for him. The music _____ beautiful.

44
A: What are you doing?

B: I'm just _____ TV.

A: Well, can you _____ the dishes for me?

B: OK. I'll _____ it right away.

A: Thank you.

45
A: We're going to throw a party for Cindy's birthday tonight. I'll make a cake _____ her.

B: Can I come to the party?

A: Why not?

B: Tell _____ the place. I'll _____ _____ some flowers.

46
A: Mike, can you take care of your niece Mary?

B: Sure, I'll _____ _____ safe.

A: Thank you so much.

B: Not at all. Mary always _____ _____ happy.

47 그림을 보고, 괄호 안에 주어진 단어의 수를 나타내는 문장을 완성하시오. (단, 「There be동사 ~」 구문을 사용할 것)

A

B

(1) (pet)

In picture A, _____.

In picture B, _____.

(2) (kite)

In picture A, _____

in a boy's hand.

In picture B, _____

in his hand.

(3) (cloud)

In picture A, _____

in the sky.

In picture B, _____.

48 다음 우리말과 일치하도록 주어진 〈조건〉에 맞게 문장을 완성하시오.

〈조건〉
1. make, famous를 사용할 것
2. 모두 6단어로 쓸 것

(Jenny의 새 책은 그녀를 유명하게 만들었다.)

_____

49 다음 밑줄 친 ⓐ~ⓔ에서 성격이 다른 것을 찾아 기호를 쓰고, 그것이 가리키는 것을 쓰시오.

ⓐIt's 5:30 now, but ⓑit's already dark outside. ⓒIt's raining, too. ⓓIt takes about an hour by car to get there. But I can't drive my car. ⓔIt's at the garage.

(   ) → _____

50 다음 Eric의 지난주 일과표를 보고, 주어진 문장을 완성하시오.

Day	Things to do
월요일	선생님께 편지 쓰기
화요일	내 친구에게 책 주기
일요일	엄마께 새 스카프 사드리기

(1) Eric _____

his teacher on Monday.

(2) He _____

a book on Tuesday.

(3) He _____

his mom last weekend.

He wants to learn French this year.

「주어+want to+동사원형」 구문은 '주어가 ~를 하고 싶다, ~하기를 원하다'라는 뜻으로 주어가 무엇을 하고 싶어 할 때 쓰는 표현이다. 부정문은 「주어+don't[doesn't/didn't]+want to+동사원형」으로 쓰고, 의문문은 「Do[Does/Did]+주어+want to+동사원형~?」으로 쓰는데, 의문사가 있으면 문장의 맨 앞에 의문사를 넣는다.

긍정문	주어+want to+동사원형
부정문	주어+don't[doesn't/didn't]+want to+동사원형
의문사가 없는 의문문	Do[Does/Did]+주어+want to+동사원형~?
의문사가 있는 의문문	의문사+do[does/did]+주어+want to+동사원형~?

A
배열 영작

01 Ryan은 가수가 되고 싶어 한다. (wants / Ryan / a singer / be / to)

_____

02 나는 쇼핑하러 가기 싫었다. (I / go shopping / want / to / didn't)

_____

03 너는 눈사람을 만들고 싶니? (you / do / want / to / a snowman / build)

_____

01 그는 좋은 사진을 찍고 싶어 했다. (take)

_____ good pictures.

02 나는 당근은 먹고 싶지 않아요. (eat)

_____ carrots.

03 그녀는 무엇을 하고 싶어 하니? (do)

_____ ?

내신 기출 문장 전환

다음 문장을 괄호 안의 지시대로 바꿔 쓰시오. (단, 축약형을 사용할 것)

01 Emma wants to see her uncle in Egypt.

[부정문으로] → _____

[의문문으로] → _____

02 They wanted to cook fish.

[부정문으로] → _____

[의문문으로] → _____

I like to watch sports.

to부정사는 「to+동사원형」 형태로 문장 내에서 명사나 형용사, 부사의 역할을 한다. to부정사의 명사적 용법이란 to부정사가 '~하기, ~하는 것'이라는 뜻으로 문장에서 주어, 목적어, 보어로 명사처럼 쓰인 것이다. 여기에서는 목적어와 보어로 쓰인 to부정사를 주로 다룬다.

want to+동사원형	~하는 것을 원하다	plan to+동사원형	~하는 것을 계획하다
need to+동사원형	~할 필요가 있다	wish to+동사원형	~하는 것을 바라다
decide to+동사원형	~하기로 결정하다	hope to+동사원형	~하는 것을 바라다[희망하다]

A
배열 영작

01 우리는 공포 영화를 볼 계획이다. (see / plan / a horror movie / to / we)

_____

02 나는 의대에 가기를 희망한다. (I / to / hope / medical school / go to)

_____

03 내 꿈은 요리사가 되는 것이다. (to / my dream / is / a chef / become)

_____

B
문장 완성

01 우리는 Mia를 다시 보기를 바란다. (wish)

_____ Mia again.

02 그의 계획은 내일 이곳을 떠나는 것이다. (leave)

His plan _____ tomorrow.

03 Hailey는 새 자동차를 한 대 사기로 결심했다. (decide, buy)

_____.

내신 기출 ▷ 문장 완성

다음 괄호 안에 주어진 동사의 알맞은 형태를 넣어 문장을 완성하시오.

01 대부분의 학생들은 잠을 더 잘 필요가 있다. (need)

Most students _____ more.

02 Lily는 아침에 조깅하기를 원했다. (want)

_____ in the morning.

03 나는 할머니로부터 피아노 치는 것을 배웠다. (learn)

_____ from my grandmother.

감점 피하기!

Q 지후는 외국에서 공부하기를 바란다. (hope)

_____
_____ abroad.

★ to부정사를 목적어로 쓰는 동사

want, need, decide, hope, plan 등은 to부정사를 목적어로 쓰는 대표적인 동사이니 꼭 외워두세요.

I went to the gym to play basketball.

「to부정사+동사원형」은 '~하기 위해서, ~해서'라는 뜻으로 쓰여 부사처럼 동사, 형용사, 부사, 또는 문장 전체를 꾸미는 역할을 하기도 한다. 부사적 쓰임의 to부정사는 목적, 감정의 원인, 판단의 근거, 결과 등 문맥에 따라 여러 의미를 나타낼 수 있다. 중1 과정에서는 '~하기 위해서'라는 뜻으로 목적을 나타내는 용법이 가장 많이 쓰이므로 여기서는 그것만을 집중적으로 다루도록 한다.

A
배열 영작

01 그녀는 나를 보러 왔다. (came / me / to / she / see)

_____

02 사람들은 사진을 찍기 위해 스마트폰을 사용한다. (take / use / smartphones / pictures / people / to)

_____

03 Daisy는 샐러드를 만들려고 채소를 씻었다. (washed / to / Daisy / make / a salad / some vegetables)

_____

B
문장 완성

01 그는 자신의 개를 산책시키기 위해 공원에 간다. (walk)

He goes to the park _____.

02 Rob은 변호사가 되려고 열심히 공부했다. (be, a lawyer)

Rob studied hard _____.

03 그녀는 그 버스를 잡으려고 뛰어가고 있다. (run, catch)

_____.

내신 기출 ▸ 문장 전환

다음 두 문장을 to부정사를 활용하여 한 문장으로 바꿔 쓰시오.

01 Jaden exercises every day. + He wants to stay healthy.

→ _____

02 Larry and his brother saved money. + They wanted to travel in Europe.

→ _____

03 I woke up early. + I wanted to go to the airport.

→ _____

My hobby is cooking.

동명사란 「동사원형+-ing」의 형태로 동사의 성질을 갖고 있지만 명사 역할을 하는 것이다. '~하기, ~하는 것'이라는 뜻으로 명사처럼 문장에서 주어, 보어, 목적어로 쓰이는데, 여기에서는 주어, 보어로 쓰인 동명사를 먼저 다룬다. 동명사가 주어일 때는 단수 취급하는 것에 유의한다.

대부분의 동사	동사원형+-ing	eat → eating
-e로 끝나는 동사	e를 빼고+-ing	come → coming
-ie로 끝나는 동사	ie를 y로 고치고+-ing	die → dying
[단모음+단자음]으로 끝나는 동사	마지막 자음을 한 번 더 쓰고+-ing	run → running
뒤에 강세가 있는 2음절 동사	마지막 자음을 한 번 더 쓰고+-ing	begin → beginning

A 배열 영작

01 낚시하는 것은 Ted가 가장 좋아하는 취미이다. (Ted's / is / favorite hobby / fishing)

_____

02 로봇을 만드는 것은 재미있다. (interesting / a robot / is / building)

_____

03 Eric의 계획은 브런치 카페를 여는 것이다. (opening / plan / is / a brunch cafe / Eric's)

_____

B 문장 완성

01 삼촌의 직업은 자동차를 판매하는 것이다. (sell, cars)

My uncle's job _____.

02 빠르게 운전하는 것은 위험하다. (drive)

_____ dangerous.

03 친구들을 사귀는 것은 어렵지 않다. (make, difficult)

_____.

내신 기출 ▷ 오류 수정

다음 문장에서 어법상 틀린 부분을 찾아 바르게 고쳐 쓰시오.

01 Watch movies is a lot of fun.

_____ → _____

02 Love is be comfortable together.

_____ → _____

03 Heating the oven before baking cookies are important.

_____ → _____

감점 피하기!

Q Using chopsticks are not easy.

_____

→ _____

★ 동명사 주어는 단수 취급

주어가 동명사일 때는 항상 단수 취급하므로, 일반동사일 때는 동사 뒤에 -(e)s를 붙이고 be동사는 is[was]로 써야 해요.

I enjoy walking my dog.

「동사원형+-ing」 형태의 동명사는 목적어 자리에 쓰여 '~하기, ~하는 것'이라는 뜻으로 문장에서 목적어 역할을 한다. 특히 enjoy, finish, keep, imagine, avoid 등은 동명사를 목적어로 쓰는 대표적인 동사이

enjoy 동사원형+-ing	~하는 것을 즐기다	imagine 동사원형+-ing	~하는 것을 상상하다
finish 동사원형+-ing	~하는 것을 끝내다	avoid 동사원형+-ing	~하는 것을 피하다
keep 동사원형+-ing	~하는 것을 계속하다	mind 동사원형+-ing	~하는 것을 꺼리다

다. 동사 like, love, hate, start, begin, continue 등은 동명사와 to부정사 둘 다 목적어로 쓴다.

A 배열 영작

01 Julie는 자신의 가족과 시간을 보내는 것을 좋아한다. (loves / Julie / time / spending / with her family)

_____

02 나는 어제 편지 쓰는 것을 끝냈다. (writing / I / finished / yesterday / a letter)

_____

03 그녀는 자신의 오빠와 같이 있는 것을 싫어한다. (being / she / her brother / hates / with)

_____

B 문장 완성

01 나는 집을 청소하는 것을 꺼리지 않는다. (mind, clean)

_____ the house.

02 너희들은 화성에 가는 것을 상상할 수 있니? (imagine, go)

_____ to Mars?

03 그는 TV 보는 것을 즐긴다. (enjoy, watch)

_____ .

내신 기출 ▷ 조건 영작

다음 우리말과 일치하도록 A, B에서 알맞은 말을 하나씩 골라 문장을 완성하시오.

A	keep	begin	avoid	B	talk	think	rain

01 정오 무렵부터 비가 내리기 시작했다.

_____ around noon.

02 그들은 그 주제에 대해 말하는 것을 피했다.

_____ about the issue.

03 Emily는 계속해서 그를 생각했다.

Emily _____ about him.

Liam is good at playing the piano.

자주 쓰이는 동명사의 관용 표현들은 그 의미를 정확히 파악하고 외워두는 것이 좋다.

be good at+동명사	~을 잘하다	be busy+동명사	~하느라 바쁘다
be interested in+동명사	~에 관심이 있다	how about+동명사?	~하는 게 어때?
thank somebody for +동명사	~에 대해 …에게 감사하다	spend+시간(돈)+동명사	~하느라 시간(돈)을 쓰다
keep on+동명사	~을 계속하다	look forward to+동명사	~하기를 고대하다

A
배열 영작

01 그녀는 장난감을 수집하는 것에 관심이 있다. (is / she / in / collecting / interested / toys)

_____

02 Ava는 이야기를 잘 지어낸다. (stories / is / making up / good / at / Ava)

_____

03 나는 설거지하느라 바쁘다. (busy / I'm / the dishes / doing)

_____

B
문장 완성

01 그는 오늘 모바일 게임에 한 시간을 썼다. (spend an hour, play)

_____ mobile games today.

02 한국의 커피 시장이 계속해서 성장하고 있다. (keep, grow)

In Korea, the coffee market _____.

03 저를 초대해 주셔서 당신께 감사드립니다. (invite)

_____.

내신 기출 ◀ 오류 수정

다음 문장에서 어법상 틀린 부분을 찾아 바르게 고치시오.

01 Emily spent 20 dollars to shopping for food.

_____ → _____

02 I look forward to go abroad.

_____ → _____

03 How about helps others?

_____ → _____

[1~6] 우리말과 일치하도록 괄호 안에 주어진 말을 바르게 배열하시오.

01 그는 내 손을 잡고 싶어 한다.
   (he / my hand / wants / hold / to)

→ _____

02 너는 여행하는 것을 좋아하니? (you / travel / like / to / do)

→ _____

03 그들은 그녀를 기쁘게 하려고 매우 노력했다.
   (please / to / they / so / hard / her / tried)

→ _____

04 밤에 숙면을 취하는 것은 중요하다.
   (a / good / night's sleep / is / having / important)

→ _____

   _____

05 나는 일찍 일어나는 것을 좋아하지 않는다.
   (getting up / don't / I / early / like)

→ _____

06 그에게 진실을 말해주는 게 어때?
   (the truth / about / how / telling / him)

→ _____

[7~12] 우리말과 일치하도록 문장을 완성하시오.

07 그녀는 LA에 있는 집을 팔고 싶어 하지 않았다.
→ She _____ _____
   _____ her house in LA.

08 우리는 수영하는 것을 배워야 한다.
→ We must _____ _____ _____ .

09 실종된 네 개를 찾기 위해 먼저 집을 확인해 봐.
→ Check at home first _____ _____
   your missing dog.

10 그녀의 직업은 학생들을 가르치는 것이다.
→ Her job _____ _____ students.

11 나는 새로운 것을 하는 것을 아주 좋아한다.
→ I _____ _____ new things.

12 너는 그림을 그리는 것에 관심이 있니?
→ _____ you _____ _____
   _____ pictures?

[13~18] 우리말을 영어로 옮긴 문장의 어법이나 의미가 틀린 부분을 찾아 바르게 고치시오.

13
(그녀는 수의사가 되고 싶어 한다.)

She wants to is a vet.

_____ → _____

14
(Tom은 이번 주말에 영화를 보러 갈 계획이다.)

Tom plans go to the movies this weekend.

_____ → _____

15
(보라는 건강해지기 위해 매일 줄넘기를 한다.)

Bora jumps rope every day being healthy.

_____ → _____

16

> (좋은 친구를 사귀는 것은 중요하다.)
> Making good friends are important.

_____ → _____

17

> (Noah는 농담하는 것을 즐긴다.)
> Noah enjoys to make jokes.

_____ → _____

18

> (그들은 수학여행을 준비하느라 바빴다.)
> They were busy to prepare for the school trip.

_____ → _____

Step 2 응용하기

[19~25] 우리말과 일치하도록 괄호 안에 주어진 말을 활용하여 문장을 완성하시오.

19 많은 아이들이 유명해지고 싶어 한다. (want, famous)

→ Many kids _____.

20 그들은 그곳에 다리를 새로 세우기로 결정했다. (decide, build)

→ _____ a new
bridge there.

21 그녀는 건축을 공부하기 위해 바르셀로나에 왔다. (architecture)

→ She came to Barcelona _____
_____.

22 우리 아빠는 빵을 굽는 것을 계속 하신다. (keep, bake)

→ My dad _____.

23 과학을 공부하는 것은 나에게 어렵다. (study, difficult)

→ _____ for me.

24 나는 새 집으로 이사하느라 바빴다. (busy, move)

→ _____ into a new house.

25 낮잠을 자는 게 어때? (take a nap)

→ _____?

[26~32] 다음 문장을 괄호 안의 지시대로 바꿔 쓰시오.

26 Mike hopes to go to university. [부정문으로]

→ _____
_____

27 My dream is to become a pilot.
[주어는 그대로, 동명사를 사용해서]

→ _____

28 Watching movies is Jim's hobby.
[Jim's hobby를 주어로, to부정사를 사용해서]

→ _____

29 I went to the shop. I wanted to buy a skirt for my sister. [한 문장으로]

→ _____
_____

30 Eric is a good swimmer. [be good at을 사용해서]

→ _____

31 Why don't you come to a party tonight?
[how about을 사용해서]

→ _____

32 Chris likes to collect coins. [동명사를 사용해서]

→ _____

[33~36] 다음 괄호 안에 주어진 말을 활용하여 대화를 완성하시오.

33

> A: Where do you want _____ _____
>   after class? (go)
> B: I _____ _____ _____ to the
>   gym. I want _____ _____
>   volleyball with my friends. (want, go, play)

34

A: Will Steve like this bookmark?

B: No, he doesn't like _____ _____

books. (read)

A: Then, what about this cup?

B: That's perfect. He loves _____ _____

coffee. (drink)

35

A: I'm going to visit my aunt's place tomorrow

_____ _____ my cousin. (see)

B: How old is your cousin?

A: He's three years old. I can't wait _____

_____ him. (see)

36

A: What do you enjoy _____ on weekends?

(do)

B: I _____ _____ tennis with my

friends. (play)

A: Are you going to play tennis with them again

this weekend?

B: Yes. Do you want _____ _____ us?

(join)

Step 3 고난도 도전하기

37 A에 가장 어울리는 말을 B에서 골라 동명사를 활용하여 문장을 완성하시오.

A	B
(1) play	a bike
(2) wait for	board games
(3) ride	a bus

(1) _____ is fun.

(2) _____ boring.

(3) _____ good exercise.

---

38 다음 우리말과 일치하도록 주어진 〈조건〉에 맞게 문장을 완성하시오.

〈조건〉

1. do one's best, take care of를 사용할 것

2. to부정사를 사용할 것

3. 모두 10단어로 쓸 것

(그녀는 아픈 동물들을 돌보기 위해 최선을 다했다.)

_____

_____

39 다음 밑줄 친 ⓐ~ⓔ에서 어법상 틀린 것을 찾아 기호를 쓰고, 바르게 고치시오.

The school festival is next week. Suho is good at ⓐsinging, so he will sing. Judy likes ⓑplaying the guitar, so she will play it. ⓒTaking pictures ⓓis my hobby, so I will take pictures of us. We are all busy ⓔto prepare for the festival.

(_____) → _____

40 다음 〈보기〉에서 적절한 단어를 골라 빈칸에 알맞은 형태로 쓰시오.

〈보기〉 read   play   stay   cook   wash

My dad often makes breakfast for us. He really likes _____. My mom likes _____ books after she finishes _____ the dishes. My sister Julie loves _____ _____ with dolls all day long. And me? I go jogging every morning _____ _____ healthy.

The alarm clock rang at six.

전치사는 시간이나 장소(또는 방향)를 나타내는 (대)명사 앞에 붙이는 말이다. 가장 많이 쓰는 시간 전치사는 in, on, at(~에)으로, in은 연도나 계절처럼 긴 시간, on은 요일이나 날짜 또는 특정한 날, at은 비교적 짧고 구체적인 시각에 쓴다.

in	in the morning, in summer, in 2022, in December, in 3 hours
on	on Monday, on May 1st, on a cold day, on Christmas Day, on Sunday morning, on Sundays
at	at 10 o'clock, at 2 p.m., at 7 a.m., at Christmas, at midnight, at lunchtime, at dinner, at the moment

A
배열 영작

01 그 TV쇼는 정오에 시작한다. (noon / starts / the TV show / at)

_____

02 내 남동생은 2020년에 입학했다. (2020 / school / my brother / started / in)

_____

03 나는 일요일 아침마다 산책을 한다. (Sunday mornings / a walk / take / I / on)

_____

B
문장 완성

01 여기는 겨울에 꽤 춥다. (winter)

It's quite cold here _____.

02 은행은 보통 오후 네 시에 문을 닫는다. (close)

Banks usually _____.

03 Bob은 자신의 생일에 동물원에 갔다. (the zoo, birthday)

_____.

내신 기출 조건 영작

다음 우리말과 일치하도록 〈보기〉에서 알맞은 말과 전치사를 활용하여 문장을 완성하시오.

보기	September	Sundays	Christmas

01 Sally는 크리스마스에 엄마와 함께 베이징에 갈 예정이다.

Sally is going to Beijing with her mother _____.

02 플로리다에는 9월에 비가 많이 내린다.

It rains a lot _____ in Florida.

03 Hao와 그의 가족은 일요일마다 시장에 간다.

Hao and his family go to the market _____.

We play soccer after school.

before와 after는 시간의 전후 관계를, for, during, from A to B 등은 특정한 기간을 나타낼 때 많이 쓰는 시간 전치사이다. 특히 for, around 는 숫자가 포함된 구체적인 시간이나 기간을 말할 때 쓰고, during은 특정한 기간을 나타낼 때 쓰는 점에 유의한다.

before (~ 전에)	before breakfast, before lunch	during (~ 동안)	during the vacation, during holidays
after (~ 후에)	after an hour, after the storm	for (~ 동안)	for an hour, for a week, for three months
around (~ 쯤, ~ 무렵)	around 8 a.m.	from A to B (A부터 B까지)	from 9 to 6, from Monday to Friday

A
배열 영작

01 그는 두 시간 후에 집으로 갔다. (went home / after / he / two hours)

_____

02 잠시 펜을 빌릴 수 있을까요? (can / a minute / borrow / I / for / your pen)

_____

03 Harry는 여행 중에 몸에 탈이 났다. (the journey / got ill / Harry / during)

_____

B
문장 완성

01 그들은 열흘 동안 뮌헨에 머물렀다. (ten days)

They stayed in Munich _____.

02 이 미술관은 화요일부터 토요일까지 연다. (open)

This gallery is _____.

03 점심 식사 전에 네 손을 씻어라. (wash)

_____.

내신 기출 ▸ 조건 영작

다음 우리말과 일치하도록 괄호 안에 주어진 표현과 알맞은 전치사를 활용하여 문장을 완성하시오.

01 나의 할머니는 전쟁 중에 자신의 아들을 잃었다. (lose, the war)

_____

02 오전 8시쯤에 산책하러 가자. (take a walk, 8 a.m.)

_____

03 나는 오늘 오후 2:30부터 3:30까지 음악 수업이 있다. (have, music class)

_____

⊙ 감점 피하기!

Q 그녀는 한 시간 동안 개를 산책시켰다. (walk the dog)

_____

_____

★ for+구체적인 기간
for 다음에는 숫자가 포함된 구체적인 기간을, during 다음 에는 특정한 기간을 써요.

A cat is sitting on the bench.

in, on, at은 장소 전치사로도 많이 쓴다. in(~ 안에, ~에)은 비교적 넓은 장소나 공간의 내부를, on(~ 위에, ~에)은 접촉하는 표면을, at(~에)은 비교적 좁은 장소나 어느 한 지점을 나타낼 때 쓴다.

in	in my room, in a town, in Korea, in a car, in the sky
on	on the wall, on the road, on the 2nd floor, on a train, on earth
at	at the door, at school, at a party, at the airport

A
배열 영작

01 그는 길에서 친구들을 만났다. (met / the street / his friends / he / on)

_____

02 그 배우가 저 자동차 안에 있나요? (the actor / is / that car / in)

_____

03 나는 그를 Jenny의 생일파티에서 만났다. (Jenny's birthday party / I / him / at / met)

_____

B
문장 완성

01 가방을 차 안 좌석 위에 두고 가지 마세요. (the seat, the car)

Don't leave your bag _____.

02 그는 신호등에서 속도를 줄였다. (the traffic lights)

He slowed down _____.

03 나는 내 방에서 그녀의 사진들을 봤다. (see, photos)

_____.

내신 기출 ▸ 대화 완성

괄호 안에 주어진 단어와 in, on, at 중 알맞은 전치사를 활용하여 다음 대화를 완성하시오.

01 A: Excuse me, where can I find men's shoes?

B: You can find them _____. (the second floor)

02 A: There was a fire _____, and a boy couldn't escape

from the building. (HK Market)

B: Really? What happened to the boy?

A: Luckily, a firefighter found him _____ and saved him.

(the restroom)

See you in front of the park.

사물이나 사람의 정확한 위치를 나타낼 때 자주 쓰는 기타 장소 전치사에는 in front of, behind, next to, under, over, across 등이 있다. on과 over는 모두 '위'를 나타내는 전치사이지만, on은 접촉하고 있는 표면 위를 나타내고, over는 표면에서 떨어진 위를 나타낸다는 점이 서로 다르다.

in front of	~ 앞에	under	~ 아래에
behind	~ 뒤에	over	~ 위에
next to	~ 옆에	across	~를 가로질러

A
배열 영작

01 그 식당은 은행 옆에 있다. (is / the restaurant / the bank / next to)

_____

02 많은 배들이 다리 아래로 지나간다. (under / pass / the bridge / many boats)

_____

03 그 우체국은 빵집 뒤에 있다. (the bakery / is / behind / the post office)

_____

B
문장 완성

01 나무들 위로 거센 바람이 분다. (the trees)

Strong wind blows _____.

02 경호원들이 길을 가로질러 서 있다. (the street)

The bodyguards are standing _____.

03 그 소년은 책상 밑에 숨었다. (hide, the desk)

_____.

내신 기출   도표 · 그림

다음 그림을 보고, 빈칸에 behind, next to, in front of 중 알맞은 전치사를 넣어 문장을 완성하시오.

01 There is a bookstore _____ the flower shop.

02 A dog is _____ the bookstore.

03 A girl is walking _____ the dog.

04 There are lots of pots on the shelf _____ the flower shop.

It is sunny but cold today.

접속사는 단어와 단어, 구와 구, 문장과 문장을 이어주는 말이다. 특히 and(~와, 그리고),
but(그러나, 하지만), or(~이나, 또는)은 가장 많이 쓰는 접속사로 앞뒤에 오는 단어나 구,
문장의 형태가 서로 같아서 '등위접속사'라고 부른다. and는 비슷한 것들을 연결할 때, but
은 반대되는 것들을 연결할 때 쓰며, or는 둘 중 하나를 선택할 때 쓴다.
접속사 뒤에 반복되는 조동사는 보통 생략하며 등위접속사가 to부정사(구)를 연결할 때 뒤
에 오는 to 역시 생략 가능하다.

> ※ **등위접속사 and, but, or**
> • You can **go home** and **take a rest**. (동사구+동사구)
> • My father is **old** but **healthy**. (단어+단어)
> • **He can join us**, or **(he can) go home**. (문장+문장)

A 배열 영작

01 오셔서 즐거운 시간 보내세요. (and / a good time / have / come)

_____

02 이 자동차는 근사하지만 비싸다. (is / but / this car / nice / expensive)

_____

03 그녀는 걷고 있나요 아니면 자전거를 타고 있나요? (she / walking / riding / a bike / is / or)

_____

B 문장 완성

01 우리는 일찍 집을 나섰지만 기차를 놓쳤다. (miss, the train)

We left home early, _____.

02 Tim은 3일이나 4일 동안 호텔에 머물 것이다. (day)

Tim will stay in the hotel for _____.

03 나는 두통이 있고 콧물이 난다. (a headache, a runny nose)

_____.

내신 기출 ▷ 문장 전환

다음 두 문장을 알맞은 등위접속사를 활용하여 한 문장으로 바꿔 쓰시오.

01 The tropics are hot places. + They are wet places.

→ _____

02 Do you want to eat here? + Do you want to get it to go?

→ _____

03 They were very tired. + They didn't stop running.

→ _____

감점 피하기!

Q Everything is new.
Everything is exciting.

→ _____

_____

★ **등위접속사 앞뒤 말의
형태는 같게 쓸 것**

등위접속사는 문법적으로
대등한 역할을 하는 단어, 구,
절을 연결하므로 앞뒤 말의
형태가 같아야 해요.

After I finished my homework, I watched TV.

before(~ 전에)과 after(~ 후에)는 시간의 전후 관계를 나타내는 전치사 뿐만 아니라 접속사로도 쓸 수 있다. 「before/after+주어+동사」 형태로 쓰는 부사절은 문장의 앞이나 뒤 어느 위치에도 올 수 있는데, 앞에 올 때는 절이 끝날 때 콤마(,)를 쓴다. 또, before, after가 이끄는 시간 부사절에서는 미래의 일도 현재시제로 쓴다.

A
배열 영작

01 나는 이것을 쓰고 나서 그것을 살 것이다. (it / I / will buy / use / after / I / this)

_____

02 나는 자기 전에 우유를 조금 마신다. (I / go to bed / drink / before / I / some milk)

_____

03 그들이 도착한 후에 그녀는 상하이로 떠났다. (they / left for / arrived / after / she / Shanghai)

_____

B
문장 완성

[before/after를 사용할 것]

01 우리는 그를 본 후에 아무 말도 하지 못했다. (see)

We couldn't say anything _____.

02 Lisa는 쇼핑하러 가기 전에 나에게 전화를 했다. (go shopping)

_____, she called me.

03 Amy는 점심을 먹은 후에 공원에 갔다. (the park, have)

_____.

내신 기출　조건 영작

다음 우리말과 일치하도록 괄호 안에 주어진 표현과 알맞은 접속사를 활용하여 문장을 완성하시오.

01 그는 그 앱을 개발한 후로 돈을 많이 벌었다. (develop, the app)

_____, he made lots of money.

02 나는 그 영화를 보고 나서 이상한 꿈을 꾸었다. (watch, the movie)

I had a strange dream _____.

03 그는 식사하기 전에 물을 한 컵 마신다. (have a meal)

He drinks a cup of water _____.

When he comes back, I will be happy.

when은 '~할 때, ~하면'이라는 뜻으로 시간을 나타내는 접속사이다. 「when+주어+동사」의 형태로 쓰는 부사절은 문장의 앞이나 뒤 어느 위치에도 올 수 있는데, 앞에 올 때는 절이 끝날 때 콤마(,)를 쓴다. when이 이끄는 시간 부사절에서는 미래의 일도 현재시제로 쓴다는 점에 유의한다.

A
배열 영작

01 내가 집에 도착했을 때 Bill은 요리를 하고 있었다. (arrived / was cooking / Bill / when / I / home)

_____

02 다리를 건너면 그의 집이 보일 거예요. (the bridge / see / his house / when / you'll / you / cross)

_____

03 나는 어렸을 때 의사가 되고 싶었다. (when / a doctor / wanted / was / I / young / I / to be)

_____

B
문장 완성

[when을 사용할 것]

01 나는 영화를 볼 때 행복하다. (watch)

_____, I feel happy.

02 그녀는 그 파티에 갈 때 새 드레스를 입을 것이다. (go)

She will wear her new dress _____.

03 그가 이 모자를 쓰면 아주 멋져 보인다. (wear, hat, so cool)

_____.

내신 기출 　조건 영작

다음 〈보기〉에서 빈칸에 가장 어울리는 말을 골라 when을 활용하여 문장을 완성하시오.

보기	wake up	turn right	be ready
	rain	take a shower	

01 _____ in the morning, I still felt tired.

02 Don't use too much water _____.

03 _____ at the corner, you'll find the bank.

04 Eddie likes to stay home _____.

⚑ 감점 피하기!

Q _____

_____, we'll leave.

★ when절에서의 미래 시제 표현

when이 이끄는 시간의 부사절에서는 미래의 일을 나타낼 때 미래시제를 쓰지 않고 현재시제를 쓰는 것에 유의하세요.

Amy is kind, **so** everyone likes her.

so(그래서, 그러므로)는 원인과 결과를 이어주는 접속사 중 하나이다. 「원인(주어+동사), so+결과(주어+동사)」 형태로 쓰며, 원인과 결과를 이어주는 또 다른 접속사 because를 이용하여 「결과(주어+동사)+because+원인(주어+동사)」 형태로 바꿔 쓸 수 있다. 「because+주어+동사」는 문장의 앞이나 뒤 어느 위치에도 올 수 있지만 앞에 나올 경우 절이 끝날 때 콤마(,)를 쓴다. 「so+주어+동사」는 앞에 나온 절이 끝날 때 콤마를 써야 한다.

원인(주어+동사), so+결과(주어+동사)	=	「결과(주어+동사)+because+원인(주어+동사) [Because+원인(주어+동사), 결과(주어+동사)]」

A
배열 영작

01 추워서 밖에 나가기 싫어. (cold / I / to go out / don't / it's / so / want)

_____

02 우리는 학교에 늦었으니 서둘러야 해. (so / late for school / we're / hurry up / we / have to)

_____

03 너 많이 피곤해 보이니 좀 쉬어야겠어. (get some rest / look / you / so / you should / very tired)

_____

[so를 사용할 것]

B
문장 완성

01 바람이 세게 불어서 나는 그 창문을 닫았다. (close)

The wind was blowing hard, _____.

02 물이 너무 더러워서 우리는 여기서 수영을 할 수 없다. (swim)

The water is so dirty, _____.

03 그는 열쇠를 잃어버려서 자신의 집에 들어갈 수 없었다. (lose, the key, get into)

_____.

내신 기출 ▷ 문장 전환

다음 두 문장을 so를 활용하여 한 문장으로 바꿔 쓰시오. (단, 문장 순서에 유의할 것)

01 He ordered pizza. + He was very hungry.

→ _____

02 She couldn't drive. + Her car ran out of gas.

→ _____

03 I forgot to return the book. + I had to pay a late fee.

→ _____

I can't join you because I'm busy.

because는 '~하기 때문에, ~해서[여서]'라는 뜻으로 이유와 원인을 나타내는 종속접속사이다. because와 모양이 비슷한 because of는 전치사이며, because 뒤에는 주어와 동사로 이루어진 절이 오지만, because of 뒤에는 명사(구)가 오는 점에 유의한다.

| because (접속사) | +주어+동사 | I couldn't play soccer **because** it rained heavily. |
| because of (전치사) | +명사(구) | I couldn't play soccer **because of** the heavy rain. |

A
배열 영작

01 그것이 너무 비싸서 나는 살 수 없다. (can't / too / it's / buy / because / I / expensive / it)

_____

02 비가 와서 그는 집에 있었다. (he / because / at home / it / was / stayed / rainy)

_____

03 그는 Ann의 생일이라서 케이크를 샀다. (Ann's birthday / bought / he / because / it's / a cake)

_____

B
문장 완성

01 나는 사진 찍는 것을 좋아하기 때문에 너희 동아리에 가입하고 싶어. (love, take pictures)

I want to join your club _____.

02 슈퍼문은 지구에 더 가깝기 때문에 더 커 보인다. (closer)

A supermoon looks bigger _____ to the earth.

03 나는 감기에 걸려서 학교에 가지 않았다. (catch a cold)

_____.

내신 기출 ◀ 문장 전환

다음 문장을 because를 활용하여 같은 뜻이 되도록 바꿔 쓰시오.

01 Math is boring, so I don't like it.

→ I _____.

02 There was a snowstorm, so the planes couldn't take off.

→ The planes _____.

03 This shirt looks good on me, so I want to buy it.

→ I _____.

I thought that it was a great idea.

that(~하는 것)은 「that+주어+동사」 형태의 명사절을 이끄는 접속사이다. that 명사절은 문장에서 주어, 목적어, 보어 역할을 하는데 여기서는 목적어 역할을 하는 경우를 집중적으로 다루기로 한다. that절을 이끄는 동사로는 think, believe, know, hope, say, hear 등이 대표적이며, 이때 that은 생략할 수 있다.

think (that) 주어+동사	~하다고 생각하다	hope (that) 주어+동사	~하길 바라다
believe (that) 주어+동사	~하다고 믿다	say (that) 주어+동사	~하다고 말하다
know (that) 주어+동사	~하다는 것을 알고 있다	hear (that) 주어+동사	~하다고 듣다

A
배열 영작

01 나는 친구가 매우 중요하다고 생각한다. (I / very important / that / friends / are / think)

_____

02 어떤 사람들은 그가 좋은 사람이라고 믿는다. (believe / some people / that / is / a good man / he)

_____

03 그들은 Tim이 노르웨이 출신이라는 것을 안다. (they / from Norway / that / know / Tim / is)

_____

B
문장 완성

01 나는 그가 작가라고 들었다. (hear)

_____ he was a writer.

02 그는 그 영화가 매우 재미있다고 말했다. (exciting)

He said _____ .

03 그녀는 자신의 남동생이 똑똑하다고 생각해. (smart)

_____ .

내신 기출   조건 영작

다음 우리말과 일치하도록 괄호 안에 주어진 말과 that을 활용하여 문장을 완성하시오.

01 사람들은 숫자 7이 행운을 가져온다고 믿는다. (the number 7, bring)

_____ good luck.

02 Mary는 쇼핑 후에 기분이 나아지기를 바란다. (hope, feel better)

_____ after shopping.

03 나는 Mason이 그 그림을 그렸다는 것을 알았다. (know, draw)

_____ the painting.

Step **1** ▷ 기본 다지기

[1~9] 우리말과 일치하도록 괄호 안에 주어진 말을 바르게 배열하시오.

01 그 음식점은 정오에 문을 연다.
(opens / noon / the / restaurant / at)

→ _____

02 오늘 이후로 이 다리를 이용할 수 없습니다.
(this bridge / can't use / you / today / after)

→ _____

03 벽에 걸린 그림이 매우 아름답다.
(on / beautiful / the wall / is / the painting / very)

→ _____

04 극장 앞에서 왼쪽으로 도세요.
(left / the theater / in front of / turn)

→ _____

05 김 선생님은 훌륭한 교사이자 친절한 어머니이다.
(is / Ms. Kim / a good teacher / a kind mother / and)

→ _____

06 길을 건너기 전에 양쪽 방향을 살펴라.
(both ways / look / before / the street / you / cross)

→ _____
_____

07 나한테 전화하면 밖으로 나갈게.
(you / go outside / call me / I'll / when)

→ _____

08 나는 다리를 다쳐서 집에 머물렀다.
(hurt / at home / my leg / I / so / I / stayed)

→ _____

09 나는 어제 너무 많이 먹은 것 같아.
(I / that / I / yesterday / ate / think / too much)

→ _____

[10~19] 우리말과 일치하도록 문장을 완성하시오.

10 Linda는 보통 월요일마다 늦게 도착한다.
→ Linda usually arrives late _____ _____ .

11 경찰은 3주 후에 그 도둑을 잡았다.
→ The police caught the thief _____
_____ _____ .

12 나는 역에서 그들을 만났다.
→ I met them _____ _____
_____ .

13 많은 학생들이 그 건물 앞에서 사진을 찍고 있다.
→ Many students are taking pictures _____
_____ _____ _____ _____ .

14 그것은 식물처럼 보이지만 동물이다.
→ It looks like a plant, _____ it is _____
_____ .

15 밖에 나가기 전에 TV를 꺼라.
→ Turn off the TV _____ _____
_____ out.

16 그는 소음을 듣자 달아나기 시작했다.
→ He started running away _____
_____ _____ the noise.

17 그 소설이 정말 슬퍼서 나는 많이 울었다

→ The novel was really sad, _____ _____
_____ a lot.

18 그는 안경을 잃어버려서 아무것도 볼 수 없었다.

→ He couldn't see anything _____ _____
_____ his glasses.

19 나는 바다가 우리에게 중요하다는 것을 배웠어.

→ _____ _____ _____ the
ocean is important to us.

[20~29] 우리말을 영어로 옮긴 문장의 어법이나 의미가 <u>틀린</u>
부분을 찾아 바르게 고치시오.

20

(너는 새해 첫날에 무엇을 했니?)

What did you do at the first day of the New Year?

_____ → _____

21

(그들은 월요일부터 금요일까지 이곳에 머물렀다.)

They stayed here for Monday to Friday.

_____ → _____

22

(그녀의 방은 3층에 있다.)

Her room is at the third floor.

_____ → _____

23

(고양이가 창문 옆에서 자고 있다.)

A cat is sleeping next of the window.

_____ → _____

24

(그것은 바위나 산호 위에 산다.)

It lives on rocks but coral.

_____ → _____

25

(나는 그 영화가 히트하고 나서 봤다.)

I watched the movie before it became a hit.

_____ → _____

26

(네가 도착하면 너에게 저녁 식사를 만들어줄게.)

When you will arrive, I'll make dinner for you.

_____ → _____

27

(밖에 눈이 오고 있어서 나는 나가고 싶지 않아.)

It is snowing outside, because I don't want to go
out.

_____ → _____

28

(나는 열쇠를 잃어 버려서 그 방에 들어갈 수가 없었다.)

When I lost the key, I couldn't enter the room.

_____ → _____

29

(너는 사람이 변할 수 있다고 믿니?)

Do you believe what people can change?

_____ → _____

Step 2 ▶ 응용하기

[30~38] 우리말과 일치하도록 괄호 안에 주어진 말을 활용하
여 문장을 완성하시오.

30 Jaden은 밤에 늦게 잠자리에 든다. (go to bed)

→ Jaden _____ .

31 선수들은 경기 후에 슬퍼 보였다. (look, the match)

→ The players _____.

32 Kate는 도서관에서 자신의 친구를 기다렸다. (wait for)

→ Kate _____.

33 Ryan은 내 옆에 앉고 싶어 했다. (want, sit)

→ Ryan _____.

34 우리는 사랑을 볼 수 없지만 그것을 느낄 수 있다. (feel)

→ We cannot see love _____.

35 Leah는 내가 도착하기 전에 서울을 떠났다. (leave, arrive)

→ Leah _____.

36 그는 젊었을 때 몹시 가난했다. (young)

→ _____, he was very poor.

37 그녀가 직장을 구했다는 소식 들었어? (hear, get a job)

→ Did you _____?

38 그는 항상 호기심이 많았기 때문에 놀라운 발견을 했다. (curious)

→ He made an amazing discovery _____
_____.

[39~45] 다음 문장을 괄호 안의 지시대로 바꿔 쓰시오.

39 Lucy doesn't exercise on Mondays. ['월요일'을 '아침'으로]

→ _____

40 A man is walking in front of his wife.
['앞에서'를 '뒤에서'로]

→ _____

41 Anna is very kind. I know it.
[that을 사용해서 한 문장으로]

→ _____

42 Picasso was from Spain. Dali was from Spain.
[한 문장으로]

→ _____

43 Because Ted was tired, he went to bed.
[so를 사용해서 한 문장으로]

→ _____

44 He'll get here. I'll tell him everything then.
[when을 사용해서 한 문장으로]

→ _____

45 Science is difficult, so I don't like it.
[because를 사용해서]

→ _____

[46~50] 다음 빈칸에 알맞은 말을 넣어 대화를 완성하시오.

46
A: What did you do _____ the holidays?

B: I went to an international jazz festival
_____ London.

47
A: What time does the movie *Frozen* start?

B: It starts _____ 6:30.

A: Then, let's meet _____ the theater
_____ 6:00.

48
A: How was the concert yesterday?

B: Actually, the singer had a sore throat,
_____ he canceled the concert.

A: That's too bad. I heard _____ many
people are getting sick _____
_____ the cold weather.

49

A: Eric, let's go out _____ play basketball.

B: Don't you think _____ it's too hot outside?

A: Really? Then what do you want to do?

B: _____ it's hot, I like to swim in the pool.

50

A: Modern art is hard to understand. I _____ _____ this is a picture of a tree.

B: I don't think so. I _____ _____ it's a picture of two people.

Step 3 고난도 도전하기

51 다음 그림을 보고, 괄호 안에 주어진 단어와 알맞은 전치사를 활용하여 두 사람이 하고 있는 일을 묘사하는 문장을 완성하시오.

(1) (bake, kitchen)

Judy and her mom _____ _____.

(2) (put, some cookie dough, the pan)

Judy _____ _____.

(3) (mix, the dough, the bowl)

Her mom _____ _____ with a spoon.

---

52 다음 우리말과 일치하도록 주어진 〈조건〉에 맞게 문장을 완성하시오.

〈조건〉

1. open, find, some letters를 사용할 것

2. 접속사 when을 쓸 것

3. 모두 10단어로 쓸 것

(네가 그 상자를 열면, 너는 몇 통의 편지를 발견할 것이다.)

_____

_____

---

53 다음 밑줄 친 @~ⓔ에서 어법상 틀린 것을 찾아 기호를 쓰고, 바르게 고치시오.

My family often goes on a trip @in December. Last year, we took a trip to Japan. We visited Niigata ⓑon Christmas day. Because it was so cold, we stayed ⓒin our hotel all day. This year, we're planning to go to Bangkok. It's warm there ⓓon winter. We will leave ⓔon November 30.

(_____) → _____

---

54 다음 빈칸에 적절한 전치사와 접속사를 넣어 문장을 완성하시오.

Tien and his family eat breakfast _____ 7:30 a.m. They often eat dumplings _____ fried dough sticks with warm soy milk. They usually go to a restaurant _____ the street. _____ they finish breakfast, Tien goes to school, _____ his dad goes to work.

---

55 다음 일과표를 보고, 접속사 after를 활용하여 Sandy가 오늘 오후에 한 일들을 한 문장으로 쓰시오.

4:00 p.m.	5:30 p.m.
do yoga	practice the guitar

Sandy _____

_____.

He **always** does his best.

빈도부사란 어떠한 일이 얼마나 자주 일어나는지를 나타내는 부사로 always, usually, often, sometimes, never 등이 있다. 빈도부사는 대체로 일반동사 앞, 혹은 be동사나 조동사 뒤에 오는 것이 특징이다. 단, always를 제외하고는 모두 문두나 문미에 쓰기도 한다.

빈도부사	의미
always	항상, 늘
usually	보통, 대개
often	자주, 종종
sometimes	때때로
never	절대[결코] ~ 않는

A
배열 영작

[빈도부사를 문두/문미에 쓰지 말 것]

01 내 남동생은 절대 날 도와주지 않는다. (helps / never / me / my brother)

_____

02 나는 항상 내 친구들과 여행을 한다. (my friends / always / with / travel / I)

_____

03 Jimmy는 보통 학교에 일찍 간다. (usually / Jimmy / goes / early / to school)

_____

B
문장 완성

[빈도부사를 문두/문미에 쓰지 말 것]

01 우리 아빠는 종종 빨간 넥타이를 매신다. (wear)

My dad _____ a red tie.

02 너는 때때로 몹시 피곤해 보여. (look)

_____ very tired.

03 시간은 결코 누구도 기다려주지 않는다. (wait for, anyone)

_____ .

내신 기출 ▸ 도표·그림

다음 Jake의 평소 습관을 적은 표를 보고, 알맞은 빈도부사를 활용하여 문장을 완성하시오.

	Habit	How often
01	Read books	항상
02	Walk his dog	보통
03	Water the plants	자주
04	Go shopping	때때로
Q	Be late for school	절대 안 함

01 Jake _____ books.

02 He _____ his dog.

03 He _____ the plants.

04 He _____ shopping.

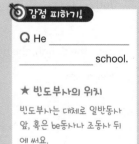

🎯 **감점 피하기!**

Q He _____

_____ school.

★ **빈도부사의 위치**

빈도부사는 대체로 일반동사 앞, 혹은 be동사나 조동사 뒤에 써요.

I am taller than my father.

'…보다 ~한/하게'라는 뜻으로 둘 이상의 사물이나 사람을 비교할 때 「형용사/부사의 비교급+than」 구문을 쓴다. than 뒤에는 「주어+동사」 또는 목적격 형태로 쓰며 대체로 비교급은 형용사나 부사 뒤에 -er을 붙여서 만든다. 비교급 앞에는 비교급을 강조하거나 수식하는 부사 much, even, a lot, far, still 등을 써서 '훨씬'이라는 의미를 나타낼 수 있다.

대부분의 형용사/부사	형용사/부사+-er	old → older
-e로 끝나는 형용사/부사	형용사/부사+-r	large → larger
[단모음+단자음]으로 끝나는 형용사/부사	마지막 자음을 한 번 더 쓰고+-er	fat → fatter
[자음+y]로 끝나는 형용사/부사	y를 i로 고치고+-er	easy → easier

A
배열 영작

01 나일강은 한강보다 더 길다. (the Han River / the Nile / longer / is / than)

_____

02 네 폰케이스가 내 것보다 더 예쁘다. (prettier / mine / is / your phone case / than)

_____

03 말은 당나귀보다 더 빨리 달린다. (run / horses / faster / donkeys / than)

_____

B
문장 완성

01 8월은 3월보다 더 덥다. (hot, in August)

It _____ in March.

02 자동차는 오토바이보다 훨씬 더 안전하다. (much, safe)

_____ motorcycles.

03 그는 나보다 더 일찍 왔다. (come, early)

_____ .

내신 기출 　도표·그림

다음 표를 보고, 괄호 안에 주어진 단어를 활용하여 두 사람을 비교하는 문장을 완성하시오.

Name	Age	Weight	Height
Tony	5 years old	15kg	100cm
Eric	9 years old	20kg	120cm

01 _____ . (young)

02 _____ . (heavy)

03 _____ . (short)

Health is more important than money.

비교급을 만들 때는 대체로 형용사나 부사 뒤에 -er을 붙이는데, -ful, -ous, -ing, -ive 등으로 끝나는 2음절 이상의 단어는 「more+형용사/부사의 원급+than」 형태로 쓴다. 단, 일부 단어는 불규칙하게 변하므로 외워두어야 한다. 「more+형용사/부사의 원급」 앞에도 '훨씬'이라는 의미의 much, even, a lot, far, still 등을 붙여 비교급을 강조하거나 수식할 수 있다.

• 비교급의 불규칙 변화

원급	비교급
good (well)	better
bad (ill)	worse
many (much)	more
little	less

A 배열 영작

01 너는 사진보다 실물이 더 나아 보여. (look / better / you / than / your picture)

_____

02 나는 축구보다 야구를 더 좋아한다. (like / soccer / baseball / I / more / than)

_____

03 이 가방은 내 것보다 더 비싸다. (more / expensive / this bag / is / mine / than)

_____

B 문장 완성

01 나에게 과학은 수학보다 더 어렵다. (difficult, science, math)

For me, _____.

02 나는 농구보다 배구가 훨씬 더 재미있는 것 같아. (much, exciting)

I think volleyball _____ basketball.

03 낚시가 하이킹보다 더 지루하다. (boring, fishing, hiking)

_____.

내신 기출 조건 영작

다음 괄호 안에 주어진 단어를 활용하여 비교급 문장을 완성하시오.

01 I like chicken _____ beef. (much)

02 Boxing looks _____ skiing. (dangerous)

03 Nancy can speak Italian _____ before. (well)

04 Water is _____ diamonds. (far, useful)

05 I think you're _____ the actor. (handsome)

Cairo is the largest city in Africa.

최상급은 '(… 중에서) 가장 ~한/하게'라는 뜻으로 셋 이상의 사물이나 사람을 비교할 때 쓴다. 최상급은 보통 형용사나 부사 뒤에 -est를 붙여 만들며, 「the+형용사/부사의 최상급 (+명사+in/of+명사)」 형태로 쓴다. 이때 형용사의 최상급 앞에는 반드시 the를 써야 하지만 부사의 최상급 앞에는 the를 생략할 수 있다.

대부분의 형용사/부사	형용사/부사+-est	old → oldest
-e로 끝나는 형용사/부사	형용사/부사+-st	large → largest
[단모음+단자음]으로 끝나는 형용사/부사	마지막 자음을 한 번 더 쓰고+-est	fat → fattest
[자음+y]로 끝나는 형용사/부사	y를 i로 고치고+-est	easy → easiest

A 배열 영작

01 힌두교는 인도에서 가장 큰 종교이다. (religion / the largest / is / Hinduism / in India)

_____

02 수빈이는 자신의 가족 중에서 키가 가장 작다. (in her family / the shortest / is / Subin)

_____

03 너희 반에서 누가 가장 빨리 달리니? (is / in your class / the fastest / who / runner)

_____

B 문장 완성

01 수성은 태양과 가장 가까운 행성이다. (close, planet)

Mercury is _____ to the sun.

02 나는 누리가 우리 학교에서 제일 똑똑한 학생이라고 생각한다. (smart)

I think Nuri is _____ in our school.

03 월요일은 주중에 가장 바쁜 날이다. (busy)

_____ of the week.

내신 기출 　도표·그림

다음 세 학생을 비교한 표를 보고, 괄호 안에 주어진 단어를 활용하여 최상급 문장을 완성하시오.

Name	Paul	Bomi	Antonio
Age	15 years old	14 years old	13 years old
Height	168cm	170cm	162cm
Family	3 members	4 members	6 members

01 _____ of the three students. (old)

02 _____ of the three students. (tall)

03 _____ family of the three students. (have, big)

New York is the most exciting city in the world.

최상급을 만들 때는 대체로 형용사나 부사 뒤에 -est를 붙이는데, 2음절 이상의 단어 「the most+형용사/부사의 원급+명사(+ in/of+명사)」 형태로 쓴다. 단, 일부 단어는 불규칙하게 변하므로 외워두어야 한다. 최상급 뒤에는 in이나 of를 써서 '… 중에서'라는 비교 대상이나 범위를 나타내는데 주로 「in+(범위나 장소의) 단수 명사」를 쓰고, 「of+기간」 또는 「of+(비교 대상의) 복수 명사」 형태로 쓴다.

• 비교급/최상급의 불규칙 변화

원급	비교급	최상급
good (well)	better	best
bad (ill)	worse	worst
many (much)	more	most
little	less	least

A 배열 영작

01 수학은 가장 어려운 과목이다. (difficult / the / math / most / subject / is)

_____

02 축구는 영국에서 가장 인기 있는 스포츠이다. (is / popular / the / soccer / most / sport / in / the U.K.)

_____

03 오늘 날씨가 이번 달 중에 최악이다. (of this month / is / today's weather / the / worst)

_____

B 문장 완성

01 사랑은 모든 것 중에서 가장 중요한 것이다. (important)

Love is _____ thing of all.

02 나는 산토리니가 세상에서 가장 아름다운 곳이라고 생각한다. (beautiful, place)

I think Santorini _____ in the world.

03 이것은 세상에서 제일 맛있는 컵케이크이다. (delicious, cupcake)

_____.

내신 기출 ▶ 오류 수정

우리말을 영어로 옮긴 문장에서 어법상 틀린 부분 두 군데를 고쳐 전체 문장을 다시 쓰시오.

01 (피카소의 그림이 세계에서 가장 비싸다.)

Picasso's paintings are most expensivest in the world.

→ _____

_____

02 (Eric은 자신의 친구들 중에서 가장 잘생겼다.)

Eric is most handsome than his friends.

→ _____

⊙ 감점 피하기!

Q (세상에서 가장 위험한 직업은 무엇인가요?)
What is dangerous job most in the world?

→ _____

_____

★ 2음절 이상 단어의 최상급
2음절 이상의 최상급은 「the most+형용사/부사의 원급」 순서로 써야 해요.

[1~5] 우리말과 일치하도록 괄호 안에 주어진 말을 바르게 배열하시오.

01 Jenny는 다른 아이들보다 더 현명하다.
(wiser / the other kids / than / is / Jenny)

→ _____

02 독서는 텔레비전을 보는 것보다 더 도움이 된다.
(is / watching TV / more / reading / helpful / than)

→ _____

_____

03 Elena는 우리 팀에서 가장 용감한 사람이다.
(Elena / person / is / the / in my team / bravest)

→ _____

04 이것은 이 식당에서 가장 비싼 요리이다.
(dish / this / the / is / expensive / in this restaurant / most)

→ _____

_____

05 그녀는 종종 봉사활동을 한다.
(volunteer work / does / she / often)

→ _____

[6~10] 우리말과 일치하도록 문장을 완성하시오.

06 서울은 방콕보다 더 춥다.
→ Seoul is _____ _____ Bangkok.

07 나는 여름보다 겨울을 더 좋아한다.
→ I like winter _____ _____

_____ .

08 Ali는 우리 반에서 가장 힘이 센 학생이다.
→ Ali is _____ _____ _____ in our class.

09 Thor는 가장 강력한 슈퍼히어로이다.
→ Thor is _____ _____ _____ superhero.

10 Billy는 종종 춤 경연대회에서 우승한다.
→ Billy _____ _____ dance contests.

[11~16] 우리말을 영어로 옮긴 문장의 어법이나 의미가 <u>틀린</u> 부분을 찾아 바르게 고치시오.

11
(금성은 시리우스보다 더 밝다.)
Venus is bright than Sirius.

_____ → _____

12
(내가 지금 너보다 더 많은 돈을 갖고 있다.)
I have most money than you now.

_____ → _____

13
(저 차는 내 것보다 훨씬 더 비싸다.)
That car is very more expensive than mine.

_____ → _____

14
(리우 카니발은 브라질에서 가장 큰 축제이다.)
The Rio Carnival is biggest festival in Brazil.

_____ → _____

15

(우리 가족은 내 인생에서 가장 중요한 존재이다.)

My family is the more important thing in my life.

_____ → _____

16

(나는 보통 점심 식사 후에 산책을 한다.)

I take usually a walk after lunch.

_____ → _____

Step 2 응용하기

[17~22] 우리말과 일치하도록 괄호 안에 주어진 말을 활용하여 문장을 완성하시오.

17 바나나는 포도보다 더 달다. (sweet)

→ Bananas _____ grapes.

18 내 생각에 그녀가 그 여배우보다 더 예쁜 것 같아.
(beautiful, actress)

→ I think she's _____

_____.

19 사하라 사막은 세계에서 가장 더운 지역이다. (hot, area)

→ The Sahara Desert _____

_____.

20 금문교는 미국에서 가장 유명한 다리이다.
(famous, bridge, the U.S.)

→ Golden Gate Bridge _____

_____.

21 나는 때때로 아침을 거른다. (skip)

→ I _____ breakfast.

22 너는 보통 몇 시에 자니? (go to bed)

→ What time _____?

[23~27] 다음 문장을 괄호 안의 지시대로 바꿔 쓰시오.

23 My uncle is younger than my dad.
[my dad를 주어로, 의미가 같도록]

→ _____

24 The blue shirt is cheaper than the white shirt.
[the white shirt를 주어로, 의미가 같도록]

→ _____

_____

25 Sam is faster than Jiho. Amy is faster than Sam.
[Amy를 주어로, of the three를 사용해서]

→ _____

26 This place is the cleanest beach in Hawaii.
[clean을 famous로 바꾸어서]

→ _____

_____

27 I will always remember his smile.
[forget과 빈도부사를 사용해서, 의미가 같도록]

→ _____

[28~31] 다음 괄호 안에 주어진 말을 활용하여 대화를 완성하시오.

28

A: I'm reading *The Lord of the Rings*.

B: We watched the movie of it before. Which is _____ _____, the movie or the book? (interesting)

A: I think the book is _____ _____

_____ _____ _____. (much, interesting)

29

A: What is _____ _____ _____ in the world? (deep)

B: It's Lake Baikal. The lake is 1,642 meters deep.

A: That's amazing. What is _____

_____ _____ in the world? (large)

B: It's Lake Baikal, too.

30

A: I think the airplane is _____ _____ _____ ever. (great, invention)

B: I think so, too. The idea of the airplane started with the question "Can we fly like birds?"

A: Because of that idea, we can now _____ _____ _____ birds. (fly, fast)

31

A: You _____ _____ late for school. (never)

B: Yes. I _____ _____ home early and walk to school. How do you go to school? (leave, always)

A: I _____ _____ to school by bus. But I sometimes miss the bus. (go, usually)

Step 3 고난도 도전하기

32 다음 표를 보고, 괄호 안에 주어진 단어를 활용하여 두 전화기를 비교하는 문장을 완성하시오.

	Weight	Length	Price
Phone A	175g	142mm	$790
Phone B	170g	149mm	$680

(1) (heavy)

_____

(2) (long)

_____

(3) (expensive)

_____

_____

---

33 다음 우리말과 일치하도록 주어진 〈조건〉에 맞게 문장을 완성하시오.

〈조건〉
1. make, dinner, the family를 사용할 것
2. 빈도부사를 사용하되 문두/문미에 쓰지 말 것
3. 모두 8단어로 쓸 것

(그녀의 아버지는 가족을 위해 자주 저녁 식사를 만드신다.)

_____

_____

---

34 다음 밑줄 친 ⓐ~ⓔ에서 어법상 틀린 것을 찾아 기호를 쓰고, 바르게 고치시오.

Mia was ⓐthe quietest girl in the class. She ⓑalways sat in the back. She ⓒmissed sometimes classes, but no one noticed. But Emma was ⓓthe most popular girl in the class. She was different from the other girls. She ⓔoften wanted to talk to Mia.

(_____) → _____

---

35 다음 반 친구들의 학교 동아리 선호도를 나타낸 그래프를 보고, 괄호 안에 주어진 단어를 활용하여 글을 완성하시오.

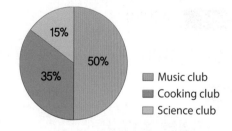

15% 50% 35%
- Music club
- Cooking club
- Science club

This graph shows my classmates' favorite school clubs. The cooking club _____ the science club. The music club _____ in my class.

(popular)

Who likes baseball?

의문사 who는 '누구'라는 뜻으로 사람에 대해 물을 때 쓴다. who가 문장의 주어일 때는 「Who+동사 ~?」 형태로 의문문을 만들고 의문사 who를 3인칭 단수 취급하여 단수 동사를 쓴다. 조동사가 있으면 「Who+조동사+동사원형 ~?」 형태로 쓴다. 이처럼 의문사가 있는 의문문에 대한 대답은 Yes나 No가 아니라, 구체적인 내용으로 답하는 것이 특징이다.

• who가 문장의 주어일 때	
Who+be동사/일반동사 ~?	Who *likes* you? 주어 동사 (누가)
Who+조동사(will/can 등)+동사원형 ~?	Who *can call* me? 주어 동사 (누가)

A
배열 영작

01 누가 놀이공원에 갔니? (went / the amusement park / who / to)

_____

02 누가 당신 옆에 있나요? (next to / you / is / who)

_____

03 누가 지금 Bill을 부르고 있니? (who / now / is calling / Bill)

_____

B
문장 완성

01 누가 내 이어폰을 사용했니? (use)

_____ my earphones?

02 누가 내 질문에 답할 수 있나요? (answer)

_____ my question?

03 누가 우리 교실을 청소했니? (clean)

_____?

내신 기출 ▷ 조건 영작

다음 우리말과 일치하도록 〈보기〉에서 고른 말을 활용하여 질문을 완성하시오.

| 보기 ▷ | come | invent | want | like |

01 누가 한글을 창제했나요?

_____ Hangeul?

02 누가 당신의 사진을 좋아합니까?

_____ your pictures?

03 누가 어제 우리 집에 왔니?

_____ to my house yesterday?

감점 피하기!

Q 누가 음악을 듣기를 원하니?

_____
_____ music?

★ who가 주어일 때는 단수 동사로 쓸 것

who가 주어일 때는 단수 취급하여 be동사는 is[was]를 쓰고 일반동사는 -(e)s 형태를 써요.

Who is that boy in the red shirt?

의문사 who는 문장의 보어나 목적어로도 쓸 수 있다. who로 시작하는 의문문에서 who가 문장의 주어가 아닐 때, be동사가 들어 있으면 「Who(보어)+be동사+주어 ~?」 형태로 쓰고, 일반동사가 들어 있으면 「Who(목적어)+조동사+주어+동사원형 ~?」 형태로 써서 의문문을 만든다.

• who가 문장의 주어가 아닐 때	
Who+be동사+주어 ~?	Who *is* that boy? 보어 동사 주어 (누구니)
Who+조동사(do/does/will/can 등) +주어+동사원형 ~?	Who *do you* meet? 목적어 주어 동사 (누구를)

A 배열 영작

01 저 소녀는 누구니? (girl / who / that / is)

_____

02 너는 누구랑 같이 사니? (you / live with / do / who)

_____

03 너의 가장 친한 친구들은 누구니? (your / are / who / best friends)

_____

B 문장 완성

01 미국의 대통령은 누구니? (the president)

_____ of the United States?

02 Emily는 어제 공원에서 누구를 봤나요? (see)

_____ at the park yesterday?

03 네가 가장 좋아하는 가수가 누구니? (favorite singer)

_____ ?

내신 기출 ▸ 대화 완성

B의 응답에 쓴 표현을 활용하여 다음 밑줄 친 부분을 묻는 질문을 완성하시오.

01 A: _____ the phone from?

B: I borrowed it from <u>Logan</u>.

02 A: _____ about?

B: We are talking about <u>our new math teacher</u>.

03 A: Look at the boys over there. _____ ?

B: They are <u>my cousins, Sejun and Minjun</u>.

What makes you happy?

의문사 what은 '무엇'이라는 뜻으로 주로 사물에 대해 물을 때 쓴다.
what이 문장의 주어일 때는 「What+동사 ~?」 형태로 의문문을 만든다.

• what이 문장의 주어일 때

What+be동사/일반동사 ~?	What *happens*? 주어　　동사 (무엇이)
What+조동사(will/can 등)+동사원형 ~?	What will *make* you decide? 주어　　　동사 (무엇이)

A 배열 영작

01 탁자 위에 무엇이 있나요? (on / is / the table / what)

_____

02 그 다음은 무엇인가요? (next / comes / what)

_____

03 그게 뭐가 잘못됐다는 거야? (that / wrong / with / what's)

_____

B 문장 완성

01 네 손에 무엇이 있니? (be)

_____ in your hand?

02 하늘에서 무엇이 떨어지고 있나요? (fall)

_____ from the sky?

03 네 가방 안에는 무엇이 있니? (bag)

_____ ?

내신 기출 조건 영작

다음 우리말과 일치하도록 〈보기〉에서 고른 말을 활용하여 질문을 완성하시오.

보기	crawl	happen	fly	make

01 무엇이 너를 그렇게 화나게 했니?

_____ so upset?

02 바닥에 무엇이 기어가고 있나요?

_____ on the floor?

03 내 머리 위에 무엇이 날아다니고 있니?

_____ over my head?

감점 피하기!

Q 우리가 웃을 때 무슨 일이 일어날까요?

_____
when we laugh?

★ what이 주어일 때는
단수 동사로 쓸 것

what이 주어일 때는 단수 취급
하므로 동사도 단수형을 사용
하는 것에 주의하세요.

What do you want to eat?

의문사 what이 문장의 보어나 목적어로 쓰이면, 사물뿐 아니라 직업이나 이름 등 사람에 관해서도 물을 수 있다. what으로 시작하는 의문문에서 what이 문장의 주어가 아닐 때 be동사가 들어 있으면 「What+be동사 +주어 ~?」 형태로 쓰고, 일반동사가 들어 있으면 「What+조동사+주어 +동사원형 ~?」 형태로 쓴다.

• what이 문장의 주어가 아닐 때	
What+be동사+주어 ~?	What *is* the title of this movie? 보어 동사 주어 (무엇이니)
What+조동사(do/does/will/can 등) +주어+동사원형 ~?	What did you *eat* yesterday? 목적어 주어 동사 (무엇을)

A
배열 영작

01 당신은 지금 무엇을 하고 있나요? (now / are / you / what / doing)

_____

02 Jamie는 무슨 일을 하나요? (does / do / what / Jamie)

_____

03 그는 어떻게 생겼니? (does / what / look / he / like)

_____

B
문장 완성

01 Kelly는 가게에서 무엇을 샀나요? (buy)

_____ at the store?

02 우리는 오늘밤 하늘에서 무엇을 볼 수 있나요? (see)

_____ in the sky tonight?

03 네가 가장 좋아하는 음식이 뭐니? (best food)

_____ ?

내신 기출   대화 완성

괄호 안에 주어진 단어와 B의 응답에 쓴 표현을 활용하여 다음 대화를 완성하시오.

01 A: _____ last Saturday? (what, play)

B: I played a board game.

02 A: _____ in this picture? (what, can)

B: I can see a car.

03 A: _____ ? (what, be)

B: My favorite color is green.

What time should we meet?

의문사 what은 '무엇'이라는 대명사이자 '어떤, 무슨, 몇'이라는 뜻의 형용사이기도 하다. 따라서 「What+명사」 형태로 what이 명사를 꾸며 시간이나 크기, 유형 등의 구체적인 정보를 물을 수 있다. 이때, be동사가 들어 있으면 「What+명사+be동사+주어 ~?」 형태로 쓰고, 일반동사가 들어 있으면 「What+명사+조동사+주어+동사원형 ~?」 형태로 쓴다.

be동사일 때	What+명사+be동사+주어 ~?
일반동사일 때	What+명사+조동사(do/does/did 등)+주어+동사원형 ~?

A
배열 영작

01 다음 버스는 몇 시에 옵니까? (time / does / come / the next bus / what)

_____

02 오늘은 무슨 요일인가요? (day / today / it / what / is)

_____

03 너는 올해 어떤 계획을 가지고 있니? (you / do / what / plans / have / for this year)

_____

B
문장 완성

[what을 사용할 것]

01 꽃집은 몇 층에 있나요? (floor)

_____ the flower shop on?

02 너는 몇 사이즈를 입니? (size)

_____ wear?

03 그녀는 무슨 색을 좋아하니? (like)

_____ ?

내신 기출 ◀ 오류 수정

다음 문장에서 어법상 **틀린** 부분을 찾아 바르게 고쳐 쓰시오.

01 What date does Children's Day in Canada?

_____ → _____

02 What kind of games do you likes to play?

_____ → _____

03 What time do the National Museum open?

_____ → _____

Which class do you want to join?

의문사 which는 '어느[어떤] 것'이라는 뜻의 대명사이자 '어느, 어떤'이라는 뜻의 형용사이기도 하다. 따라서 「Which+명사」 형태로 which가 명사를 꾸며 정확하게 어떤 것인지를 물을 수 있다. which는 what과 거의 비슷한 의미로 사용되는데, 약간의 차이는 일반적인 것을 물을 때는 주로 what을 사용하고, 제한된 몇 개 중에서 선택을 해야 하는 경우에는 which를 사용한다는 점이다.

A
배열 영작

01 개는 어떤 음식을 먹을 수 있나요? (foods / eat / which / can / dogs)

_____

02 네가 고른 우산은 이것과 저것 중 어떤 것이니?
(did / umbrella / you / or / which / choose / this one / that one)

_____

03 어떤 동물들이 헤엄치기 위해 꼬리를 사용합니까? (animals / to swim / use / their tails / which)

_____

[which를 사용할 것]

B
문장 완성

01 너는 어떤 계절을 가장 좋아하니? (season, like)

_____ most?

02 너는 어제 어느 박물관에 갔었니? (museum, go)

_____ to yesterday?

03 너는 어떤 옷이 좋니? (clothes, like)

_____ ?

내신 기출 ◀ 대화 완성

괄호 안에 주어진 단어와 B의 응답에 쓴 표현을 활용하여 다음 대화를 완성하시오.

01 A: _____, green or blue? (which, color)
B: I like blue.

02 A: _____, the U.S. or Canada? (which, country)
B: Canada is bigger than the U.S.

03 A: _____ first? (which, book)
B: I want to read *Wonder*.

When is Black Friday?

의문사 when은 '언제'라는 뜻으로 시간이나 날짜를 물을 때 쓴다. when으로 시작하는 의문문에 be동사가 들어 있으면 「When+be동사+주어 ~?」 형태로 의문문을 만든다. when은 의문부사라서 문장의 주어로는 쓸 수 없다는 점에 유의한다.

A
배열 영작

01 너는 언제 떠날 예정이니? (are / you / when / leaving)

_____

02 너의 기말고사는 언제니? (your / is / final exam / when)

_____

03 Kate는 언제 부산에 있었니? (in Busan / was / when / Kate)

_____

B
문장 완성

01 올해 추석은 언제인가요? (Chuseok)

_____ this year?

02 Damien은 언제 케냐로 가나요? (be)

_____ going to Kenya?

03 달은 언제 지구에 더 가깝나요? (the moon, close)

_____ to the earth?

내신 기출 대화 완성

다음 우리말과 일치하도록 B의 응답에 쓴 표현을 활용하여 질문을 완성하시오.

01 A: _____
(Henry의 생일이 언제니?)

B: His birthday is this Friday.

02 A: _____
(네 졸업식이 언제였니?)

B: My graduation ceremony was on February 25th.

⊙ 감점 피하기!

Q

A: _____
_____ to Lisbon?
(리스본으로 가는 마지막 열 차는 언제 있나요?)

B: The last train leaves at 11:40 p.m.

★ When ~? 의문문에서 be동사 위치

When으로 시작하는 의문문에 서 be동사는 주어 앞에 써요.

When do we need friends?

의문사 when으로 시작하는 의문문에 일반동사가 들어 있으면 「When+조동사+주어+동사원형 ~?」형태로 의문문을 만든다. 이때, when 뒤에 조동사가 빠지지 않는지 주의한다. 또 '몇 시에'라는 뜻으로 구체적인 시간을 물을 경우 when 대신 what time을 쓸 수 있다.

be동사일 때	When[What time]+be동사+주어 ~?
일반동사일 때	When[What time]+조동사(do/does/did/will/can 등)+주어+동사원형 ~?

A
배열 영작

01 수업은 언제 시작하나요? (does / the class / when / start)

_____

02 그 비행기는 언제 도착했나요? (the flight / arrive / did / when)

_____

03 너는 언제 돌아올 거니? (will / you / come back / when)

_____

B
문장 완성

01 다음 기차는 언제 옵니까? (the next train)

_____ going to come?

02 네 남동생은 언제 집에 왔니? (get)

_____ home?

03 도서관은 몇 시에 문을 닫나요? (close, the library)

_____ ?

내신 기출 대화 완성

다음 경찰과 용의자의 대화에서 괄호 안에 주어진 말과 B의 응답에 쓴 표현을 활용하여 다음 질문을 완성하시오.

01 A: _____ home yesterday?
(when, leave)

B: I left home after dinner.

02 A: _____ you last night?
(when, call, your friend)

B: She called me around 9 p.m.

03 A: _____ to bed then? (when, go)

B: I'm not sure. I think it was around 1 a.m.

Where is Brazil on the map?

의문사 where은 '어디에'라는 뜻으로 장소나 위치를 물을 때 쓴다. where로 시작하는 의문문에 be동사가 들어 있으면 「Where+be동사+주어
~?」 형태로 의문문을 만든다. where은 when과 마찬가지로 의문부사라서 문장의 주어로는 쓸 수 없다는 점에 유의한다.

A
배열 영작

01 네 여동생은 어디에 있니? (your sister / where / is)

_____

02 자유의 여신상은 어디에 있나요? (is / the Statue of Liberty / where)

_____

03 너는 어디 출신이니? (you / from / are / where)

_____

B
문장 완성

01 너는 지금 어디에서 내게 전화하고 있니? (call)

_____ me from?

02 미술실이 어디죠? (the art room)

_____ ?

03 너는 오늘 오후에 어디에 있었니? (this afternoon)

_____ ?

내신 기출 대화 완성

의문사 where과 B의 응답에 쓴 표현을 활용하여 밑줄 친 부분을 묻는 질문을 완성하시오.

01 A: _____ the Colosseum?

B: It's <u>in Rome</u>.

02 A: _____ now?

B: I'm going <u>to the post office</u>.

03 A: _____ ?

B: They are <u>near the beach</u>.

감점 피하기!

Q

A: _____

_____ ?

B: She is waiting <u>on the bench</u>.

★ Where+be동사+주어
+동사원형+ing?

where로 시작하는 의문문에서
be동사 진행형을 활용할 경우
「where+be동사+주어+동사원
형+ing?」 순서로 써야 해요.

Where do you want to visit most?

의문사 where로 시작하는 의문문에 일반동사가 들어 있으면 「Where+조동사+주어+동사원형 ~?」 형태로 의문문을 만드는데, 조동사가 빠지지 않았는지 유의한다.

be동사일 때	Where+be동사+주어 ~?
일반동사일 때	Where+조동사(do/does/did/will/can 등)+주어+동사원형 ~?

A
배열 영작

01 너는 어디에서 조깅을 하니? (you / do / where / jogging / go)

_____

02 핀란드에서 어디를 방문해야 하나요? (should / where / I / in Finland / visit)

_____

03 버스가 다음에 어디에서 멈추나요? (the bus / stop / where / next / does)

_____

B
문장 완성

01 James는 지난 주말에 어디에 갔었니? (go)

_____ last weekend?

02 너는 어제 어디에서 저녁을 먹었니? (have)

_____ yesterday?

03 Joan은 어디 출신이니? (come from)

_____ ?

내신 기출 ◀ 조건 영작

다음 우리말과 일치하도록 〈보기〉에서 고른 말을 활용하여 질문을 완성하시오.

보기 ▶	buy	find	work	live

01 Gabriel은 타히티에서 어디에 살았습니까?

_____ in Tahiti?

02 너 이 모자 어디에서 샀니?

_____ this cap?

03 너희 아버지는 요즘 어디에서 일하시니?

_____ these days?

감점 피하기!

Q 제가 안내소를 어디에서 찾을 수 있을까요?

_____

the information center?

★ Where ~? 의문문에서 조동사 위치

where로 시작하는 의문문에서 일반동사를 활용할 경우 조동사(do[does, did], will, can 등)를 빠뜨리지 않도록 유의해야 해요.

Why do stars twinkle?

의문사 why는 '왜'라는 뜻으로 이유나 원인을 물을 때 쓴다. why로 시작하는 의문문에 be동사가 들어 있으면 「Why+be동사+주어 ~?」 형태로, 일반동사가 들어 있으면 「Why+조동사+주어+동사원형 ~?」 형태로 쓴다. why로 시작하는 의문문에 대한 대답은 because로 시작하기도 하지만 생략할 때가 더 많다.

be동사일 때	Why+be동사+주어 ~?
일반동사일 때	Why+조동사(do/does/did/will/can 등)+주어+동사원형 ~?

A
배열 영작

01 곰들은 왜 겨울 내내 잠을 잘까요? (do / all winter / bears / sleep / why)

_____

02 너는 왜 이렇게 일찍 일어났니? (you / get up / why / early / did / so)

_____

03 그들은 왜 우리를 보고 있나요? (us / watching / are / why / they)

_____

B
문장 완성

01 그녀는 왜 가수가 되고 싶어 했니? (want, be)

_____ a singer?

02 그는 왜 우리의 도움이 필요하니? (need)

_____ our help?

03 너는 어제 왜 그렇게 늦었니? (so late)

_____ ?

내신 기출 ▷ 오류 수정

다음 문장에서 어법상 틀린 부분을 찾아 바르게 고치시오.

01 Why you want to join our club?

_____ → _____

02 Why is Lucy hate garlic?

_____ → _____

03 Why do you so sad?

_____ → _____

Why don't we go to the movies?

의문사 why를 이용해 「Why don't+주어+동사원형 ～ ?」 형태로 의문문을 만들어서 '～하는 게 어때?'라는 뜻의 상대에게 무언가를 제안하거나 권유하는 의미를 나타낸다.

A
배열 영작

01 우리 일찍 집에 가는 게 어때? (home / early / why / we / don't / go)

_____

02 네가 너희 선생님께 여쭤보지 그래? (your / teacher / don't / you / why / ask)

_____

03 우리 밖에 나가는 게 어때? (why / go / out / don't / we)

_____

B
문장 완성

01 네가 그에게 사실을 말하는 게 어때? (tell)

_____ the truth?

02 우리 점심으로 스파게티를 먹는 게 어때? (have)

_____ spaghetti for lunch?

03 우리 배드민턴을 치는 게 어때? (badminton)

_____ ?

내신 기출 ▸ 조건 영작

다음 우리말과 일치하도록 〈보기〉에서 고른 말과 「Why don't ～?」 표현을 활용하여 문장을 완성하시오.

보기 ▸	go	meet	take

01 우리 오후 2시쯤 만나는 게 어때?

_____ around 2 p.m.?

02 너는 중국어 레슨을 받는 게 어때?

_____ Chinese lessons?

03 우리 놀이공원에 가지 않을래?

_____ to the amusement park?

How was your weekend?

의문사 how는 '어떻게'라는 뜻으로 안부나 방법 등을 물을 때 쓴다. how
로 시작하는 의문문에 be동사가 있으면 「How+be동사+주어 ~?」 형태
로 쓰고, 일반동사가 들어 있으면 「How+조동사+주어+동사원형 ~?」 형
태로 쓴다. 여기에 대답을 할 때는 질문의 내용을 잘 살펴 구체적인 정보
를 제시한다.

be동사일 때	How+be동사+주어 ~?
일반동사일 때	How+조동사(do/does/did/will/can 등)+주어+동사원형 ~?

A
배열 영작

01 포항에는 어떻게 갔니? (you / did / how / go / to / Pohang)

_____

02 너희 부모님은 잘 계시니? (your / how / parents / are)

_____

03 공항에는 어떻게 갈 수 있나요? (get to / can / I / the airport / how)

_____

B
문장 완성

01 오늘 날씨가 어때요? (the weather)

_____ today?

02 그녀는 이 토마토소스를 어떻게 만들었나요? (make)

_____ this tomato sauce?

03 어제 콘서트는 어땠어? (the concert)

_____ ?

내신 기출 ▷ 대화 완성

의문사 how와 B의 응답에 쓴 표현을 활용하여 다음 대화를 완성하시오.

01 A: _____ your summer holiday?

B: It was fantastic.

02 A: _____ to the mall?

B: We went there by bus.

03 A: _____ to the train station?

B: You can get there on foot. It takes about 10 minutes.

How many brothers do you have?

의문사 how 뒤에 형용사나 부사를 써서 '얼마나[몇] ~'라는 뜻으로 수, 양, 빈도, 기간, 나이 등을 물을 수 있다. 「How+형용사/부사+be동사+주어 ~?」 형태로 묻는데, 조동사가 있으면 「How+형용사/부사+조동사+주어+동사원형 ~?」으로 쓴다. 특히, 「How many[much]+명사 ~?」 형태로 명사의 수나 양을 물을 수 있는데, 이때 many는 셀 수 있는 명사와 쓰고, much는 셀 수 없는 명사와 쓴다.

• 「how+형용사/부사」 표현

How long	얼마나 긴/오래 ~? (기간, 길이)	How old	몇 살인 ~? (나이)
How far	얼마나 먼 ~? (거리)	How wide	얼마나 넓은 ~? (넓이)
How many/much	얼마나 많은 (수/양의) ~? (수/양, 가격)	How often/many times	얼마나 자주/많이 ~? (빈도)

A 배열 영작

01 너희 고양이는 몇 살이니? (is / old / your cat / how)

_____

02 독수리는 얼마나 멀리 볼 수 있나요? (far / how / can / see / eagles)

_____

03 입장료는 얼마인가요? (how / are / the tickets / much)

_____

B 문장 완성

01 너희 반에는 학생이 몇 명 있니? (there)

_____ in your class?

02 그들은 여기에 얼마나 오래 머물렀나요? (stay)

_____ here?

03 너는 얼마나 자주 운동을 하니? (exercise)

_____ ?

내신 기출 대화 완성

「how+형용사/부사」와 B의 응답에 쓴 표현을 활용하여 다음 대화를 완성하시오.

01 A: _____ from here to the park?

B: It takes 30 minutes.

02 A: _____ a new computer _____?

B: It costs 600 dollars.

03 A: _____ to buy?

B: I want to buy 30 eggs.

Step **1** 기본 다지기

[1~10] 우리말과 일치하도록 괄호 안에 주어진 말을 바르게 배열하시오.

01 누가 이 치즈 케이크를 만들었나요?
(this / made / cheesecake / who)

→ _____

02 너는 누구랑 학교에 가니?
(do / school / you / go to / who / with)

→ _____

03 바구니 안에 무엇이 있나요?
(is / in / what / the basket)

→ _____

04 Jackson은 금요일에 무엇을 할까?
(will / on Friday / what / Jackson / do)

→ _____

05 너는 어떤 종류의 게임을 하고 싶니?
(games / kind of / what / do / want / you / to play)

→ _____
_____

06 너는 학교에서 어느 곳을 가장 좋아하니?
(place / best / do / you / which / like / in school)

→ _____
_____

07 너희 가족은 캐나다에서 어디에 머무르니?
(does / in Canada / your family / where / stay)

→ _____

08 그녀에게 콘서트 티켓을 사주는 게 어때?
(don't / why / buy / her / a concert ticket / you)

→ _____
_____

09 그 TV 쇼는 어떻게 인기를 얻게 됐나요?
(the TV show / how / become popular / did)

→ _____

10 그 산은 얼마나 높나요?
(high / the mountain / is / how)

→ _____

[11~20] 우리말과 일치하도록 문장을 완성하시오.

11 누가 백만장자가 되고 싶어 하나요?
→ _____ _____ to be a millionaire?

12 너는 너희 반에서 누구를 가장 좋아하니?
→ _____ _____ _____
_____ most in your class?

13 그들은 아침으로 무엇을 먹었나요?
→ _____ _____ _____
_____ for breakfast?

14 너는 몇 시에 일어나니?
→ _____ _____ _____
_____ get up?

15 너는 A팀과 B팀 중에 어느 팀을 응원하니?
→ _____ _____ _____ you
support, team A or team B?

16 그녀는 그 소문에 대해 언제 들었니?

→ _____ _____ _____

_____ about the rumor?

17 그는 왜 학교에 결석했어?

→ _____ _____ _____ absent

from school?

18 밖에 나가서 자전거를 타는 게 어때?

→ _____ _____ _____

_____ out and ride your bike?

19 로마의 날씨는 지금 어때요?

→ _____ _____ _____

_____ in Rome now?

20 너는 지금 돈이 얼마나 있니?

→ _____ _____ _____ do you

have now?

[21~30] 우리말을 영어로 옮긴 문장의 어법이나 의미가 <u>틀린</u> 부분을 찾아 바르게 고치시오.

21
(Jessi는 생일파티에 누구를 초대했나요?)

Who invited Jessi to her birthday party?

_____ → _____

22
(그들에게 무슨 일이 일어나고 있나요?)

What are happening to them?

_____ → _____

23
(만우절은 며칠인가요?)

What is date April Fool's Day?

_____ → _____

24
(너는 어떤 이야기를 가장 좋아하니?)

Which story you like best?

_____ → _____

25
(너는 언제 해외로 가고 싶니?)

When is you want to go abroad?

_____ → _____

26
(그 도서 박람회는 언제 시작되었나요?)

When did the book fair started?

_____ → _____

27
(그들은 어디로 달리고 있나요?)

Where do be they running to?

_____ → _____

28
(너 왜 그렇게 우울해 보이니?)

What do you look so down?

_____ → _____

29
(온라인으로 레슨을 받는 게 어때?)

Why don't you taking lessons online?

_____ → _____

30
(그 감자 피자는 맛이 어떤가요?)

How is the potato pizza taste?

_____ → _____

[31~40] 우리말과 일치하도록 괄호 안에 주어진 말을 활용하여 문장을 완성하시오.

31 무엇이 당신을 불안하게 만드나요? (nervous)

→ _____ ?

32 누가 너에게 이 모자를 만들어 주었니? (make)

→ _____ this hat?

33 그 파티는 몇 시에 끝났니? (the party, finish)

→ _____ ?

34 네 목걸이를 어디에서 찾았니? (find)

→ _____ your necklace?

35 Harry는 자신의 개를 언제 산책시키니? (walk)

→ _____ his dog?

36 우리 문을 칠하는 게 어떨까? (paint)

→ _____ the door?

37 운동회 날이 언제인가요? (the sports day)

→ _____ ?

38 너 우리랑 함께하지 않을래? (join)

→ _____ ?

39 너는 한 달에 책을 몇 권이나 읽니? (read)

→ _____ a month?

40 런던 브리지로 어떻게 가나요? (get to)

→ _____ London Bridge?

[41~46] 다음 문장을 괄호 안의 지시대로 바꿔 쓰시오.

41 Who do you go fishing with? [she를 주어로]

→ _____

42 Where is Hans from? [동사를 come으로]

→ _____

43 What are you going to do this weekend?
[this weekend를 last weekend로]

→ _____

44 When do you usually have breakfast?
[정확한 시간을 묻는 문장으로]

→ _____

45 Are blue whales larger than whale sharks?
[which, sea animal, or를 사용해서]

→ _____

→ _____

46 How many apples do you eat a day?
[milk, drink를 사용해서]

→ _____

[47~51] 다음 빈칸에 알맞은 말을 넣어 대화를 완성하시오.

47
A: _____ _____ the boy in the yellow shirt?

B: He's my brother.

A: Wow, he's cute. _____ _____ _____ he?

B: He's eight years old.

48
A: _____ _____ camping with you last weekend?

B: My friend Julie.

A: _____ _____ _____ from?

B: She's from Canada.

49

A: I want to become healthier.

B: _____ _____ _____ swim every day?

A: Good idea. I'll do that.

50

A: _____ _____ are faster, cheetahs or horses?

B: Cheetahs are faster.

A: _____ _____ _____ they _____ ?

B: They can run at 110 kilometers per hour.

51

A: _____ _____ your summer vacation?

B: I had a great time. I visited Hawaii with my family.

A: Really? I went there, too. _____ _____ you go?

B: I left on July 30 and stayed there for three days.

Step 3 고난도 도전하기

52 다음 바베큐 파티 포스터를 보고, 우리말 질문을 영어로 옮기시오. (단, be going to, have를 활용할 것)

BBQ Party
Palm Beach House
JUN 22
19:00 PM

(1) A: _____

(그들은 언제 파티를 열 예정인가요?)

B: On June 22.

(2) A: _____

_____

(그들은 파티를 어디에서 열 건가요?)

B: At Palm Beach House.

53 다음 우리말과 일치하도록 주어진 〈조건〉에 맞게 문장을 완성하시오.

〈조건〉
1. pet, have를 활용할 것
2. 의문사 which를 쓸 것
3. 모두 12단어로 쓸 것

(너는 개와 고양이 중에서 어떤 반려동물을 키우고 싶니?)

_____

_____

54 다음 밑줄 친 ⓐ~ⓔ에서 어법상 틀린 것을 찾아 기호를 쓰고, 바르게 고치시오.

My brother always asks me a lot of questions. "ⓐWhich animal is stronger, a bear or an elephant? ⓑWhat is the biggest amusement park in the world? ⓒWho does the smartest student in your class? ⓓWhy do flowers smell good? ..." ⓔWhat do you think of my brother? I think he will become a great scientist because of his curiosity.

( ) → _____

55 다음 기차역의 안내 표지판을 보고, B의 답변을 활용하여 질문을 완성하시오.

출발지/목적지	Seoul / Gangneung
소요 시간	2 hours
요금	27,600 won

(1) A: _____

to go from Seoul to Gangneung?

B: It takes 2 hours.

(2) A: _____ a ticket cost?

B: It costs 27,600 won.

Stretch your neck often.

명령문은 '~해라, ~하세요'라는 뜻으로 상대에게 지시나 명령을 할 때 쓰며 주어를 생략하고, 동사원형으로 문장을 시작하는 것이 특징이다. 이때, be동사와 형용사가 들어 있는 문장은 「Be+형용사」의 형태로 명령문을 만드는 점에 유의한다. 또, 명령문의 앞이나 뒤에 please를 붙이면 '~해 주세요'라는 뜻으로 공손한 표현이 된다.

긍정 명령문	일반동사가 있을 때	동사원형 ~.
(~해라, ~하세요)	be동사가 있을 때	Be+형용사 ~.

A
배열 영작

01 네 친구들에게 친절하게 대해라. (kind / your friends / to / be)

_____

02 병원에서는 조용히 하세요. (quiet / please / in the hospital / be)

_____

03 그것들을 집 밖으로 데리고 나가라. (out of / them / take / the house)

_____

B
문장 완성

01 더운 날에는 물을 많이 마셔라. (drink, a lot of)

_____ on hot days.

02 손님들에게 공손히 대해라. (polite)

_____ to your guests.

03 차 안에서는 안전벨트를 매라. (wear, a seat belt)

_____ .

내신 기출 ◀ 문장 전환

다음 문장을 긍정 명령문으로 바꿔 쓰시오.

01 You should do the dishes after meals.

→ _____

02 You are careful with your words.

→ _____

03 You should watch your step.

→ _____

감점 피하기!

Q You should sleep enough at night.

→ _____

_____

★ 긍정 명령문은 동사원형으로 시작할 것

긍정 명령문은 일반동사가 오든 be동사가 오든 항상 동사원형으로 시작해요.

Don't use your smartphone for a long time.

부정명령문은 '~하지 마라'라는 뜻으로 경고나 금지를 나타내며 「Do not[Don't]+ 동사원형」의 형태로 쓴다. 부정명령문은 주어의 인칭이나 수와 상관없이 항상 Don't로 시작하는 것이 특징이다. 강한 부정 명령문에는 Do not[Don't] 대신 Never(절대 ~하지 마라)를 써서 강한 경고나 금지의 의미를 나타내기도 한다. 따라서 위의 대표 문장은 'Never use your smartphone for a long time.'으로 바꿔 쓸 수 있다.

부정 명령문	일반동사가 있을 때	Don't+동사원형 ~.
(~하지 마라)	be동사가 있을 때	Don't+be ~.

A
배열 영작

01 내 걱정은 하지 마라. (worry / don't / about / me)

_____

02 모든 것을 이해하려 애쓰지 마라. (to understand / try / everything / don't)

_____

03 공공장소에서는 뛰지 마라. (don't / in public places / run)

_____

B
문장 완성

[축약형을 사용할 것]

01 오늘 밤 공연 표를 잊지 마라. (forget)

_____ the tickets for tonight's show.

02 밤에는 떠들지 마라. (make noise)

_____ at night.

03 나에게 화내지 마라. (angry, be)

_____ with me.

내신 기출 ▶ 조건 영작

다음 우리말과 일치하도록 〈보기〉에서 알맞은 단어를 골라 부정 명령문을 완성하시오. (단, 축약형을 사용할 것)

보기▶	drink	afraid	give	go

01 _____ too far. (너무 멀리 가지 마라.)

02 _____ of failing. (실패하는 것을 두려워하지 마라.)

03 _____ chocolate to dogs. (절대 개에게 초콜릿을 주지 마세요.)

04 _____ soda. (탄산음료를 너무 많이 마시지 마세요.)

Nature is amazing, isn't it?

부가의문문은 '그렇지(그렇지 않니)?'라는 뜻으로 상대에게 확인이나 동의를 구하기 위해 문장의 맨 끝에 「동사+주어」를 덧붙인 의문문이다. 앞 문장이 긍정문이면 부정의 부가의문문을, 부정문이면 긍정의 부가의문문을 덧붙이며, 부정의 부가의문문은 「동사+not」의 줄임형을 쓴다. 대답은 긍정의 내용일 경우 Yes, 부정의 내용일 경우 No로 한다.

앞 문장	부가의문문
be동사 긍정문	[be동사+not]의 축약형+주어(인칭대명사)? (부정)
be동사 부정문	be동사+주어(인칭대명사)? (긍정)
일반동사/조동사 긍정문	[do[does, did]/조동사+not]의 축약형+주어(인칭대명사)? (부정)
일반동사/조동사 부정문	do[does, did]/조동사+주어(인칭대명사)? (긍정)

A
배열 영작

01 너 나한테 화났지, 그렇지 않니? (angry / aren't / you / are / with me / you)

_____

02 너는 기타 연주를 할 수 있어, 그렇지 않니? (the guitar / you / play / can / you / can't)

_____

03 너 다시는 이러지 않을 거지, 그렇지? (won't / do / will / you / this / again / you)

_____

[축약형을 사용할 것]

B
문장 완성

01 우리는 새 회원이 필요 없어, 그렇지? (need, a new member)

We _____, _____?

02 그는 내 전화를 안 받을 거야, 그렇지? (answer, my call)

He will not _____, _____?

03 이 케이크 맛있어 보여, 그렇지 않니? (look, delicious)

_____?

내신 기출 대화 완성

다음 빈칸에 알맞은 형태의 부가의문문과 응답을 넣어 대화를 완성하시오. (단, 축약형을 사용할 것)

01 A: You have a lot of homework, _____?

B: Yes, _____ _____. I have to finish it by tonight.

02 A: It's a nice jacket, _____?

B: _____, it _____. It's not my style.

03 A: Lucy likes horror movies, _____?

B: _____, she _____. She's a big fan of them.

감점 피하기!

Q
A: He went to the hospital, _____ _____?

B: _____, he _____. He went to the bank.

★ 부가의문문에서의 수와 시제 일치

앞 문장의 동사가 일반동사일 때, 주어의 수와 시제에 맞게 do[does, did]를 써야 해요.

What a funny girl (she is)!

감탄문은 '정말[참] ~하구나!'라는 뜻으로 명사, 형용사, 부사를 강조하여 기쁨이나 슬픔 등의 감정을 나타내는 문장이다. what으로 시작하는 감탄문에서 명사가 단수일때는 형용사 앞에 반드시 a나 an을 붙여 「What+a(n)+형용사+명사(+주어+동사)!」 형태로 쓰며, 명사가 복수일 때는 형용사 앞의 a(n)을 빼고 복수형 명사를 쓴다. 이때, 「주어+동사」는 생략할 수 있다.

What 감탄문	단수명사 일 때	What	+a(n)	+형용사	+단수명사	(+주어+동사)!
	복수명사 일 때	What	x	+형용사	+복수명사	(+주어+동사)!

A
배열 영작

01 정말 좋은 날씨네요! (a / beautiful / what / day)

_____

02 이 책은 정말 재미있는 책이구나! (an / is / what / interesting / this / book)

_____

03 정말 예쁜 꽃들이군요! (flowers / what / pretty)

_____

B
문장 완성

01 정말 이상한 꿈이군요! (strange)

_____ dream!

02 Eddie는 사랑스러운 눈을 가졌구나! (lovely)

_____ Eddie has!

03 그는 정말 수줍음이 많은 남자아이구나! (shy)

_____ !

내신 기출 ◀ 문장 전환

다음 문장을 what으로 시작하는 감탄문으로 바꿔 쓰시오.

01 She is a very smart student.

→ _____

02 It was a very exciting race.

→ _____

03 The doctors are very friendly.

→ _____

⊙ 감점 피하기!

Q The smartphones are very cool.

→ _____

_____

★ 복수형 명사/셀 수 없는 명사가 있는 what 감탄문

what으로 시작하는 감탄문에서 명사가 복수형이거나 셀 수 없는 명사일 때는 a(n)을 쓰지 않아요.

How delicious (it is)!

how로 시작하는 감탄문은 '정말[참] ~하구나!'라는 뜻으로 「How+형용사/부사 (+주어+동사)!」 형태로 쓰며 「주어+동사」는 생략할 수 있다. How 감탄문은 형용사나 부사를 강조하는 문장이기 때문에 a(n)를 쓰지 않는 것에 주의한다.

How 감탄문	How	+형용사/부사	(+주어+동사)!

A
배열 영작

01 Mason의 새는 정말 사랑스럽군요! (is / lovely / Mason's bird / how)

_____

02 네 자전거는 정말 멋지구나! (your / how / is / bike / nice)

_____

03 달이 정말 크군요! (big / is / the moon / how)

_____

B
문장 완성

01 이 아이스크림은 정말 차갑구나! (cold)

_____ this ice cream is!

02 그 기자는 정말 빨리 말하는군! (quickly)

_____ the reporter speaks!

03 너는 정말 친절하구나! (kind)

_____!

내신 기출 ▷ 문장 전환

다음 문장을 how로 시작하는 감탄문으로 바꿔 쓰시오.

01 This place is very quiet.

→ _____

02 The car accident was really terrible.

→ _____

03 The students look very happy.

→ _____

⊙ 감점 피하기!

Q Your son is really amazing.

→ _____

_____

★ How 감탄문

How로 시작하는 감탄문은 형용사나 부사를 강조하기 때문에 a(n)을 쓰지 않아요. How an amazing your son is! (x)

[1~5] 우리말과 일치하도록 괄호 안에 주어진 말을 바르게 배열하시오.

01 신문을 내게 갖고 와라.
(me / the newspaper / bring / to)

→ _____

02 칠판에 네 이름을 적지 마라.
(write / on the board / don't / your name)

→ _____

03 오늘은 그녀가 더 예뻐 보여, 그렇지 않니?
(doesn't / looks / prettier / she / today / she)

→ _____

04 그것은 정말 환상적인 노래였어!
(fantastic / what / was / it / a / song)

→ _____

05 올해는 정말 멋졌어요!
(wonderful / was / this year / how)

→ _____

[6~10] 우리말과 일치하도록 문장을 완성하시오.

06 당신의 머리를 왼쪽으로 돌려라.

→ _____ _____ _____ to the left.

07 식당에서 뛰지 마세요.

→ _____ _____ in the restaurant, please.

08 Jordan은 그녀를 그리워해, 그렇지 않니?

→ Jordan misses her, _____ _____?

09 정말 행복한 가족이구나!

→ _____ _____ _____ family!

10 그 간호사는 정말 친절했구나!

→ _____ _____ the nurse was!

[11~15] 우리말을 영어로 옮긴 문장의 어법이나 의미가 틀린 부분을 찾아 바르게 고치시오.

11

(당신의 신발을 밖에 놔두세요.)
Leaves your shoes outside, please.

_____ → _____

12

(내게 너무 많은 질문을 하지 마라.)
Not ask me too many questions.

_____ → _____

13

(Dan은 숙제를 안 했어, 그렇지?)
Dan didn't do his homework, didn't he?

_____ → _____

14

(그는 정말 지루한 남자구나!)
What boring man he is!

_____ → _____

15

(정원이 정말 아름답군요!)

What beautiful the garden is!

_____ → _____

Step 2 응용하기

[16~20] 우리말과 일치하도록 괄호 안에 주어진 말을 활용하여 문장을 완성하시오.

16 그것들을 네 조각으로 잘라라. (cut)

→ _____ into four pieces.

17 인도에서는 식사 중에 왼손을 사용하지 마라. (use, left hand)

→ In India,

_____ during

a meal.

18 Simon은 아파 보이지 않아, 그렇지? (look, sick)

→ Simon _____, _____?

19 정말 놀라운 저녁이구나! (amazing)

→ _____ evening!

20 그 책은 정말 재미있구나! (interesting)

→ _____ the book is!

[21~25] 다음 문장을 괄호 안의 지시대로 바꿔 쓰시오.

21 You should take some vitamins every day.
[긍정 명령문으로]

→ _____

22 You must not take pictures during the performance.
[부정 명령문으로]

→ _____

_____

23 Liz is not in her house. [부가의문문을 넣어서]

→ _____

24 It is a very special parade. [what을 사용한 감탄문으로]

→ _____

25 This problem is very difficult. [how를 사용한 감탄문으로]

→ _____

[26~29] 다음 괄호 안에 주어진 말을 활용하여 대화를 완성하시오.

26

A: How was the sports day?

B: It was great.

A: You _____ the race, _____

_____? (win)

B: _____, I _____. I was really happy

that I won.

27

A: _____ my dog, please. He's dirty. (wash)

B: No problem. I'll wash him right away.

A: Thank you. Please _____ _____

water in his ears. (get)

28

A: Dad, please _____ me a ride to Sejong

Art Hall. (give)

B: Sorry, I can't. I'm late for a meeting.

A: That's OK. I'll go by bus.

B: The bus comes every five minutes, _____

_____?

A: _____, it _____. But the bus stop

is close to our home.

29

A: Look at the woman on a scooter.

B: Wow, _____ _____ she looks!
(cool)

A: She is our new music teacher, _____
_____?

B: Correct! _____ _____ _____
person she is! (different)

A: Let's go and say hello to her.

Step 3 고난도 도전하기

30 다음 A, B 상자에서 각각 하나씩 고른 단어를 활용하여 그림에 어울리는 명령문을 완성하시오. (단, 축약형을 사용할 것)

A	B
cross	food
park	the road
waste	bicycles

(1)

_____ here, please.

(2)

_____.

(3)

Please _____.

31 다음 우리말과 일치하도록 주어진 〈조건〉에 맞게 문장을 완성하시오.

〈조건〉
1. go, the concert를 활용할 것
2. 부가의문문을 사용할 것
3. 모두 10단어로 쓸 것

(너 어제 Jenny와 콘서트에 갔었지, 그렇지 않니?)

_____

_____

32 다음 밑줄 친 ⓐ～ⓔ에서 어법상 틀린 것을 찾아 기호를 쓰고, 바르게 고치시오.

We all use our smartphones too much. When you use your phone, you usually bend your neck for a long time. Sometime your neck hurts, ⓐdoesn't it? Here are some health tips for you. ⓑStretch your neck often. ⓒTurn your head to the left and right. ⓓMove your head up and down. And ⓔdoesn't use your phone too much.

(_____) → _____

33 다음 우리말과 일치하도록 주어진 〈조건〉에 맞게 감탄문을 쓰시오.

〈조건〉
popular, his song을 활용할 것

(1) (그의 노래는 정말 인기가 많았구나!)

_____

〈조건〉
beautiful, nose, have를 활용할 것

(2) (그녀는 정말 아름다운 코를 가졌구나!)

_____

동사 변화형

1
Appendix

❶ A-B-B형

현재형	과거형	과거분사형(p.p.)	현재분사형(-ing)
bleed (피를 흘리다)	bled	bled	bleeding
bring (가져오다)	brought	brought	bringing
build (짓다)	built	built	building
buy (사다)	bought	bought	buying
catch (잡다) *3인칭 단수: catch**es**	caught	caught	catching
feel (느끼다)	felt	felt	feeling
fight (싸우다)	fought	fought	fighting
flee (도망치다)	fled	fled	fleeing
get (얻다)	got	got/gotten	getting
have (가지다) *3인칭 단수: has	had	had	having
hang (걸다)	hung	hung	hanging
hear (듣다)	heard	heard	hearing
hold (잡다, 쥐다)	held	held	holding
keep (유지하다)	kept	kept	keeping
kneel (무릎을 꿇다)	knelt	knelt	kneeling
lay (눕히다, 놓다)	laid	laid	laying
lead (인도하다)	led	led	leading
leave (떠나다)	left	left	leaving
lose (잃다)	lost	lost	losing
lend (빌려주다)	lent	lent	lending
make (만들다)	made	made	making
mean (의미하다)	meant	meant	meaning
meet (만나다)	met	met	meeting
pay (지불하다)	paid	paid	paying
say (말하다)	said	said	saying

seek (찾다)	sought	sought	seeking
sell (팔다)	sold	sold	selling
send (보내다)	sent	sent	sending
sleep (잠자다)	slept	slept	sleeping
smell (냄새 맡다)	smelled/smelt	smelled/smelt	smelling
shine (빛나다)	shone	shone	shining
shoot (쏘다)	shot	shot	shooting
sit (앉다)	sat	sat	sitting
spend (소비하다)	spent	spent	spending
spill (엎지르다)	spilt	spilt	spilling
sweep (청소하다)	swept	swept	sweeping
teach (가르치다) *3인칭 단수: teaches	taught	taught	teaching
tell (말하다)	told	told	telling
think (생각하다)	thought	thought	thinking
win (이기다)	won	won	winning

❷ A-B-C형

현재형	과거형	과거분사형(p.p.)	현재분사형(-ing)
begin (시작하다)	began	begun	beginning
bite (물다)	bit	bitten	biting
blow (불다)	blew	blown	blowing
break (깨뜨리다)	broke	broken	breaking
choose (고르다)	chose	chosen	choosing
do (하다) *3인칭 단수: does	did	done	doing
draw (그리다)	drew	drawn	drawing
drink (마시다)	drank	drunk	drinking

drive (운전하다)	drove	driven	driving
eat (먹다)	ate	eaten	eating
fall (떨어지다)	fell	fallen	falling
fly (날다) *3인칭 단수: flies	flew	flown	flying
forget (잊다)	forgot	forgotten	forgetting
freeze (얼다)	froze	frozen	freezing
get (얻다)	got	gotten/got	getting
give (주다)	gave	given	giving
go (가다) *3인칭 단수: goes	went	gone	going
grow (자라다)	grew	grown	growing
hide (숨다)	hid	hidden	hiding
know (알다)	knew	known	knowing
lie (눕다)	lay	lain	lying
ride (타다)	rode	ridden	riding
ring (울리다)	rang	rung	ringing
rise (오르다)	rose	risen	rising
see (보다)	saw	seen	seeing
shake (흔들다)	shook	shaken	shaking
show (보여주다)	showed	shown/showed	showing
speak (말하다)	spoke	spoken	speaking
sing (노래하다)	sang	sung	singing
steal (훔치다)	stole	stolen	stealing
swell (부풀다)	swelled	swollen/swelled	swelling
swim (수영하다)	swam	swum	swimming
take (잡다)	took	taken	taking
throw (던지다)	threw	thrown	throwing
wake (잠이 깨다)	woke	woken	waking
wear (입다)	wore	worn	wearing
write (쓰다)	wrote	written	writing

❸ A-A-A형

현재형	과거형	과거분사형(p.p.)	현재분사형(-ing)
cost (비용이 들다)	cost	cost	costing
cut (베다)	cut	cut	cutting
hit (치다, 때리다)	hit	hit	hitting
hurt (다치다)	hurt	hurt	hurting
let (~하게 하다)	let	let	letting
put (놓다)	put	put	putting
set (놓다)	set	set	setting
shut (닫다)	shut	shut	shutting
read[riːd] (읽다)	read[red]	read[red]	reading

❹ A-B-A형

현재형	과거형	과거분사형(p.p.)	현재분사형(-ing)
become (되다)	became	become	becoming
come (오다)	came	come	coming
run (달리다)	ran	run	running

❺ A-A-B형

현재형	과거형	과거분사형(p.p.)	현재분사형(-ing)
beat (치다)	beat	beaten	beating

MEMO

MEMO

EGU
THE EASIEST GRAMMAR & USAGE

EGU 시리즈 소개

EGU 서술형 기초 세우기

영단어&품사

서술형·문법의 기초가 되는
영단어와 품사 결합 학습

문장 형식

기본 동사 32개를 활용한
문장 형식별 학습

동사 써먹기

기본 동사 24개를 활용한
확장식 문장 쓰기 연습

EGU 서술형·문법 다지기

문법 써먹기

개정 교육 과정
중1 서술형·문법 완성

구문 써먹기

개정 교육 과정
중2, 중3 서술형·문법 완성

쎄듀북닷컴(www.cedubook.com)에서 부가 자료를 무료로 다운로드할 수 있습니다.

쎄듀

쎄듀런

1 구문
판매 1위 '천일문' 콘텐츠를 활용하여 정확하고 다양한 구문 학습

(끊어읽기) (해석하기) (문장 구조 분석) (해설·해석 제공) (단어 스크램블링) (영작하기)

2 문법·서술형
쎄듀의 모든 문법 문항을 활용하여 내신까지 해결하는 정교한 문법 유형 제공

(객관식과 주관식의 결합) (문법 포인트별 학습) (보기를 활용한 집합 문항) (내신대비 서술형) (어법+서술형 문제)

3 어휘
초·중·고·공무원까지 방대한 어휘량을 제공하며 오프라인 TEST 인쇄도 가능

(영단어 카드 학습) (단어 ↔ 뜻 유형) (예문 활용 유형) (단어 매칭 게임)

4 선생님 보유 문항 이용

(Online Test) (OMR Test)

☕ cafe.naver.com/cedulearnteacher

쎄듀런 학습 정보가 궁금하다면?

쎄듀런 Cafe

· 쎄듀런 사용법 안내 & 학습법 공유
· 공지 및 문의사항 QA
· 할인 쿠폰 증정 등 이벤트 진행

중학 서술형이
만만해지는 문장연습

중학 서술형이

쓰기 + 작문

중학
영어

쓰작

1

서술형
WORKBOOK

쎄듀

중학
영어

쓰작

쓰기 + 작문

1

서술형

WORKBOOK

Contents 목차

Unit 07 | 빈도부사, 비교

Unit 08 | 의문사

Unit 09 | 문장 유형

학습자의 학습패턴 및 시간에 따라 학습 계획표를 조정할 수 있습니다.

권장 학습 진도		유닛명	학습일			
1주차	Unit 01 - 01~07	be동사와 일반동사	1차시 : —		월	일
			2차시 : —		월	일
			3차시 : —		월	일
2주차	Unit 02 - 01~10	시제	1차시 : —		월	일
			2차시 : —		월	일
			3차시 : —		월	일
3주차	Unit 03 - 01~08	조동사	1차시 : —		월	일
			2차시 : —		월	일
			3차시 : —		월	일
4주차	Unit 04 - 01~10	문장 형식	1차시 : —		월	일
			2차시 : —		월	일
			3차시 : —		월	일
5주차	Unit 05 - 01~06	부정사와 동명사	1차시 : —		월	일
			2차시 : —		월	일
			3차시 : —		월	일
6주차	Unit 06 - 01~10	전치사와 접속사	1차시 : —		월	일
			2차시 : —		월	일
			3차시 : —		월	일
7주차	Unit 07 - 01~05	빈도부사, 비교	1차시 : —		월	일
			2차시 : —		월	일
			3차시 : —		월	일
8주차	Unit 08 - 01~07	의문사	1차시 : —		월	일
			2차시 : —		월	일
			3차시 : —		월	일
9주차	Unit 08 - 08~14	의문사	1차시 : —		월	일
			2차시 : —		월	일
			3차시 : —		월	일
10주차	Unit 09 - 01~05	문장 유형	1차시 : —		월	일
			2차시 : —		월	일
			3차시 : —		월	일

권장 학습 진도		유닛명	학습일	
1일차	**Unit 01 -** 01~07	be동사와 일반동사	월	일
2일차	**Unit 02 -** 01~05	시제	월	일
3일차	**Unit 02 -** 06~10	시제	월	일
4일차	**Unit 03 -** 01~04	조동사	월	일
5일차	**Unit 03 -** 05~08	조동사	월	일
6일차	**Unit 04 -** 01~05	문장 형식	월	일
7일차	**Unit 04 -** 06~10	문장 형식	월	일
8일차	**Unit 05 -** 01~06	부정사와 동명사	월	일
9일차	**Unit 06 -** 01~10	전치사와 접속사	월	일
10일차	**Unit 06 -** 01~10	전치사와 접속사	월	일
11일차	**Unit 07 -** 01~05	빈도부사, 비교	월	일
12일차	**Unit 08 -** 01~07	의문사	월	일
13일차	**Unit 08 -** 08~14	의문사	월	일
14일차	**Unit 09 -** 01~05	문장 유형	월	일

1일차	2일차	3일차	4일차
Unit 01 be동사와 일반동사	**Unit 02** 시제	**Unit 03** 조동사	**Unit 04** 문장 형식
5일차	6일차	7일차	8일차
Unit 05 부정사와 동명사	**Unit 06** 전치사와 접속사	**Unit 07~08** 빈도부사, 비교/의문사	**Unit 08~09** 의문사/문장 유형

A

배열 영작

다음 우리말과 일치하도록 괄호 안에 주어진 말을 바르게 배열하시오.

01 내가 가장 좋아하는 과목은 과학이다. (my favorite subject / science / is)

_____

02 내일은 Johnny의 생일이다. (is / Johnny's birthday / tomorrow)

_____

03 그 키 큰 남자들은 나의 삼촌들이야. (my uncles / the tall men / are)

_____

04 하늘이 맑고 푸르다. (clear / the sky / is / and / blue)

_____

B

문장 완성

다음 우리말과 일치하도록 괄호 안에 주어진 말을 활용하여 문장을 완성하시오.

01 나는 14살이다. (be, fourteen)

_____ years old.

02 네 새 스마트폰은 정말 멋지다. (so, cool)

Your new smartphone _____.

03 Vincent van Gogh의 그림이 벽에 있다. (on the wall)

Vincent van Gogh's painting _____.

04 그 소년들은 나의 새로운 친구들이다. (new friends)

_____.

C

문장 전환

다음 문장을 괄호 안의 지시대로 바꿔 쓰시오. (단, 축약형을 사용하지 말 것)

01 Bruno and I are from Spain. [I를 주어로]

→ _____

02 My sister is at home now. [we를 주어로]

→ _____

03 His new bike is so nice. [they를 주어로]

→ _____

A

배열 영작

다음 우리말과 일치하도록 괄호 안에 주어진 말을 바르게 배열하시오.

01 나는 배우가 아니다. (not / I / an actor / am)

_____

02 그녀는 방에 없다. (in the room / not / she / is)

_____

03 그 박물관은 월요일에 문을 열지 않는다. (not / open / on Mondays / is / the museum)

_____

04 비닐봉지는 환경에 좋지 않다. (are / for the environment / good / not / plastic bags)

_____

B

문장 완성

다음 우리말과 일치하도록 괄호 안에 주어진 말을 활용하여 문장을 완성하시오.

01 그 사진은 내 것이 아니다. (mine)

The picture _____.

02 그 남자는 키가 작지 않다. (short)

The man _____.

03 그 프로그램은 유용하지 않다. (useful)

The program _____.

04 그녀의 머리카락은 길지 않다. (hair, long)

_____.

C

문장 전환

다음 문장을 부정문으로 바꿔 쓰시오.

01 I am a good listener.

→ _____

02 The woman with the glasses is my teacher.

→ _____

03 The students are in the classroom.

→ _____

A

배열 영작   다음 우리말과 일치하도록 괄호 안에 주어진 말을 바르게 배열하시오.

01 너희는 정말 운이 좋다. (so / lucky / you're)

_____

02 그는 제 영웅입니다. (hero / my / he's)

_____

03 나는 수학을 잘하지 못한다. (math / not / I'm / good at)

_____

04 네 아이디어는 새로운 것이 아니다. (new / idea / your / isn't)

_____

B

문장 완성   다음 우리말과 일치하도록 괄호 안에 주어진 말을 활용하여 문장을 완성하시오. (단, 축약형을 사용할 것)

01 그와 그의 친구는 의사가 아니다. (doctors)

He and his friend _____.

02 그들은 Jessi의 가족과 함께 런던에 있다. (in London)

_____ with Jessi's family.

03 이것은 내가 가장 좋아하는 노래가 아니다. (favorite song)

_____.

04 우리는 네가 자랑스러워. (be proud of)

_____.

C

문장 전환   다음 문장을 괄호 안의 지시대로 바꿔 쓰시오. (단, 축약형을 사용할 것)

01 Sandy is always free on weekends. [I를 주어로]

→ _____

02 My uncle is tall and handsome. [you를 주어로]

→ _____

03 His mom is from Vietnam. [부정문으로]

→ _____

A 배열 영작

다음 우리말과 일치하도록 괄호 안에 주어진 말을 바르게 배열하시오.

01   오늘이 너의 생일이니? (today / your birthday / is)

_____

02   너의 개는 영리하니? (is / smart / your dog)

_____

03   산타클로스는 실재 인물인가요? (is / a real person / Santa Claus)

_____

04   너희 부모님은 어디 계시니? (your parents / are / where)

_____

B 문장 완성

다음 우리말과 일치하도록 괄호 안에 주어진 말을 활용하여 문장을 완성하시오.

01   그 가수는 한국에서 인기가 있니? (popular)

_____ in Korea?

02   고래는 물고기인가요? (whales, fish)

_____ ?

03   저 여성이 네 누나야? (that woman)

_____ ?

04   Jane의 남동생들은 쌍둥이니? (twins)

_____ ?

C 대화 완성

다음 대화가 자연스럽도록 빈칸에 알맞은 말을 쓰시오. (단, 축약형을 쓸 수 있는 곳은 모두 사용할 것)

01   A: Max, where _____ you now?

     B: _____ in Busan with my family.

02   A: _____ your new friends from China?

     B: No, _____ _____. _____ from Japan.

03   A: _____ Katie your cousin?

     B: Yes, she is. _____ really cute.

A
배열 영작

다음 우리말과 일치하도록 괄호 안에 주어진 말을 바르게 배열하시오.

01 나는 야외 활동을 싫어한다. (hate / outdoor activities / I)

_____

02 그 소년은 배가 고프고 피곤하다. (is / hungry / the boy / and tired)

_____

03 Jenny는 항상 옷을 잘 입는다. (well / always / Jenny / dresses)

_____

04 그는 하루종일 말한다. (all day long / talks and talks / he)

_____

B
문장 완성

다음 우리말과 일치하도록 괄호 안에 주어진 말을 활용하여 문장을 완성하시오.

01 많은 사람들이 대기 오염으로 인해 사망한다. (die)

Many _____ from air pollution.

02 Clara는 자신의 방에서 숙제를 한다. (do one's homework)

_____ in her room.

03 나는 단지 남동생 한 명만 있다. (have, one brother)

I only _____ .

04 Tim은 자전거를 타고 학교에 간다. (go to school, by bike)

_____ .

C
오류 수정

다음 문장에서 어법상 틀린 부분을 찾아 바르게 고쳐 쓰시오.

01 I always listens to my friends carefully.

_____ → _____

02 My grandfather spend time in the park twice a week.

_____ → _____

03 Jiho plaies basketball with his friends after school.

_____ → _____

A 배열 영작

다음 우리말과 일치하도록 괄호 안에 주어진 말을 바르게 배열하시오.

01 내 여동생은 채소를 먹지 않는다. (my sister / vegetables / doesn't / eat)

_____

02 뱀은 다리가 없다. (have / snakes / legs / don't)

_____

03 나는 오전 7시에 일어나지 않는다. (I / wake up / at 7 a.m. / don't)

_____

04 우리는 점심 먹을 시간이 많지 않다. (don't / much / we / time / for lunch / have)

_____

B 문장 완성

다음 우리말과 일치하도록 괄호 안에 주어진 말을 활용하여 문장을 완성하시오.

01 나는 극장에서 팝콘을 먹지 않는다. (eat, popcorn)

_____ in the theater.

02 Mike는 열심히 공부하지 않는다. (study)

_____ hard.

03 그녀는 버스를 타고 출근하지 않는다. (go to work)

_____ by bus.

04 많은 사람들이 월요일을 좋아하지 않는다. (like, Mondays)

_____ .

C 문장 전환

다음 문장을 부정문으로 바꿔 쓰시오. (단, 축약형을 사용할 것)

01 Anna lives with her family.

→ _____

02 Ali and his family eat fast food.

→ _____

03 The United States has a long history.

→ _____

A
배열 영작

다음 우리말과 일치하도록 괄호 안에 주어진 말을 바르게 배열하시오.

01 내가 너무 많이 먹니? (do / too / I / eat / much)

_____

02 그들은 왜 논산에서 인삼을 재배하나요? (in Nonsan / do / grow / why / ginseng / they)

_____

03 너는 매일 네 방을 청소하니? (you / clean up / every day / do / your room)

_____

04 Joe와 그의 여동생은 카레를 좋아하나요? (do / like / Joe and his sister / curry)

_____

B
문장 완성

다음 우리말과 일치하도록 괄호 안에 주어진 말을 활용하여 문장을 완성하시오.

01 네 누나는 병원에서 자원봉사를 하니? (volunteer)

_____ at the hospital?

02 Smith 씨와 그의 가족은 아파트에 사나요? (family, live)

_____ in an apartment?

03 전 세계 사람들은 아침 식사로 무엇을 먹나요? (eat)

_____ for breakfast around the world?

04 그녀는 애플파이를 좋아하나요? (apple pie)

_____ ?

C
대화 완성

다음 대화가 자연스럽도록 빈칸에 알맞은 말을 쓰시오. (단, B는 A에 나온 동사를 활용할 것)

01 A: _____ you have a brother?

    B: No, _____ _____. I only _____ one sister.

02 A: _____ _____ play soccer once a week?

    B: Yes, they _____ soccer every Saturday.

03 A: _____ your dad cook well?

    B: No, _____ _____. But he _____ ramyeon well.

A 다음 우리말과 일치하도록 괄호 안에 주어진 말을 바르게 배열하시오.

배열 영작

01 그 점원은 친절하지 않았다. (not / friendly / was / the clerk)

_____

02 그들은 나와 달랐다. (were / from me / different / they)

_____

03 나는 어제 바쁘지 않았다. (busy / not / yesterday / I / was)

_____

04 우리 집 근처에 빵집이 두 곳 있었다. (were / near my house / there / two bakeries)

_____

B 다음 우리말과 일치하도록 괄호 안에 주어진 말을 활용하여 문장을 완성하시오.

문장 완성

01 그 물은 매우 깊었다. (so, deep)

The water _____.

02 그 마술 쇼는 지루하지 않았다. (boring)

The magic show _____.

03 내 새 신발이 비에 젖어 있었다. (shoes, wet)

_____ with rain.

04 지난주 런던의 날씨는 춥고 건조했다. (cold, dry)

The weather in London _____.

05 우리 부모님은 어젯밤 내게 화내지 않으셨다. (parents, angry at)

_____.

C 다음 밑줄 친 ⓐ~ⓔ에서 어법상 틀린 두 곳을 찾아 기호를 쓰고, 바르게 고치시오.

오류 수정

A long time ago, there ⓐwas an old farmer. He had three sons. The farmer ⓑwas very diligent, but his sons ⓒwas lazy. One day, the old farmer ⓓwas very sick. The farmer ⓔis worried about his sons.

(　　　) → _____　　　(　　　) → _____

A
배열 영작

다음 우리말과 일치하도록 괄호 안에 주어진 말을 바르게 배열하시오.

01 그 여성이 기자였나요? (the woman / was / a reporter)

_____

02 그의 노래는 인기가 많았나요? (were / his songs / popular)

_____

03 버스 정거장이 여기서 멀었나요? (from here / the bus stop / far / was)

_____

04 Harry와 그의 삼촌은 암스테르담에 있었나요? (and / Harry / were / in Amsterdam / his uncle)

_____

B
문장 완성

다음 우리말과 일치하도록 괄호 안에 주어진 말을 활용하여 문장을 완성하시오.

01 너는 지난주에 바빴니? (busy)

_____ last week?

02 도쿄에서는 버스 요금이 비쌌나요? (the bus fare, expensive)

_____ in Tokyo?

03 그 조언들이 그에게 도움이 됐니? (the tips, helpful)

_____ to him?

04 그 음식이 너무 짰나요? (too, salty)

_____ ?

C
대화 완성

다음 빈칸에 알맞은 말을 넣어 대화를 완성하시오.

01 A: _____ were the police officers then?

　　 B: _____ _____ at the main gate.

02 A: _____ _____ late again yesterday?

　　 B: Yes, _____ _____. They're in trouble now.

03 A: _____ the TV program helpful to you?

　　 B: No, _____ _____. It was just boring.

A

배열 영작

다음 우리말과 일치하도록 괄호 안에 주어진 말을 바르게 배열하시오.

01 네가 일을 잘 해냈다. (did / a good job / you)

_____

02 그녀는 지하철을 타고 학교에 갔다. (by subway / went to / she / school)

_____

03 Jessie는 나에게 말을 걸지 않았다. (Jessie / me / didn't / talk to)

_____

04 Max는 자신의 일을 좋아하지 않았다. (didn't / Max / his / job / like)

_____

B

문장 완성

다음 우리말과 일치하도록 괄호 안에 주어진 말을 활용하여 문장을 완성하시오. (단, 축약형을 사용할 것)

01 나는 어제 너를 도서관에서 봤다. (see)

_____ at the library yesterday.

02 나는 내 약속을 지키지 않았다. (keep)

_____ my promise.

03 그녀는 2년간 시드니에 살았다. (live in, Sydney)

_____ for two years.

04 내 남동생이 실수로 접시를 깼다. (break, a plate)

_____ by mistake.

C

도표·그림

Eric의 지난 일요일 계획표를 보고, Eric이 한 일과 하지 않은 일을 쓰시오.

My Sunday Plan					
01	get up at 8:00	×	03	clean my room in the afternoon	×
02	go swimming at noon	○	04	do my homework	○

01 I _____ at 8:00. I got up at 10:30.

02 I _____ swimming at noon.

03 I went shopping in the afternoon, so I _____ my room.

04 I was tired, but I _____ my homework at night.

A
배열 영작

다음 우리말과 일치하도록 괄호 안에 주어진 말을 바르게 배열하시오.

01 너는 그 규칙을 지켰니? (did / the rule / follow / you)

_____

02 수지가 네 파티에 왔었니? (Suji / come to / did / your party)

_____

03 지진에 대한 소식을 들었나요? (hear / about the earthquake / you / the news / did)

_____

04 지난 토요일에 너랑 Kevin은 어디에 갔었니? (go / did / you and Kevin / where / last Saturday)

_____

B
문장 완성

다음 우리말과 일치하도록 괄호 안에 주어진 말을 활용하여 문장을 완성하시오.

01 너는 어젯밤에 보름달을 봤니? (see)

_____ the full moon last night?

02 Jack이 쇼핑몰에서 그녀를 만났나요? (meet)

_____ at the mall?

03 그들은 언제 그 음식점을 개업했나요? (open)

_____ the restaurant?

04 너 창문 닫았니? (close)

_____ ?

C
대화 완성

다음 괄호 안에 주어진 단어를 활용하여 대화를 완성하시오. (단, B는 A에 나온 동사를 활용할 것)

01 A: What _____ _____ _____ for breakfast this morning? (have)

B: I _____ blueberry pancakes with syrup.

02 A: _____ Jason _____ you a gift? (send)

B: Yes, he _____ me a hat two days ago. I love it.

03 A: _____ Derek _____ his dog with him yesterday? (bring)

B: No, _____ _____. He _____ his cat.

A

배열 영작

다음 우리말과 일치하도록 괄호 안에 주어진 말을 바르게 배열하시오.

01 그들은 버스 정거장으로 달려가고 있다. (they / to the bus stop / are / running)

_____

02 Alice는 물을 마시고 있다. (Alice / is / water / drinking)

_____

03 그들은 부산에서 멋진 시간을 보내고 있다. (they / a good time / in Busan / are / having)

_____

04 우리는 지금 배드민턴 경기를 하고 있다. (are / we / badminton / playing / now)

_____

B

문장 완성

다음 우리말과 일치하도록 괄호 안에 주어진 말을 활용하여 문장을 완성하시오.

01 Ali는 산책하고 있다. (take)

_____ a walk.

02 요리사가 큰 접시를 들고 있다. (hold)

The cook _____ a big plate.

03 내 남동생은 그의 새에게 먹이를 주고 있다. (feed)

My brother _____.

04 Aiden과 나는 너를 기다리고 있다. (wait for)

_____.

C

도표·그림

다음 〈보기〉에서 알맞은 단어를 골라 각 사람들이 하고 있는 일을 묘사하는 문장을 완성하시오.
(단, 현재진행형을 사용할 것)

01 02 03

보기 ▶   ride   run   kick

01 Jimin _____ in the park.

02 Kevin _____ a soccer ball.

03 Suho and his mom _____ bikes.

A
배열 영작

다음 우리말과 일치하도록 괄호 안에 주어진 말을 바르게 배열하시오.

01 내 강아지들은 자고 있지 않다. (not / are / my puppies / sleeping)

_____

02 Janet은 그의 말을 듣고 있지 않다. (Janet / him / not / listening to / is)

_____

03 내 여동생과 나는 돈을 저축하고 있지 않다. (saving / my sister and I / money / not / are)

_____

04 Katie는 친구에게 문자를 보내고 있지 않다. (is / Katie / texting / her friend / not)

_____

B
문장 완성

다음 우리말과 일치하도록 괄호 안에 주어진 말을 활용하여 문장을 완성하시오.

01 그는 중국어로 말하고 있지 않다. (speak)

_____ in Chinese.

02 그들은 지금 너를 보고 있지 않아. (look at)

They _____ now.

03 나의 아빠는 운전하고 계시지 않다. (drive)

_____ his car.

04 그는 기타를 연주하고 있지 않다. (play, the guitar)

_____.

C
문장 전환

다음 문장을 부정문으로 바꿔 쓰시오. (단, 축약형을 사용할 것)

01 We are climbing the mountain.

→ _____

02 Kai and I are learning Japanese.

→ _____

03 Judy is listening to the radio.

→ _____

A

배열 영작

다음 우리말과 일치하도록 괄호 안에 주어진 말을 바르게 배열하시오.

01 민수가 강에서 수영하고 있나요? (Minsu / swimming / is / in the river)

_____

02 그들은 지금 이야기를 하고 있나요? (now / are / talking / they)

_____

03 James가 친구들과 야구를 하고 있나요? (playing / James / is / baseball / with his friends)

_____

04 당신은 치즈 케이크를 찾고 있나요? (you / looking for / are / a cheesecake)

_____

B

문장 완성

다음 우리말과 일치하도록 괄호 안에 주어진 말을 활용하여 문장을 완성하시오.

01 너는 뭔가를 먹고 있니? (eat)

_____ something?

02 네 개가 시끄럽게 짖고 있니? (bark)

_____ loudly?

03 Clara는 가족과 함께 여행 중인가요? (travel)

_____ with her family?

04 그 학생들이 벽을 칠하고 있나요? (paint, the wall)

_____ ?

C

도표·그림

다음 괄호 안에 주어진 표현을 활용하여 대화를 완성하시오. (단, 현재진행형을 사용할 것)

A: Come and look at these pandas.

B: Wow, _____ now? (sleep)

A: _____, _____.

B: _____? (what, do)

A: They _____ bamboo. (eat)

A
배열 영작

다음 우리말과 일치하도록 괄호 안에 주어진 말을 바르게 배열하시오.

01 우리가 곧 네 곁에 있을 거야. (with you / will / soon / we / be)

_____

02 Harry는 그녀의 문자메시지를 읽지 않을 것이다. (Harry / read / her text message / not / will)

_____

03 너는 오늘 오후에 집에 있을 거니? (this afternoon / will / stay at / you / home)

_____

04 나는 이번 주 토요일에 축구 경기를 보지 않을 거야. (watch / a soccer game / I / this Saturday / won't)

_____

B
문장 완성

다음 우리말과 일치하도록 괄호 안에 주어진 말을 활용하여 문장을 완성하시오. (단, will을 사용할 것)

01 그 댄서는 많은 팬을 보유하게 될 것이다. (have)

_____ a lot of fans.

02 Becky는 이 문제를 해결하지 않을 것이다. (solve)

_____ this problem.

03 그들은 새집에서 행복할 것이다. (happy)

_____ in their new house.

04 나는 매일 운동할 거야. (exercise, every day)

_____.

C
조건 영작

다음 문장을 괄호 안의 지시대로 바꿔 쓰시오.

01 Mary is a world famous scientist. [will을 사용하여]

_____

02 He spent lots of money on a new computer. [will을 사용하여 부정문으로]

_____

03 Danny will go shopping tomorrow. [will을 사용하여 의문문으로]

_____

A
배열 영작

다음 우리말과 일치하도록 괄호 안에 주어진 말을 바르게 배열하시오.

01 나는 내일 새 재킷을 입을 것이다. (I'm / to / wear / a new jacket / going / tomorrow)

_____

02 Danna는 이곳에서 자원봉사를 할 것이다. (Danna / going / here / is / volunteer / to)

_____

03 그들은 내일 학교에 가지 않을 것이다. (going / they're / go / to school / not / to / tomorrow)

_____

04 많은 사람들이 그의 수업을 들을 것이다. (his class / take / a lot of people / going / are / to)

_____

B
문장 완성

다음 우리말과 일치하도록 괄호 안에 주어진 말을 활용하여 문장을 완성하시오. (단, be going to를 사용할 것)

01 너는 이 음식을 아주 좋아하게 될 것이다. (love)

_____ this food.

02 Nancy는 화요일에 치과에 가지 않을 것이다. (go)

_____ to the dentist on Tuesday.

03 우리는 터키에서 케밥을 먹을 것이다. (eat)

_____ kebabs in Turkey.

04 그는 운전면허 시험을 통과하지 못할 것이다. (pass, the driving test)

_____.

C
도표·그림

다음 지나의 하루 계획표를 보고, 지나가 오늘 할 일을 쓰시오. (단, be going to를 사용할 것)

Jina's Daily Plan	
01	Don't get up late
02	Visit my aunt's place
03	Don't skip lunch
04	Water the plants

01 Jina _____ late.

02 She _____ her aunt's place.

03 She _____ .

04 She _____ .

A 배열 영작

다음 우리말과 일치하도록 괄호 안에 주어진 말을 바르게 배열하시오.

01 그 프로그램은 오후 10시에 끝나나요? (at 10 p.m. / going / is / the program / to / finish)

_____

02 너는 추석에 송편을 만들 예정이니? (make / going / on Chuseok / are / songpyeon / you / to)

_____

03 너희 오빠는 외국에서 공부할 예정이니? (going / your brother / to / is / study / abroad)

_____

04 그들은 언제 여행을 갈 예정인가요? (are / when / to / going / they / go on a trip)

_____

B 문장 완성

다음 우리말과 일치하도록 괄호 안에 주어진 말을 활용하여 문장을 완성하시오. (단, be going to를 사용할 것)

01 그 배우는 이름을 바꿀 예정인가요? (the actor, change)

_____ his name?

02 너는 카메라를 새로 살 거니? (buy)

_____ a new camera?

03 그들은 내일 영화를 볼 거니? (see)

_____ a movie tomorrow?

04 Kate는 이번 주말에 무엇을 하려고 하니? (do)

_____ ?

C 문장 전환

다음 문장을 괄호 안의 지시대로 바꿔 쓰시오.

01 He is going to bring some food. [의문문으로]

→ _____

02 Janice is going to be 15 years old next year. [의문문으로]

→ _____

03 It is going to snow tomorrow. [when을 사용하여 의문문으로]

→ _____

A

배열 영작

다음 우리말과 일치하도록 괄호 안에 주어진 말을 바르게 배열하시오.

01 판다는 거꾸로 매달려 잠잘 수 있다. (sleep / can / pandas / upside down)

_____

02 너는 네 것을 남동생과 나눠도 좋다. (you / with your brother / share / can / yours)

_____

03 나는 프랑스어를 아주 잘할 수 있다. (can / I / French / speak / very well)

_____

04 여러분은 오늘 돌고래 쇼를 볼 수 없습니다. (you / watch / the dolphin show / can't / today)

_____

B

문장 완성

다음 우리말과 일치하도록 괄호 안에 주어진 말을 활용하여 문장을 완성하시오.

01 뱀은 추운 지역에서 살 수 없다. (live)

Snakes _____ in cold places.

02 연습을 통해 너의 나쁜 습관을 고칠 수 있다. (correct, bad habits)

You _____ with practice.

03 너는 파티에 누구나 초대할 수 있어. (invite, anyone)

_____ to the party.

04 그들은 오늘 밤 이곳을 떠날 수 없다. (leave, here)

_____ .

C

도표·그림

다음 두 장소에서 할 수 있는 일을 나타낸 표를 보고, can을 활용하여 문장을 완성하시오.

Place \ Things you can do	bring your pets	take pictures
The Han Museum	×	×
Café May	×	○

01 You _____ into the Han Museum.

02 You _____ in the Han Museum.

03 You _____ in Café May.

A
배열 영작

다음 우리말과 일치하도록 괄호 안에 주어진 말을 바르게 배열하시오.

01 이 상자를 들 수 있으세요? (this box / lift / can / you)

_____

02 버스 정류장에는 어떻게 갑니까? (I / how / get to / can / the bus stop)

_____

03 제가 질문 하나 해도 될까요? (ask / I / a question / can / you)

_____

04 내일 저에게 모닝콜을 해 주실 수 있어요? (tomorrow / you / can / give / a wake-up call / me)

_____

B
문장 완성

다음 우리말과 일치하도록 괄호 안에 주어진 말을 활용하여 문장을 완성하시오. (단, can을 사용할 것)

01 내가 네 연필을 써도 되니? (use)

_____ your pencil?

02 네가 그것을 다시 읽어줄 수 있니? (read)

_____ again?

03 너는 바다에서 수영할 수 있니? (swim)

_____ in the sea?

04 제가 오늘 일찍 가도 되나요? (leave)

_____ ?

C
대화 완성

괄호 안에 주어진 말과 can을 활용하여 다음 대화를 완성하시오.

A: Mom, ① _____? (help)

B: Sure, ② _____ in the bowl?
(pour, the milk)

A: OK. ③ _____ next? (what, do)

B: Mix the milk into the dough.

A 다음 우리말과 일치하도록 괄호 안에 주어진 말을 바르게 배열하시오.

배열 영작

01 우리는 수업에 늦을지도 모른다. (we / late / for the class / may / be)

_____

02 네가 피자를 한 판 다 먹어도 좋다. (the whole pizza / may / you / eat)

_____

03 Eric은 도서관에 있을지도 몰라. (may / in / Eric / be / the library)

_____

04 길에 쓰레기를 버리면 안 됩니다. (you / throw / not / may / trash / on the street)

_____

B 다음 우리말과 일치하도록 괄호 안에 주어진 말을 활용하여 문장을 완성하시오.

문장 완성

01 어떤 사람들은 벌레를 좋아할지도 모른다. (people, like)

_____ bugs.

02 네가 무심코 한 말이 그들을 기분 나쁘게 할지도 모른다. (upset)

Your careless words _____.

03 공연 중에는 사진을 찍을 수 없습니다. (take pictures)

_____ during the performance.

04 너는 지금 집에 가도 좋다. (go)

_____.

C 다음 우리말과 일치하도록 may를 활용하여 대화를 완성하시오.

대화 완성

01 A: Did Daniel call you?

B: No, he didn't. But _____.
                    (그가 오늘 밤에 나한테 전화할지도 몰라.)

02 A: Oh, no! _____ to the pool.
            (당신의 개를 데리고 오면 안돼요.)

B: I'm sorry. I didn't know that.

A
배열 영작

다음 우리말과 일치하도록 괄호 안에 주어진 말을 바르게 배열하시오.

01 동물들에게 먹이를 줘도 될까요? (I / may / feed / the animals)

_____

02 볼륨을 약간 높여도 될까요? (may / the volume / turn up / a little / I)

_____

03 제가 당신의 주소를 여쭤봐도 될까요? (your address / may / I / ask)

_____

04 오늘 밤에 수호네 집에 가도 될까요? (I / to / go / Suho's house / may / tonight)

_____

B
문장 완성

다음 우리말과 일치하도록 괄호 안에 주어진 말을 활용하여 문장을 완성하시오.

01 제가 물 좀 마실 수 있을까요? (have)

_____ some water, please?

02 제가 이번 주말에 Jackie의 파티에 가도 되나요? (go to)

_____ this weekend?

03 제가 이 스웨터를 입어 봐도 되나요? (try on)

_____ this sweater?

04 제 여동생을 소개해도 될까요? (introduce)

_____ ?

C
대화 완성

괄호 안에 주어진 말과 may를 활용하여 다음 대화를 완성하시오.

01 A: I left my book in the library. _____ _____ _____ back and get
   it? (go)

   B: Yes, _____ _____. Why don't you hurry?

02 A: _____ _____ _____ my order now? (cancel)

   B: No, _____ _____ _____. You can only make changes to it.

03 A: _____ _____ _____ your name, please? (ask)

   B: Sure. My name is Nathan Lane.

A
배열 영작

다음 우리말과 일치하도록 괄호 안에 주어진 말을 바르게 배열하시오.

01 커피 드실래요? (have / will / you / some coffee)

_____

02 너는 여기서 네 남동생을 기다릴 거니? (your brother / will / wait for / you / here)

_____

03 저에게 그 빨간 우산을 건네줄래요? (you / the red umbrella / pass / will / me)

_____

04 디저트 좀 드시겠습니까? (you / would / some dessert / like)

_____

B
문장 완성

다음 우리말과 일치하도록 괄호 안에 주어진 말을 활용하여 문장을 완성하시오. (단, will/would를 사용할 것)

01 우리 베이킹 동아리에 가입할래? (join)

_____ our baking club?

02 우리를 위해 피아노를 연주해 줄래? (play)

_____ for us?

03 오렌지 주스 좀 드시겠어요? (like)

_____ some orange juice?

04 문을 열어 주실래요? (open)

_____ ?

C
오류 수정

다음 대화가 자연스럽도록 어법이나 의미가 <u>어색한</u> 부분을 찾아 고쳐 쓰시오.

01 A: Will you go on a picnic with us tomorrow?

　 B: I am sorry, but I will. I have an appointment.

　 _____ → _____

02 A: Would you like some water?

　 B: No, please. I'm thirsty.

　 _____ → _____

A 배열 영작

다음 우리말과 일치하도록 괄호 안에 주어진 말을 바르게 배열하시오.

01 여기서는 속도를 줄여야 합니다. (you / slow down / here / must)

_____

02 그들은 오늘 밤 경기에서 승리해야 한다. (must / they / the game / tonight / win)

_____

03 빨간 불에 길을 건너서는 안 돼. (you / must / the street / not / cross / on a red light)

_____

04 네 여동생은 놀이터에 있는 게 틀림없다. (your sister / must / in the playground / be)

_____

B 문장 완성

다음 우리말과 일치하도록 괄호 안에 주어진 말을 활용하여 문장을 완성하시오. (단, must를 사용할 것)

01 우리는 가난한 사람들을 도와야 합니다. (help)

_____ poor people.

02 너희는 일찍 잠자리에 들어야 한다. (go to bed)

_____ early.

03 그녀는 Carl에게 그것을 숨기지 말아야 한다. (hide)

_____ from Carl.

04 당신은 그곳에 들어가면 안 됩니다. (enter, there)

_____ .

C 도표·그림

다음 표지판을 보고, 괄호 안에 주어진 단어와 must를 활용하여 경고문을 완성하시오.

01   02   03

01 _____ the road. (cross)

02 _____ straight. (go)

03 _____ in this area. (park)

A
배열 영작

다음 우리말과 일치하도록 괄호 안에 주어진 말을 바르게 배열하시오.

01 여러분은 휴대전화를 꺼 두어야 합니다. (your cell phones / should / you / turn off)

_____

02 Janet은 남동생을 돌봐야 한다. (Janet / take care of / should / her brother)

_____

03 우리는 희망을 잃지 말아야 한다. (hope / lose / we / not / should)

_____

04 너는 시험 전에 충분히 자야 한다. (get / before exams / should / enough sleep / you)

_____

B
문장 완성

다음 우리말과 일치하도록 괄호 안에 주어진 말을 활용하여 문장을 완성하시오. (단, should를 사용할 것)

01 그들은 내일까지 런던에 머물러야 한다. (stay)

_____ in London until tomorrow.

02 너는 Justin에게 그것을 돌려보내지 말아야 한다. (send)

_____ back to Justin.

03 나는 네가 기타를 쳐야 한다고 생각해. (play)

I think you _____.

04 Eric은 너와 같이 가면 안 돼. (come)

_____.

C
도표·그림

다음 Clara가 세운 규칙을 적은 표를 보고, should를 활용하여 Clara가 해야 할 일과 하지 말아야 할 일을 쓰시오.

	Dos		Don'ts
01	exercise every day	03	watch too much TV
02	go to bed early	04	eat too much fast food

01 Clara _____.

02 She _____.

03 She _____.

04 She _____.

A

배열 영작

다음 우리말과 일치하도록 괄호 안에 주어진 말을 바르게 배열하시오.

01 너는 양말을 신어야 한다. (your socks / have to / you / wear)

_____

02 나는 내일 일하러 안 가도 돼요. (go / don't / tomorrow / have to / I / to work)

_____

03 소방관들은 화재 현장에 빨리 도착해야 했다. (the fire / had to / the firefighters / get to / fast)

_____

04 너는 내일 일찍 일어나야 하니? (you / have to / tomorrow / wake up / early / do)

_____

B

문장 완성

다음 우리말과 일치하도록 괄호 안에 주어진 말을 활용하여 문장을 완성하시오. (단, have to를 사용할 것)

01 그녀는 남동생을 돌봐야 한다. (take care of)

_____ her brother.

02 그녀는 그 책값을 지불할 필요가 없다. (pay for)

_____ the book.

03 우리는 모든 것에 완벽할 필요는 없다. (perfect)

_____ at everything.

04 당신은 지금 가야 하나요? (go)

_____ ?

C

조건 영작

다음 문장을 괄호 안의 지시대로 바꿔 쓰시오.

01 She has to be patient. [you를 주어로]

→ _____

02 Mr. Herd had to buy a new car. [의문문으로]

→ _____

03 I have to call him now. [부정문으로]

→ _____

A
배열 영작

다음 우리말과 일치하도록 괄호 안에 주어진 말을 바르게 배열하시오.

01 정말 춥고 바람이 불어요. (really / and / cold / it's / windy)

_____

02 지금은 오후 3시이다. (in the afternoon / it's / three o'clock)

_____

03 이 안은 매우 어둡다. (is / so / dark / it / in here)

_____

04 뉴욕에 눈이 오고 있다. (snowing / it's / in New York)

_____

B
문장 완성

다음 우리말과 일치하도록 괄호 안에 주어진 말을 활용하여 문장을 완성하시오.

01 5월 5일이다. (May)

_____ fifth.

02 그곳에 가는 데 5시간이 걸린다. (take)

_____ to go there.

03 오늘은 화요일이다. (Tuesday)

_____ today.

04 밖에 비가 오니? (raining, outside)

_____ ?

C
도표·그림

다음 일기예보를 보고, 물음에 답하시오. (단, 축약형을 사용할 것)

WEATHER FORECAST		
		Tue. October 10th
YESTERDAY	TODAY	TOMORROW
cold & windy	sunny & warm	cloudy & warm

01 Q What date is it today?   A _____

02 Q How's the weather today?   A _____

03 Q What day was it yesterday?   A _____

04 Q What will the weather be like tomorrow? A _____

A
배열 영작

다음 우리말과 일치하도록 괄호 안에 주어진 말을 바르게 배열하시오.

01 부엌에 의자가 6개 있다. (are / six / chairs / there / in the kitchen)

_____

02 탁자 아래 고양이가 한 마리 있다. (a cat / is / under the table / there)

_____

03 우리 가족은 네 명입니다. (in my family / there / four people / are)

_____

04 Bernard 가에는 상점이 많다. (on Bernard Street / there / many stores / are)

_____

B
문장 완성

다음 우리말과 일치하도록 괄호 안에 주어진 말을 활용하여 문장을 완성하시오. (단, 축약형을 사용하지 말 것)

01 여름에는 모기가 많다. (many, mosquito)

_____ in summer.

02 거실에 손님이 세 명 있었다. (guest)

_____ in the living room.

03 이 근처에 피자집이 하나 있어. (pizza place)

_____ around here.

04 하늘에 구름이 많다. (many, cloud)

_____ .

C
도표·그림

다음 사진을 보고, 「There be동사 ~」 구문을 활용하여 괄호 안에 주어진 단어의 수를 나타내는 문장을 완성하시오. (단, 축약형을 사용하지 말 것)

01 _____ (pencil)

02 _____ (eraser)

03 _____ (notebook)

Unit 04-03 ▶ There be동사 – 부정문 ◀ 문장 형식

A
배열 영작

다음 우리말과 일치하도록 괄호 안에 주어진 말을 바르게 배열하시오.

01 거리에 사람이 많지 않다. (many people / aren't / there / on the street)

_____

02 예전에는 우리 동네에 건물이 별로 없었다. (there / many buildings / before / in our town / weren't)

_____

03 네 방에 아무도 없다. (anyone / isn't / there / in your room)

_____

04 5번가에는 오래된 가게들이 없다. (on 5th Street / old shops / any / there / aren't)

_____

B
문장 완성

다음 우리말과 일치하도록 괄호 안에 주어진 말을 활용하여 문장을 완성하시오.
(단, 「be동사+not」 축약형을 사용할 것)

01 서둘러. 시간이 충분하지 않아. (enough time)

Hurry up. _____.

02 그 건물에는 엘리베이터가 없었다. (an elevator)

_____ in the building.

03 벽에 그림이 많지 않았다. (many painting)

_____ on the wall.

04 이 근처에는 버스 정류장이 없다. (a bus stop, near here)

_____.

C
문장 전환

다음 문장을 부정문으로 바꿔 쓰시오. (단, 「be동사+not」 축약형을 사용할 것)

01 There is a parking lot behind the restaurant.

→ _____

02 There are many trees on the field.

→ _____

03 There were many animals on his farm.

→ _____

A
배열 영작

다음 우리말과 일치하도록 괄호 안에 주어진 말을 바르게 배열하시오.

01 몽골에는 말이 많이 있나요? (many / there / horses / are / in Mongolia)

_____

02 계산서에 오류가 있습니까? (is / on the bill / a mistake / there)

_____

03 1층에 에스컬레이터가 있었나요? (was / there / on the first floor / an escalator)

_____

04 주머니가 달린 블라우스가 좀 있나요? (any blouses / there / are / with pockets)

_____

B
문장 완성

다음 우리말과 일치하도록 괄호 안에 주어진 말을 활용하여 문장을 완성하시오.

01 피아노 옆에 기타가 있니? (guitar)

_____ next to the piano?

02 네 컴퓨터에 파일이 많이 있었니? (many, file)

_____ on your computer?

03 이 근처에 괜찮은 중식당이 있나요? (good, Chinese restaurant)

_____ around here?

04 지난밤에 파티가 있었나요? (party)

_____ ?

C
대화 완성

다음 빈칸에 알맞은 말을 넣어 대화를 완성하시오.

01 A: Excuse me. _____ _____ a subway station near here?

    B: _____ , _____ _____ . Turn right at that corner.

02 A: _____ _____ many cars on the road?

    B: _____ , _____ _____ . So we got to the cinema on time.

03 A: _____ _____ any baby elephants at the zoo?

    B: _____ , _____ _____ one. It was really small.

A 다음 우리말과 일치하도록 괄호 안에 주어진 말을 바르게 배열하시오.

배열 영작

01 네 방이 지저분해 보인다. (your room / messy / looks)

_____

02 몇몇 맹그로브 나무는 아주 높이 자란다. (grow / some mangrove trees / tall / really)

_____

03 파스타에서 맛있는 냄새가 난다. (delicious / the pasta / smells)

_____

04 아빠의 목소리가 행복하게 들린다. (dad's voice / happy / sounds)

_____

B 다음 우리말과 일치하도록 괄호 안에 주어진 말을 활용하여 문장을 완성하시오.

문장 완성

01 그 초콜릿은 쓴맛이 난다. (bitter)

The chocolate _____.

02 나는 항상 피로를 느낀다. (tired)

_____ all the time.

03 그녀의 얼굴은 놀라서 하얗게 변했다. (white)

_____ with surprise.

04 Jessica는 아파 보인다. (sick)

_____.

C 다음 문장에서 어법상 틀린 부분을 찾아 바르게 고쳐 쓰시오.

오류 수정

01 His weekly plan looks nicely.

_____ → _____

02 This strawberry cake tastes sweetly.

_____ → _____

03 Dave's voice sounds sadly.

_____ → _____

A 배열 영작

다음 우리말과 일치하도록 괄호 안에 주어진 말을 바르게 배열하시오.

01 Amy는 불고기를 좋아한다. (bulgogi / Amy / likes)

_____

02 닭은 주로 곡물과 씨앗을 먹는다. (eat / usually / grains and seeds / chickens)

_____

03 나는 아픈 사람들을 도와줄 것이다. (sick people / I / help / will)

_____

04 우리는 시간과 돈을 아껴야 한다. (must / our time / save / and money / we)

_____

B 문장 완성

다음 우리말과 일치하도록 괄호 안에 주어진 말을 활용하여 문장을 완성하시오.

01 그녀가 나를 큰 소리로 불렀다. (call)

_____ loudly.

02 나는 운동화 세 켤레를 샀다. (buy, three pairs of)

_____ sneakers.

03 너는 주말에 무슨 특별한 계획이 있니? (have, any special plans)

_____ for the weekend?

04 나는 운동을 좋아하지 않는다. (like, sports)

_____ .

C 도표·그림

다음 Jeremy가 자신에 대해 소개한 표를 보고, 적절한 동사를 활용하여 문장을 완성하시오.

All about me		
01	Favorite subject	science
02	Dessert	chocolate cake
03	My city	Seoul

01 Jeremy _____ .

02 He _____ for dessert every day.

03 He _____ with his family.

A
배열 영작

다음 우리말과 일치하도록 괄호 안에 주어진 말을 바르게 배열하시오.

01 나의 삼촌이 나에게 멋진 기타를 주셨다. (a nice guitar / my uncle / gave / me)

_____

02 나는 선생님께 몇 가지 질문을 드렸다. (my teacher / I / a few questions / asked)

_____

03 무엇이 당신에게 행복을 가져다줄 수 있나요? (bring / you / happiness / what / can)

_____

04 나는 Jack에게 야구 모자를 사줄 거야. (Jack / buy / a baseball cap / I'll)

_____

B
문장 완성

다음 우리말과 일치하도록 괄호 안에 주어진 말을 활용하여 문장을 완성하시오.
(단, 간접목적어를 직접목적어 앞에 쓸 것)

01 식물은 우리에게 맑은 공기를 준다. (give, fresh air)

Plants _____.

02 한 여행객이 그들에게 길을 물었다. (ask, the way)

A tourist _____.

03 그 안내원이 우리에게 안내 책자를 보여주었다. (show, a brochure)

The guide _____.

04 당신의 계획을 내게 말해줄 수 있나요? (can, tell, your plan)

_____?

C
오류 수정

다음 문장에서 어법상 틀린 부분을 찾아 바르게 고쳐 쓰시오. (단, 단어를 추가하지 말 것)

01 I bring a newspaper my father every day.

_____ → _____

02 Mr. Mao will teach Chinese us.

_____ → _____

03 My grandfather made she a kite.

_____ → _____

A
배열 영작

다음 우리말과 일치하도록 괄호 안에 주어진 말을 바르게 배열하시오.

01 Joan은 엄마에게 엽서를 썼다. (wrote / to / a postcard / her mother / Joan)

_____

02 Ted는 지난 일요일 Jane에게 케이크를 만들어주었다. (for / Ted / a cake / Jane / last Sunday / made)

_____

03 Steve가 비 오는 날 내게 자신의 우산을 빌려주었다.

(Steve / his umbrella / lent / to / on a rainy day / me)

_____

04 그는 부모님에게 너무 많은 질문을 한다. (asks / of / too / many questions / he / his parents)

_____

B
문장 완성

다음 우리말과 일치하도록 괄호 안에 주어진 말을 활용하여 문장을 완성하시오. (단, 전치사를 사용할 것)

01 나는 그에게 내 표를 보여주었다. (show, ticket)

_____ him.

02 그 노인은 사람들에게 아이스크림을 판다. (sell)

The old man _____.

03 Susan은 나에게 요가 매트를 사주었다. (buy, a yoga mat)

_____

04 나는 Linda에게 과자를 좀 만들어 줄 거야. (make, some cookies)

_____

C
문장 전환

다음 문장에서 알맞은 전치사를 사용하여 목적어의 순서를 바꿔 쓰시오.

01 My dad often makes us pancakes.

→ _____

02 Pass me the pepper, please.

→ _____

03 I asked him a favor.

→ _____

A

배열 영작

다음 우리말과 일치하도록 괄호 안에 주어진 말을 바르게 배열하시오.

01 신선한 채소가 음식을 맛있게 한다. (make / food / fresh vegetables / delicious)

_____

02 그 음악은 나를 졸리게 한다. (me / the music / makes / sleepy)

_____

03 비 오는 날은 나를 슬프게 한다. (sad / make / rainy days / me)

_____

04 수학 시험은 나를 긴장되게 한다. (nervous / math tests / make / me)

_____

B

문장 완성

다음 우리말과 일치하도록 괄호 안에 주어진 말을 활용하여 문장을 완성하시오. (단, make를 사용할 것)

01 음식 배달 서비스는 우리의 생활을 편하게 만들어준다. (our lives, comfortable)

Food-delivery services _____.

02 나의 깜짝 방문이 그들을 행복하게 했다. (happy)

My surprise visit _____.

03 너무 많은 숙제는 우리를 지치게 했다. (tired)

Too much homework _____.

04 무엇이 우리를 건강하지 않게 만들까요? (unhealthy)

_____?

C

오류 수정

다음 문장에서 어법상 틀린 부분을 찾아 바르게 고쳐 쓰시오.

01 His new song made him richly.

_____ → _____

02 Regular exercise makes you health.

_____ → _____

03 The news made we so angry.

_____ → _____

A
배열 영작

다음 우리말과 일치하도록 괄호 안에 주어진 말을 바르게 배열하시오.

01 Rob은 현관문을 열어두었다. (open / kept / Rob / the front door)

_____

02 이 부츠가 네 발을 따뜻하게 해 줄 거야. (these boots / warm / will / keep / your feet)

_____

03 네 방을 깔끔하게 정돈해라. (your room / tidy / keep)

_____

04 얼음이 내 커피를 차갑게 유지해 준다. (keeps / my coffee / the ice / cold)

_____

B
문장 완성

다음 우리말과 일치하도록 괄호 안에 주어진 말을 활용하여 문장을 완성하시오. (단, keep을 사용할 것)

01 두통은 나를 밤새 깨어 있게 했다. (awake)

A headache _____ all night.

02 카시트는 차에 있는 어린이를 안전하게 해 준다. (a child, safe)

A car seat _____ in a car.

03 나는 내 눈을 뜨고 있을 수 없었다. (open)

_____ .

04 창문들을 깨끗하게 유지해라. (the windows, clean)

_____ .

C
문장 완성

다음 우리말과 일치하도록 괄호 안에 주어진 표현과 keep을 활용하여 문장을 완성하시오.

01 그녀의 부드러운 목소리가 그를 진정시켰다. (soft, voice, calm)

_____

02 나의 이모는 항상 자신의 머리를 짧게 유지하신다. (short)

_____

03 그 마을 사람들은 연못을 깨끗하게 지킨다. (village people, the pond, clear)

_____

A
배열 영작

다음 우리말과 일치하도록 괄호 안에 주어진 말을 바르게 배열하시오.

01 나는 내 비밀번호를 바꾸고 싶지 않다. (I / want / change / my password / to / don't)

_____

02 그는 새 집을 짓고 싶어 한다. (he / wants / a new house / build / to)

_____

03 우리 가족은 그를 돕고 싶어 했다. (wanted / my family / to / him / help)

_____

04 너는 패션 디자이너가 되고 싶니? (be / do / want / to / you / a fashion designer)

_____

B
문장 완성

다음 우리말과 일치하도록 괄호 안에 주어진 말을 활용하여 문장을 완성하시오.

01 그녀는 키가 크고 싶어 했다. (be)

_____ tall.

02 나는 스위스에 스키를 타러 가고 싶다. (go skiing)

_____ in Switzerland.

03 그는 나에게 말하고 싶어 하지 않는다. (talk)

_____ to me.

04 너는 그를 다시 만나고 싶었니? (see)

_____ ?

C
문장 전환

다음 문장을 괄호 안의 지시대로 바꿔 쓰시오. (단, 축약형을 사용할 것)

01 Leo wants to live in New York.

[부정문으로] → _____

[의문문으로] → _____

02 They want to play basketball after school.

[부정문으로] → _____

[Where를 쓴 의문문으로] → _____

A
배열 영작

다음 우리말과 일치하도록 괄호 안에 주어진 말을 바르게 배열하시오.

01 그들은 매일 운동하기로 결심했다. (every day / they / to / decided / exercise)

_____

02 Liam은 그림 그리는 것을 좋아하지 않았다. (draw / didn't / Liam / like / pictures / to)

_____

03 나는 사람들 앞에서 노래할 계획이다. (plan / I / sing / in front of / to / people)

_____

04 Jenny의 꿈은 피아니스트가 되는 것이다. (to / is / Jenny's dream / a pianist / be)

_____

B
문장 완성

다음 우리말과 일치하도록 괄호 안에 주어진 말을 활용하여 문장을 완성하시오.

01 나는 세계를 여행하는 것을 희망한다. (hope, travel)

_____ around the world.

02 우리의 계획은 파티에 스무 명을 초대하는 것이다. (invite)

Our plan is _____ to the party.

03 Brian은 할아버지께 물고기 잡는 것을 배웠다. (learn, catch)

_____ from his grandfather.

04 그들은 새 음식점을 열기를 바란다. (wish, open a new restaurant)

_____.

C
문장 완성

다음 괄호 안에 주어진 동사의 알맞은 형태를 넣어 문장을 완성하시오.

01 우리는 삶의 속도를 늦출 필요가 있습니다. (need, slow)

_____ down our lives.

02 Ali는 런던의 몇몇 극장을 방문할 계획이다. (plan, visit)

_____ a few theaters in London.

03 Brenda는 그 프로그램을 업데이트하는 것을 잊었다. (forget, update)

_____ the program.

A
배열 영작
다음 우리말과 일치하도록 괄호 안에 주어진 말을 바르게 배열하시오.

01 나는 외국인과 대화하기 위해 영어를 배운다. (I / talk with / English / to / learn / foreigners)

_____

02 우리는 불꽃놀이를 보려고 공원으로 갔다. (fireworks / to the park / we / to / went / watch)

_____

03 그는 패션 디자인을 공부하려고 파리로 갔다. (to Paris / study / he / went / to / fashion design)

_____

04 그녀는 체중을 줄이려고 모든 것을 다 해봤다. (did / she / lose / everything / to / weight)

_____

B
문장 완성
다음 우리말과 일치하도록 괄호 안에 주어진 말을 활용하여 문장을 완성하시오.

01 Amy는 자신의 과학 보고서를 쓰기 위해 많은 책을 읽었다. (write, science report)

Amy read a lot of books _____ .

02 나는 그 콘서트에 가려고 서둘렀다. (go)

I hurried up _____ .

03 그는 좋은 성적을 얻기 위해 열심히 공부한다. (get, grades)

He studies hard _____ .

04 우리는 점심을 먹으러 구내식당에 간다. (the cafeteria, have)

_____ .

C
문장 전환
다음 두 문장을 to부정사를 활용하여 한 문장으로 바꿔 쓰시오.

01 I eat salad for lunch. + I want to be healthy.

→ _____

02 Jimin went to California. + He wanted to visit his aunt.

→ _____

03 He mixed red and blue. + He wanted to make purple.

→ _____

A 다음 우리말과 일치하도록 괄호 안에 주어진 말을 바르게 배열하시오.

배열 영작

01 나의 취미는 쇼핑하기이다. (shopping / hobby / my / is / going)

_____

02 요리를 하는 것은 그에게 중요했다. (important / cooking / for him / was)

_____

03 자외선 차단제를 바르는 것은 네 피부에 좋다. (your skin / sunscreen / is / wearing / good for)

_____

04 그의 좋은 습관은 매일 운동하는 것이다. (his / is / good habit / daily / exercising)

_____

B 다음 우리말과 일치하도록 괄호 안에 주어진 말과 동명사를 활용하여 문장을 완성하시오.

문장 완성

01 일기를 쓰는 것은 나에게 매우 어렵다. (keep a diary)

_____ very difficult for me.

02 내 꿈은 멋진 차를 갖는 것이다. (have, nice)

My dream _____.

03 담배를 피우는 것은 폐 질환을 일으킬 수 있다. (smoke, cause)

_____ lung disease.

04 축구를 하는 것은 재미있다. (play, fun)

_____.

C 다음 문장에서 어법상 **틀린** 부분을 찾아 바르게 고쳐 쓰시오.

오류 수정

01 The most enjoyable activity on the planet is skydive.

_____ → _____

02 Drink milk in the morning can help your brain activity.

_____ → _____

03 Meeting celebrities were an amazing experience for me.

_____ → _____

A 다음 우리말과 일치하도록 괄호 안에 주어진 말을 바르게 배열하시오.

배열 영작

01 나는 창문을 열어도 괜찮아. (don't mind / I / opening / the window)

_____

02 Ted는 음악 듣는 것을 즐긴다. (Ted / to / music / listening / enjoys)

_____

03 그녀는 자신의 방을 치우는 게 싫다. (her room / she / cleaning / hates)

_____

04 아빠가 설거지를 마치셨다. (finished / my dad / the dishes / doing)

_____

B 다음 우리말과 일치하도록 괄호 안에 주어진 말을 활용하여 문장을 완성하시오.

문장 완성

01 Emily는 꽃을 기르기 시작했다. (start, grow)

_____ flowers.

02 일부 팬들이 계속 그의 이름을 외쳤다. (keep, scream)

Some fans _____ .

03 그들은 그 소문에 대해 말하는 것을 피했다. (avoid, talk)

_____ about the rumor.

04 나는 내 고양이와 노는 것을 좋아한다. (like, play)

_____ .

C 다음 우리말과 일치하도록 A, B에서 알맞은 말을 하나씩 골라 문장을 완성하시오.

조건 영작

A	finish	avoid	enjoy	B	answer	develop	watch

01 너희는 그 영화를 보는 게 즐거웠니?

_____ the movie?

02 그들은 그 프로그램을 개발하는 것을 마쳤다.

They _____ .

03 그 가수는 그 질문에 대답하는 것을 피했다.

_____ the question.

A 배열 영작

다음 우리말과 일치하도록 괄호 안에 주어진 말을 바르게 배열하시오.

01 나와 함께 골프를 치는 게 어때? (about / with me / playing / how / golf)

_____

02 John은 만화를 잘 그린다. (is / John / drawing / cartoons / good at)

_____

03 너는 외국에서 공부하는 것에 관심이 있니? (you / abroad / in / studying / interested / are)

_____

04 그는 자신의 문제에 대해 계속 불평을 한다. (keeps / he / about / complaining / his problems)

_____

B 문장 완성

다음 우리말과 일치하도록 괄호 안에 주어진 말을 활용하여 문장을 완성하시오.

01 우리는 새 아파트로 이사하는 것을 기대한다. (look forward to, move)

_____ into our new apartment.

02 그들은 그 신호등을 고치느라 세 시간을 보냈다. (spend, fix)

_____ the traffic light.

03 Seth는 자신의 독후감을 쓰느라 바쁘다. (busy, write)

_____ his book report.

04 그녀는 스페인어를 계속 배웠다. (keep on, Spanish)

_____ .

C 오류 수정

다음 문장에서 어법상 틀린 부분을 찾아 바르게 고치시오.

01 Thank you for come here.

_____ → _____

02 Is Amy interested to join our club?

_____ → _____

03 They are good making movies.

_____ → _____

Unit 06-01 ▶ 시간 전치사 in, on, at ◀ 전치사와 접속사

A
배열 영작

다음 우리말과 일치하도록 괄호 안에 주어진 말을 바르게 배열하시오.

01 그 박물관은 월요일마다 문을 닫는다. (on / closes / Mondays / the museum)

_____

02 그는 오전 7시 30분에 학교에 간다. (7:30 a.m. / he / at / school / goes to)

_____

03 나의 기말시험은 11월에 있을 것이다. (final exam / will / November / in / my / be)

_____

04 그녀는 금요일에 수영 강습을 받을 것이다. (a swimming lesson / Friday / she / take / will / on)

_____

B
문장 완성

다음 우리말과 일치하도록 괄호 안에 주어진 말을 활용하여 문장을 완성하시오.

01 경비원은 밤에 문을 잠근다. (night)

The guard locks the door _____.

02 우리의 여름 방학은 7월 15일에 시작한다. (start, July fifteenth)

Our summer vacation _____.

03 3월에 눈이 내렸다. (snow, fall, March)

_____

04 우리는 정오에 점심을 먹는다. (have, noon)

_____

C
조건 영작

다음 우리말과 일치하도록 〈보기〉에서 알맞은 말과 전치사를 활용하여 문장을 완성하시오.

보기	a cold day	her birthday	spring

01 봄에는 꽃이 피기 시작한다.

Flowers begin to bloom _____.

02 코코아 한 잔은 추운 날에 쉽게 잠 드는 데 도움이 될 수 있다.

A cup of hot chocolate can help you fall asleep easily _____.

03 우리는 그녀의 생일날에 서프라이즈 파티를 열어주었다.

We threw her a surprise party _____.

A 다음 우리말과 일치하도록 괄호 안에 주어진 말을 바르게 배열하시오.

배열 영작

01 나는 수업 중에 매우 졸렸다. (the class / so / I / sleepy / was / during)

_____

02 우리는 그곳에 두 시쯤에 도착할 것이다. (arrive / around / we / will / two o'clock / there)

_____

03 그들은 이곳에 3일 동안 머물렀다. (three days / here / they / stayed / for)

_____

04 나는 밤 11시부터 아침 6시까지 전화기를 꺼둔다. (to / I / 11 p.m. / my phone / 6 a.m. / from / turn off)

_____

B 다음 우리말과 일치하도록 괄호 안에 주어진 말을 활용하여 문장을 완성하시오.

문장 완성

01 그녀는 어젯밤에 세 시간밖에 못 잤다. (sleep)

She only _____ last night.

02 그들은 여름 동안 그 영화를 준비했다. (the summer)

They prepared for the movie _____.

03 점심 식사 후에 우리는 그 아이들이 수영하도록 호수로 데려갔다. (take)

_____ to the lake for a swim.

04 그는 저녁 식사 전에 자신의 숙제를 끝냈다. (finish)

_____.

C 다음 우리말과 일치하도록 괄호 안에 주어진 표현과 알맞은 전치사를 활용하여 문장을 완성하시오.

조건 영작

01 나는 아침 식사 후에 설거지를 했다. (do the dishes)

_____

02 나는 두 시간 동안 음악을 들었다. (listen to music)

_____

03 나의 삼촌은 그 회사에서 2010년부터 2022년까지 일했다. (work, at the company)

_____

A 배열 영작

다음 우리말과 일치하도록 괄호 안에 주어진 말을 바르게 배열하시오.

01 내 여동생은 의자에 앉아 있다. (the chair / my sister / sitting / on / is)

_____

02 교차로에서 사고가 있었다. (was / the crossroads / an accident / at / there)

_____

03 우리 가족은 10년 전에 목포에서 살았다. (my family / lived / Mokpo / ten years ago / in)

_____

04 당신은 학생 식당에서 아침 식사를 할 수 있습니다. (can have / you / at / breakfast / the cafeteria)

_____

B 문장 완성

다음 우리말과 일치하도록 괄호 안에 주어진 말을 활용하여 문장을 완성하시오.

01 나는 오늘 오후에 그 카페에서 너를 봤다. (the cafe)

I saw you _____ this afternoon.

02 나는 그 꽃병을 거실에 있는 테이블 위에 두었다. (the table)

I put the vase _____ in the living room.

03 할아버지께서 방금 소파에서 잠이 드셨다. (fall asleep, the sofa)

Grandpa just _____.

04 Victoria는 정문에서 그녀를 만났다. (meet, the main gate)

_____.

C 대화 완성

괄호 안에 주어진 단어와 in, on, at 중 알맞은 전치사를 활용하여 다음 대화를 완성하시오.

01 A: What are you going to do on Saturday?

B: I'm going to read books _____ and go shopping

_____. (library, the new shopping mall)

02 A: Hello. I'd like a room for two nights.

B: Sure, do you know that the room _____ has no beds?
(our guesthouse)

A: Do I have to sleep _____? (the floor)

B: Yes, you do.

A 배열 영작

다음 우리말과 일치하도록 괄호 안에 주어진 말을 바르게 배열하시오.

01 드러머가 가수 뒤에 앉아 있다. (behind / the drummer / is sitting / the singer)

_____

02 프라이팬을 센 불에 올려라. (the pan / put / high heat / over)

_____

03 공원 앞에서 만나자. (the park / in front of / let's meet)

_____

04 네 침대 아래에 무엇을 숨겼니? (under / did / what / you / hide / your bed)

_____

B 문장 완성

다음 우리말과 일치하도록 괄호 안에 주어진 말을 활용하여 문장을 완성하시오.

01 나는 식탁 아래에서 아버지의 자동차 열쇠를 발견했다. (the table)

I found my father's car key _____.

02 길 건너편에 있는 그 사람들을 봐. (the street)

Look at _____.

03 많은 사람들이 분홍색 집 앞에서 사진을 찍는다. (the pink house)

Many people take pictures _____.

04 내가 창문 옆에 앉아도 될까? (can, the window)

_____?

C 도표·그림

다음 그림을 보고, 빈칸에 at, next to, in front of 중 알맞은 전치사를 넣어 문장을 완성하시오.

01 We went to the bakery _____ the cafe.

02 There is a good restaurant _____ the bakery.

03 I sometimes buy flowers _____ the flower shop behind the restaurant.

A
배열 영작

다음 우리말과 일치하도록 괄호 안에 주어진 말을 바르게 배열하시오.

01 그 개는 못생겼지만 귀엽다. (ugly / is / the dog / cute / but)

_____

02 내일은 비가 오거나 날이 흐릴 것이다. (tomorrow / will / rainy / it / or / cloudy / be)

_____

03 Danny는 잘생긴 데다 창의적이다. (handsome / Danny / is / creative / and)

_____

04 Jordan과 나는 축구를 좋아한다. (Jordan / like / I / soccer /and)

_____

B
문장 완성

다음 우리말과 일치하도록 괄호 안에 주어진 말을 활용하여 문장을 완성하시오.

01 도둑이 달아났지만 경찰이 그를 쫓아갔다. (the policeman, chase)

The thief ran away, _____.

02 그들은 다음 주에 파리나 런던에 갈 것이다. (Paris, London)

They will _____ next week.

03 Brandon은 머리가 길고 눈이 파랗다. (long hair, blue eyes)

Brandon has _____.

04 Ted는 채소와 약간의 우유를 샀다. (vegetables, some milk)

_____.

C
문장 전환

다음 두 문장을 알맞은 등위접속사를 활용하여 한 문장으로 바꿔 쓰시오.

01 I called you many times. + You didn't answer.

→ _____

02 Gordon is a famous chef. + He owns many restaurants.

→ _____

03 Do you have any brothers? + Do you have any sisters?

→ _____

A

배열 영작

다음 우리말과 일치하도록 괄호 안에 주어진 말을 바르게 배열하시오.

01 Tom은 숙제를 끝낸 후에 잠을 잤다. (went to bed / Tom / finished / his homework / after / he)

_____

02 바지를 세탁하기 전에 주머니를 비워라. (empty / the pants / the pockets / you / wash / before)

_____

03 잊어버리기 전에 그걸 해라. (you / before / forget / it / do)

_____

04 Katie는 외출하기 전에 그녀의 방을 청소했다. (she / cleaned / Katie / before / her room / went out)

_____

B

문장 완성

다음 우리말과 일치하도록 괄호 안에 주어진 말을 활용하여 문장을 완성하시오. (단, before/after를 사용할 것)

01 나는 시험이 시작되기 전에 항상 화장실을 이용한다. (the test, begin)

I always use the bathroom _____.

02 Henry는 신문을 읽은 후에 개를 산책시켰다 (read, a newspaper)

_____, he walked his dog.

03 그가 저녁을 먹은 후에 그녀가 치웠다. (eat, dinner)

She cleaned up _____.

04 Lucas는 잠자리에 들기 전에 음악을 듣는다. (listen to, go to bed)

_____.

C

조건 영작

다음 우리말과 일치하도록 괄호 안에 주어진 표현과 알맞은 접속사를 활용하여 문장을 완성하시오.

01 그는 대통령이 되기 전에 변호사였다. (become, president)

_____, he was a lawyer.

02 아침을 먹은 뒤에 남은 것을 냉장고에 넣어라. (eat)

_____, put the leftovers in the fridge.

03 민지는 자신의 머리를 감은 후에 머리카락을 빗었다. (brush, wash)

Minji _____ it.

A 다음 우리말과 일치하도록 괄호 안에 주어진 말을 바르게 배열하시오.

배열 영작

01 나는 슬플 때 초콜릿을 먹는다. (eat / I / sad / chocolate / I / am / when)

_____

02 우리는 방학 때 낚시를 하러 갔다. (fishing / we / when / were / on vacation / went / we)

_____

03 차에 탈 때 머리를 조심해라. (when / your head / get in the car / you / watch)

_____

04 Mike는 열다섯 살 때 키가 작았다. (was / short / when / 15 years old / he / was / Mike)

_____

B 다음 우리말과 일치하도록 괄호 안에 주어진 말을 활용하여 문장을 완성하시오. (단, when을 사용할 것)

문장 완성

01 그는 나를 만나면 항상 웃는다. (meet)

_____, he always smiles.

02 비가 내리자 길거리의 사람들이 뛰기 시작했다. (rain)

_____, the people on the street started running.

03 내가 고개를 돌리자 Jordan이 나를 바라보았다. (turn, head)

Jordan looked at me _____.

04 너는 파티에 갈 때 무엇을 입을 거니? (go to the party)

_____?

C 다음 〈보기〉에서 빈칸에 가장 어울리는 말을 골라 when을 활용하여 문장을 완성하시오.

조건 영작

보기 ▶ feel sleepy   sunny and warm   come home   leave my phone at home

01 _____ outside, I walk my dog.

02 My dad cooks dinner _____ early.

03 _____ in class, I drink cold water.

04 _____, I felt nervous.

A 다음 우리말과 일치하도록 괄호 안에 주어진 말을 바르게 배열하시오.

배열 영작

01 Jason은 팔이 부러져서 병원에 가야 했다. (see a doctor / Jason / so / his arm / he / had to / broke)

_____

02 나는 영화배우가 되고 싶어서 영화를 많이 본다.
(I / a lot of movies / an actor / be / watch / want to / so / I)

_____

03 그 스케이트 선수는 발목을 다쳐서 대회에 참석할 수 없었다.
(his ankle / hurt / the contest / couldn't / so / he / take part in / the skater)

_____

04 Sally가 자주 아파서 그녀의 엄마가 그녀를 걱정한다.
(Sally / her mom / is / often sick / so / about / her / worries)

_____

B 다음 우리말과 일치하도록 괄호 안에 주어진 말을 활용하여 문장을 완성하시오. (단, so를 사용할 것)

문장 완성

01 Nancy는 최선을 다해서 후회가 없다. (have)

Nancy tried her best, _____ no regrets.

02 에스컬레이터가 갑자기 멈춰서 사람들이 계단을 이용했다. (use, the stairs)

The escalator suddenly stopped, _____.

03 나는 내일 시험이 있어서 열심히 공부해야 한다. (have to)

I have a test tomorrow, _____.

04 나는 아침을 안 먹어서 배가 고프다. (have, hungry)

_____.

C 다음 두 문장을 so를 활용하여 한 문장으로 바꿔 쓰시오. (단, 문장 순서에 유의할 것)

문장 전환

01 I don't like Ms. Dale. + She is strict.

→ _____

02 I love Emma Stone. + I will watch her new movie.

→ _____

03 I want to help you, too. + You helped me a lot.

→ _____

A
배열 영작

다음 우리말과 일치하도록 괄호 안에 주어진 말을 바르게 배열하시오.

01 나는 바빠서 응답을 못 했다. (couldn't / I / answer / busy / because / I / was)

_____

02 Amy는 생일 선물을 받아서 기분이 좋았다.
(felt / good / Amy / because / got / a birthday present / she)

_____

03 Brad는 내 타입이 아니라서 나는 그를 좋아하지 않는다.
(like / don't / I / Brad / because / my type / isn't / he)

_____

04 비가 많이 내려서 그들은 경기를 취소했다. (canceled / the game / a lot / because / it / they / rained)

_____

B
문장 완성

다음 우리말과 일치하도록 괄호 안에 주어진 말을 활용하여 문장을 완성하시오.

01 나는 네가 아주 열심히 일해서 자랑스러워. (work)
I'm proud of you _____ so hard.

02 Molly는 마지막 버스를 놓쳐서 택시를 탔다. (miss, the last bus)
Molly took a taxi _____.

03 그는 점심으로 매운 국수를 먹어서 배가 아팠다. (eat, spicy noodles)
He had a stomachache _____ for lunch.

04 그녀는 훌륭한 가수라서 나는 그녀를 좋아한다. (a great singer)

_____.

C
문장 전환

다음 문장을 because를 활용하여 같은 뜻이 되도록 바꿔 쓰시오.

01 It's cold outside, so you need to wear your coat.
→ You _____.

02 The TV show was really interesting, so many people watched it.
→ Many people _____.

03 Carrots are good for my health, so I like them.
→ I _____.

A
배열 영작

다음 우리말과 일치하도록 괄호 안에 주어진 말을 바르게 배열하시오.

01 Kate는 그녀가 의사가 될 것이라고 믿는다. (will be / Kate / that / she / believes / a doctor)

_____

02 너는 음악 선생님이 어제 새로 오셨다는 것을 들었니?
(came / did / yesterday / you / that / a new music teacher / hear)

_____

03 나는 우리 엄마가 최고의 요리사라고 생각한다. (I / is / that / my mom / the best cook / think)

_____

04 우리는 허리케인으로 인해 아무도 다치지 않기를 바란다.
(that / nobody / we / gets hurt / by the hurricane / hope)

_____

B
문장 완성

다음 우리말과 일치하도록 괄호 안에 주어진 말을 활용하여 문장을 완성하시오.

01 그들은 곧 비가 오기를 바란다. (rain, hope)

_____ soon.

02 어떤 아이들은 산타클로스가 실재 인물이라고 믿는다. (Santa Claus, a real person)
Some children _____.

03 우리 아버지는 그가 젊었을 때 잘생겼었다고 말씀하셨다. (say, handsome)
My father _____ when he was young.

04 나는 그 경기가 재미있었다고 생각해. (the game, exciting)

_____.

C
조건 영작

다음 우리말과 일치하도록 괄호 안에 주어진 말과 that을 활용하여 문장을 완성하시오.

01 우리 이모는 항상 나를 그리워한다고 말하신다. (say, miss)

_____

02 많은 사람들이 그가 훌륭한 정치인이라는 것을 알고 있다. (know, a good politician)

_____

03 그의 부모님은 그가 열심히 공부할 것이라고 믿는다. (believe, study)

_____

A
배열 영작

다음 우리말과 일치하도록 괄호 안에 주어진 말을 바르게 배열하시오.

01 나는 보통 저녁을 늦게 먹는다. (usually / I / a late dinner / have)

_____

02 이 마을에는 절대 눈이 오지 않는다. (in this town / snows / never / it)

_____

03 우리는 항상 당신을 사랑할 거예요. (love / we / will / you / always)

_____

04 아빠는 종종 나와 함께 산책을 하신다. (with me / takes a walk / often / my dad)

_____

B
문장 완성

다음 우리말과 일치하도록 괄호 안에 주어진 말을 활용하여 문장을 완성하시오.
(단, 빈도부사를 문두/문미에 쓰지 말 것)

01 그 가수는 보통 팬들과 사진을 찍는다. (take pictures)

The singer _____ with his fans.

02 사람들은 때때로 쉽게 사랑에 빠진다. (fall in love)

People _____ easily.

03 그녀는 결코 제시간에 오는 법이 없다. (be, on time)

She _____.

04 나는 자주 지하철을 탄다. (take the subway)

_____.

C
도표·그림

다음 Kate의 일상을 정리한 표를 보고, 〈보기〉에서 알맞은 빈도부사를 골라 문장을 완성하시오.

	Activities	Mon.	Tue.	Wed.	Thu.	Fri.
01	Ride my bike	○	○	○	○	○
02	Clean my room			○		
03	Be absent from school					

보기	never	sometimes	always

01 Kate _____.

02 She _____.

03 She _____.

A
배열 영작

다음 우리말과 일치하도록 괄호 안에 주어진 말을 바르게 배열하시오.

01 하노이는 런던보다 더 덥다. (hotter / is / than / London / Hanoi)

_____

02 그녀는 그녀의 언니보다 훨씬 더 느리다. (is / much / she / than / slower / her sister)

_____

03 나는 어제보다 더 일찍 일어났다. (yesterday / I / earlier / than / got up)

_____

04 Ashley가 Nicole보다 나이가 더 많다. (Nicole / Ashley / is / than / older)

_____

B
문장 완성

다음 우리말과 일치하도록 괄호 안에 주어진 말을 활용하여 문장을 완성하시오.

01 기온이 평소보다 더 낮다. (low)

The temperature _____ usual.

02 뜨거운 물이 차가운 물보다 더 빨리 얼 수 있을까? (freeze, fast)

Can hot water _____ cold water?

03 내 형이 나보다 더 가볍다. (light)

_____ me.

04 Leo는 자신의 아버지보다 더 바쁘다. (busy)

_____.

C
도표·그림

다음 그림을 보고, 괄호 안에 주어진 단어를 활용하여 두 공을 비교하는 문장을 완성하시오.

01 The baseball _____

the basketball. (small)

02 The soccer ball _____

the tennis ball. (big)

03 The rugby ball _____

the shuttlecock. (heavy)

Unit 07-03 ▷ 비교급: more ~ ◀ 빈도부사, 비교

A 배열 영작
다음 우리말과 일치하도록 괄호 안에 주어진 말을 바르게 배열하시오.

01 그 소식은 영화보다 더 흥미롭다. (is / than / the news / interesting / the movie / more)
_____

02 그의 남동생은 그보다 더 활동적이다. (active / his brother / is / more / him / than)
_____

03 Ethan은 Oliver보다 더 성실하다. (diligent / Oliver / than / Ethan / is / more)
_____

04 나는 밥보다 국수를 더 좋아한다. (like / I / than / more / rice / noodles)
_____

B 문장 완성
다음 우리말과 일치하도록 괄호 안에 주어진 말을 활용하여 문장을 완성하시오.

01 거짓말은 도둑질보다 더 나쁘다. (bad)
Lying _____ theft.

02 버스는 지하철보다 더 붐볐다. (crowded)
The bus _____ the subway.

03 이것은 감기 바이러스보다 훨씬 더 위험해 보인다. (far, dangerous)
This looks _____ a cold virus.

04 그는 나보다 더 조심스럽다. (careful)
_____.

C 조건 영작
다음 괄호 안에 주어진 단어를 활용하여 비교급 문장을 완성하시오.

01 He eats _____ his brother. (little)

02 She likes dogs much _____ cats. (much)

03 I think science _____ history. (difficult)

04 I believe the moon _____ the sun. (beautiful)

05 Your cookie looks _____ mine. (delicious)

A
배열 영작

다음 우리말과 일치하도록 괄호 안에 주어진 말을 바르게 배열하시오.

01 이것은 이 페이지에서 가장 쉬운 질문이다. (question / easiest / on this page / the / this / is)

_____

02 이 도시는 세계에서 인터넷 속도가 가장 빠르다.
(fastest / in the world / the / has / this city / internet speed)

_____

03 이 건물은 대만에서 가장 높다. (in Taiwan / is / this building / tallest / the)

_____

04 다이아몬드는 세상에서 가장 단단한 물질이다. (in the world / are / the / diamonds / things / hardest)

_____

B
문장 완성

다음 우리말과 일치하도록 괄호 안에 주어진 말을 활용하여 문장을 완성하시오.

01 침팬지는 가장 영리한 동물이다. (smart, animal)

The chimpanzee is _____.

02 Julia는 세상에서 가장 아름다운 미소를 가지고 있다. (beautiful, smile)

Julia has _____ in the world.

03 백두산은 한국에서 가장 높은 산이다. (high, mountain)

Mt. Baekdu _____.

04 이 나무는 우리 마을에서 가장 오래된 나무이다. (old, my town)

_____

C
도표·그림

다음 표를 보고, 〈보기〉에서 알맞은 단어를 골라 최상급 문장을 완성하시오.

세계에서 가장 큰 나라	한국에서 가장 긴 다리	세계에서 가장 무거운 동물
Russia	Incheon Grand Bridge	blue whale

보기	long	heavy	large

01 Russia _____ in the world.

02 Incheon Grand Bridge _____ in Korea.

03 The blue whale _____.

A
배열 영작

다음 우리말과 일치하도록 괄호 안에 주어진 말을 바르게 배열하시오.

01 상하이는 중국에서 가장 붐비는 도시이다. (is / most / the / Shanghai / city / in China / crowded)

_____

02 내 휴대전화는 내 가방 안에 있는 가장 비싼 물건이다.
(in my bag / is / my cellphone / the / expensive / most / thing)

_____

03 가장 중요한 것은 최선을 다하는 것이다. (important / is / the / doing your best / most / thing)

_____

04 이 모자는 우리 가게에서 가장 인기 있는 상품이다.
(in our store / the / this hat / popular / most / is / item)

_____

B
문장 완성

다음 우리말과 일치하도록 괄호 안에 주어진 말을 활용하여 문장을 완성하시오.

01 그녀는 프라하가 세상에서 가장 멋진 도시라고 생각한다. (wonderful, city)

She thinks Prague is _____ in the world.

02 이곳은 베트남에서 가장 좋은 호텔이다. (good, hotel)

This place _____ in Vietnam.

03 그것은 그 방에서 가장 편안한 의자이다. (comfortable)

It is _____.

04 그는 그의 반에서 가장 호기심이 많은 소년이다. (curious)

_____.

C
오류 수정

우리말을 영어로 옮긴 문장에서 어법상 틀린 부분 두 군데를 고쳐 전체 문장을 다시 쓰시오.

01 (세계에서 가장 더운 지역은 어디니?)

What is the most hotest region in the world?

→ _____

02 (이것은 선물로 가장 좋은 책입니다.)

This is most good book for a gift.

→ _____

A

배열 영작

다음 우리말과 일치하도록 괄호 안에 주어진 말을 바르게 배열하시오.

01 어젯밤에 누가 나한테 전화했니? (me / last night / called / who)

_____

02 누가 정원에 장미를 심었나요? (planted / roses / in the garden / who)

_____

03 누가 여기를 이렇게 어질러 놨니? (this mess / who / made / in here)

_____

04 누가 너랑 동행할 거니? (is / who / going / with you)

_____

B

문장 완성

다음 우리말과 일치하도록 괄호 안에 주어진 말을 활용하여 문장을 완성하시오.

01 누가 그의 문제를 도와줄 수 있나요? (help)

_____ him with his problem?

02 누가 이 방의 불을 껐나요? (turn off, the light)

_____ in this room?

03 누가 그 아이들을 돌볼 건가요? (will, take care of)

_____ the children?

04 누가 어제 너랑 같이 쇼핑하러 갔어? (go shopping)

_____ ?

C

조건 영작

다음 우리말과 일치하도록 〈보기〉에서 고른 말을 활용하여 질문을 완성하시오.

보기	eat	lend	take

01 누가 내 케이크를 먹었어?

_____ my cake?

02 누가 지금 나에게 연필을 빌려줄 수 있니?

_____ me a pencil now?

03 누가 내 책상 위에 있던 지우개를 가져갔어?

_____ the eraser on my desk?

A

배열 영작

다음 우리말과 일치하도록 괄호 안에 주어진 말을 바르게 배열하시오.

01 저 키 큰 소년은 누구니? (tall boy / is / who / that)

_____

02 Jacob은 자신의 파티에 누구를 초대할 건가요? (will / to his party / Jacob / invite / who)

_____

03 당신은 누구에게 감사를 표하고 싶으세요? (want / thank / who / do / you / to)

_____

04 공원에 있던 그 사람들은 누구였나요? (in the park / those people / who / were)

_____

B

문장 완성

다음 우리말과 일치하도록 괄호 안에 주어진 말을 활용하여 문장을 완성하시오.

01 너는 이 영화에서 누구를 가장 좋아하니? (like)

_____ most in this movie?

02 그녀는 어제 누구랑 미술관에 갔었니? (visit)

_____ the art gallery with yesterday?

03 너는 보통 누구와 함께 학교에 가니? (usually, go)

_____ with?

04 이 사진 속에 있는 소녀는 누구니? (girl, picture)

_____ ?

C

대화 완성

B의 응답에 쓴 표현을 활용하여 다음 밑줄 친 부분을 묻는 질문을 완성하시오.

01 A: _____ in the subway?

B: I helped an old woman.

02 A: _____ here?

B: He's going to bring his brother.

03 A: _____ in the theater?

B: I found Tim there.

A
배열 영작

다음 우리말과 일치하도록 괄호 안에 주어진 말을 바르게 배열하시오.

01 무엇이 네 여행을 망쳤니? (spoiled / what / your trip)

_____

02 무엇이 Jane을 화나게 했나요? (what / angry / Jane / made)

_____

03 어젯밤 사고의 원인은 무엇입니까? (the accident / caused / what / last night)

_____

04 너는 그를 생각하면 무엇이 떠오르니? (when / comes to / think of / your mind / what / you / him)

_____

B
문장 완성

다음 우리말과 일치하도록 괄호 안에 주어진 말을 활용하여 문장을 완성하시오.

01 무엇이 그를 그 장소에 가게 했니? (bring)

_____ to the place?

02 이 재킷에는 무엇이 잘 어울리나요? (go well)

_____ with this jacket?

03 무엇이 그녀를 깨어있게 하나요? (keep, awake)

_____?

04 네 주머니 안에는 무엇이 있니? (pocket)

_____?

C
조건 영작

다음 우리말과 일치하도록 〈보기〉에서 고른 말을 활용하여 질문을 완성하시오.

보기	change	happen	make

01 무엇이 당신의 마음을 바꾸었나요?

_____ your mind?

02 무엇이 그를 그렇게 특별하게 만드나요?

_____ so special?

03 그 방에서 무슨 일이 일어나고 있나요?

_____ in the room?

A 다음 우리말과 일치하도록 괄호 안에 주어진 말을 바르게 배열하시오.

배열 영작

01 네가 가장 좋아하는 음식이 무엇이니? (your / is / what / favorite food)

_____

02 'Te amo'가 무슨 뜻인가요? (does / "Te amo" / what / mean)

_____

03 너는 지하철에서 무엇을 잃어버렸니? (you / what / lose / did / on the subway)

_____

04 그녀는 그 행사에 대해 어떻게 생각했나요? (about the event / think / what / she / did)

_____

B 다음 우리말과 일치하도록 괄호 안에 주어진 말을 활용하여 문장을 완성하시오.

문장 완성

01 그는 대학에서 무엇을 공부했나요? (study)

_____ at college?

02 너의 겨울 방학 계획들은 무엇이니? (plans)

_____ for the winter vacation?

03 내가 엄마의 생신을 위해 무엇을 할 수 있을까? (can, do)

_____ for my mom's birthday?

04 오늘이 며칠이지? (the date)

_____ ?

C 괄호 안에 주어진 단어와 B의 응답에 쓴 표현을 활용하여 다음 대화를 완성하시오.

대화 완성

01 A: _____ in the future? (what, want)

B: I want to be a firefighter.

02 A: _____ this weekend? (what, do)

B: I'm going to go fishing with my dad.

03 A: _____ for lunch? (what, eat)

B: I ate curry and rice.

A

배열 영작

다음 우리말과 일치하도록 괄호 안에 주어진 말을 바르게 배열하시오.

01 그는 몇 번가에 사나요? (street / what / does / live on / he)

_____

02 이 비행기는 뉴욕에 몇 시에 착륙하나요? (land / what / time / in New York / this airplane / does)

_____

03 그는 어떤 종류의 음식을 만드나요? (make / what / food / does / kind of / he)

_____

04 Kathy는 어떤 만화 캐릭터를 닮았나요? (Kathy / look like / does / cartoon character / what)

_____

B

문장 완성

다음 우리말과 일치하도록 괄호 안에 주어진 말을 활용하여 문장을 완성하시오. (단, what을 사용할 것)

01 Peggy는 어느 도시에 살아요? (city)

_____ Peggy live in?

02 핼러윈은 며칠인가요? (date)

_____ Halloween?

03 Carter 씨는 어떤 과목을 가르치나요? (subject, teach)

_____?

04 너희는 몇 시에 만날 예정이니? (will, meet)

_____?

C

오류 수정

다음 문장에서 어법상 틀린 부분을 찾아 바르게 고쳐 쓰시오.

01 What does flower Sara like best?

_____ → _____

02 What kind of activities does Mike enjoys?

_____ → _____

03 What time do the department store open?

_____ → _____

A

배열 영작

다음 우리말과 일치하도록 괄호 안에 주어진 말을 바르게 배열하시오.

01 너는 어떤 수업을 듣고 싶니? (to take / class / do / you / which / want)

_____

02 어떤 동물이 가장 똑똑합니까? (which / the smartest / animal / is)

_____

03 너는 어떤 머리 스타일을 좋아하니? (hairstyle / which / you / like / do)

_____

04 어느 나라가 주로 아침으로 팬케이크를 먹나요?

(country / for breakfast / eats / often / pancakes / which)

_____

B

문장 완성

다음 우리말과 일치하도록 괄호 안에 주어진 말을 활용하여 문장을 완성하시오. (단, which를 사용할 것)

01 어떤 캐릭터들이 그 책에 나오나요? (characters, appear)

_____ in the book?

02 너는 축구와 야구 중 어떤 스포츠를 좋아하니? (sports, like)

_____, soccer or baseball?

03 너는 지도에서 어떤 장소들을 볼 수 있니? (place, see)

_____ on the map?

04 너는 어떤 영화를 보고 싶니? (movie, see)

_____ ?

C

대화 완성

괄호 안에 주어진 표현과 B의 응답에 쓴 표현을 활용하여 다음 대화를 완성하시오.

01 A: _____, the white one or the orange one?

(which, shirt)

B: I'll wear the orange one.

02 A: _____, zebras or ostriches? (which, animals)

B: The zebras are faster.

03 A: _____ the baseball match yesterday? (which, team)

B: *The Tigers* won.

A 다음 우리말과 일치하도록 괄호 안에 주어진 말을 바르게 배열하시오.

배열 영작

01 미국에서 추수감사절은 언제인가요? (Thanksgiving Day / is / when / in the U.S.)

_____

02 너는 언제 내게 진실을 말해줄 거니? (the truth / me / going / are / tell / when / you / to)

_____

03 Lisa는 언제 숙제를 할 거니? (Lisa / going / when / do / to / is / her homework)

_____

04 너는 언제 집에 올 거니? (coming / are / when / home / you)

_____

B 다음 우리말과 일치하도록 괄호 안에 주어진 말을 활용하여 문장을 완성하시오.

문장 완성

01 당신의 인생에서 가장 행복했던 때는 언제였나요? (the happiest time)

_____ of your life?

02 우리는 언제 리허설을 할 예정인가요? (be going to, have)

_____ a rehearsal?

03 너는 언제 우리에게 이것에 대해 말하려고 했니? (be going to, tell)

_____ about this?

04 학교 축제는 언제야? (the school festival)

_____?

C 다음 우리말과 일치하도록 B의 응답에 쓴 표현을 활용하여 질문을 완성하시오.

대화 완성

01 A: _____ last year?
(작년에 너희 수학여행은 언제였니?)

B: Our school trip was from May 15 to 17.

02 A: _____ into the new house?
(Eddie가 언제 새 집으로 이사할 예정인가요?)

B: He's going to move into it next month.

A

배열 영작

다음 우리말과 일치하도록 괄호 안에 주어진 말을 바르게 배열하시오.

01 회의는 언제 시작됩니까? (will / the meeting / when / begin)

_____

02 너는 언제 모자를 쓰니? (a cap / when / you / do / wear)

_____

03 결승전은 언제 끝났습니까? (end / did / the final match / when)

_____

04 Amy는 그 돈이 언제 필요한가요? (the money / Amy / does / need / when)

_____

B

문장 완성

다음 우리말과 일치하도록 괄호 안에 주어진 말을 활용하여 문장을 완성하시오.

01 너는 그것을 언제 찾았니? (find)

_____ it?

02 너는 언제 행복을 느끼니? (feel)

_____ happy?

03 그녀는 언제 발레리나가 되기로 결심했나요? (decide, be)

_____ a ballerina?

04 비가 언제 내렸니? (rain)

_____ ?

C

대화 완성

괄호 안에 주어진 말과 B의 응답에 쓴 표현을 활용하여 다음 질문을 완성하시오.

01 A: _____ the new shopping mall? (when, hear about)

B: I heard about it yesterday.

02 A: _____ there with me? (when, go)

B: I want to go there this weekend.

03 A: _____ ? (what time, meet)

B: I want to meet at 10 a.m.

A
배열 영작

다음 우리말과 일치하도록 괄호 안에 주어진 말을 바르게 배열하시오.

01 이 건물에는 화장실이 어디에 있나요? (is / the bathroom / where / this building / in)

_____

02 Richard 씨는 어디 출신인가요? (Mr. Richard / from / where / is)

_____

03 당신은 휴일을 어디에서 보내고 있나요? (your holidays / are / you / where / spending)

_____

04 이 지도에서 이스탄불은 어디에 있나요? (Istanbul / is / where / on this map)

_____

B
문장 완성

다음 우리말과 일치하도록 괄호 안에 주어진 말을 활용하여 문장을 완성하시오.

01 이 근처에 가장 가까운 병원이 어디입니까? (near, hospital)

_____ around here?

02 너희 가족은 이번 주말에 어디로 캠핑을 가려고 하니? (family)

_____ going camping this weekend?

03 이 음악은 어디에서 나오고 있나요? (music, come)

_____ from?

04 내 양말 어디에 있어? (socks)

_____ ?

C
대화 완성

의문사 where과 B의 응답에 쓴 표현을 활용하여 밑줄 친 부분을 묻는 질문을 완성하시오.

01 A: _____, Sally?

B: I'm <u>from Los Angeles</u>.

02 A: _____ in Germany?

B: We're going to stay <u>in Frankfurt</u>.

03 A: _____ ?

B: He's hiding <u>behind the curtain</u>.

A
배열 영작

다음 우리말과 일치하도록 괄호 안에 주어진 말을 바르게 배열하시오.

01 Peter는 내일 어디로 갈 거니? (tomorrow/ where / Peter / go / will)

_____

02 펭귄은 어디에 사나요? (where / penguins / do / live)

_____

03 그녀는 전화기를 어디서 찾았나요? (her phone / did / where / find / she)

_____

04 Amy와 그녀의 친구들은 어젯밤에 어디에 머물렀나요?
(last night / where / Amy and her friends / stay / did)

_____

_____

B
문장 완성

다음 우리말과 일치하도록 괄호 안에 주어진 말을 활용하여 문장을 완성하시오.

01 실례합니다만 남성용 모자를 어디에서 볼 수 있나요? (find)

Excuse me, _____ men's hats?

02 너는 자전거를 어디에 세워 뒀니? (park)

_____ your bicycle?

03 너는 어디에 가고 싶니? (want, go)

_____ ?

04 너는 오늘 오후에 어디에서 공부했니? (study)

_____ ?

C
조건 영작

다음 우리말과 일치하도록 〈보기〉에서 고른 말을 활용하여 질문을 완성하시오.

보기▶	put	have	work

01 그들은 어디에서 점심을 먹었나요?

_____ lunch?

02 제 재킷을 어디에 둘 수 있나요?

_____ my jacket?

03 Smith 씨는 어디에서 일을 하나요?

_____ ?

A

배열 영작

다음 우리말과 일치하도록 괄호 안에 주어진 말을 바르게 배열하시오.

01 너는 왜 이 책을 골랐니? (choose / this book / you / did / why)

_____

02 그녀는 왜 웃고 있나요? (she / laughing / why / is)

_____

03 왜 우리는 화성에서 살 수 없을까? (can't / why / live / on Mars / we)

_____

04 저는 왜 등이 아플까요? (my back / why / does / hurt)

_____

B

문장 완성

다음 우리말과 일치하도록 괄호 안에 주어진 말을 활용하여 문장을 완성하시오.

01 너희 삼촌은 왜 조종사가 되셨니? (uncle, become)

_____ a pilot?

02 사람들이 왜 저기 있는 소녀를 좋아하나요? (like)

_____ the girl over there?

03 하늘은 왜 파랄까요? (the sky, blue)

_____ ?

04 너는 왜 그곳에 살고 싶니? (want, live, there)

_____ ?

C

오류 수정

다음 문장에서 어법상 <u>틀린</u> 부분을 찾아 바르게 고치시오.

01 Why we can't fly like birds?

_____ → _____

02 Why do these jeans so expensive?

_____ → _____

03 Why does they like Paul?

_____ → _____

A 다음 우리말과 일치하도록 괄호 안에 주어진 말을 바르게 배열하시오.

배열 영작

01 코트를 벗는 게 어떠세요? (don't / your coat / why / you / take off)

_____

02 우리 잠시 쉬는 게 어때? (for a while / why / we / a break / don't / take)

_____

03 당신이 Jessica에게 그것에 관해 물어보는 게 어때요? (Jessica / ask / about / why / you / it / don't)

_____

04 우리가 학교 밴드를 만드는 게 어때? (why / we / a school band / make / don't)

_____

B 다음 우리말과 일치하도록 괄호 안에 주어진 말을 활용하여 문장을 완성하시오.

문장 완성

01 우리 같이 저녁 먹지 않을래? (have dinner)

_____ together?

02 너희 할머니에 대해 써보는 게 어때? (write)

_____ about your grandmother?

03 우리 밖으로 나가서 이야기하는 게 어때요? (go outside)

_____ and talk?

04 우리 서두르는 게 어때? (hurry)

_____?

C 다음 우리말과 일치하도록 〈보기〉에서 고른 말과 「Why don't ~?」 표현을 활용하여 문장을 완성하시오.

조건 영작

보기	tell	try	learn

01 우리 스키를 배워보는 게 어때?

_____ skiing?

02 너는 그것을 다시 한 번 해보는 게 어때?

_____ again?

03 당신이 그녀에게 그것에 대해 말해주는 게 어때요?

_____ about it?

A
배열 영작

다음 우리말과 일치하도록 괄호 안에 주어진 말을 바르게 배열하시오.

01 파리 여행은 어땠니? (was / your trip / how / to / Paris)

_____

02 스테이크를 어떻게 드시겠어요? (your steak / do / how / you / like)

_____

03 당신은 새해를 어떻게 기념하실 건가요? (how / the New Year / celebrate / you / will)

_____

04 제 전화번호를 어떻게 아셨나요? (my phone number / how / get / you / did)

_____

B
문장 완성

다음 우리말과 일치하도록 괄호 안에 주어진 말을 활용하여 문장을 완성하시오.

01 당신은 이것을 영어로 어떻게 말하죠? (do, say)

_____ in English?

02 시청에 어떻게 갈 수 있나요? (can, get to)

_____ the city hall?

03 그 개가 자신의 집 밖으로 어떻게 나갔나요? (do, get out of)

_____ his house?

04 너희 농구 시합은 어땠니? (basketball game)

_____ ?

C
대화 완성

의문사 how와 B의 응답에 쓴 표현을 활용하여 다음 대화를 완성하시오.

01 A: _____ this skirt?

B: I'll pay for it with my credit card.

02 A: _____ this door?

B: You can open it with the key under the mat.

03 A: _____ these books?

B: I got them at a bookshop.

Unit 08-14 ▶ how+형용사/부사 ◀ 의문사

A
배열 영작

다음 우리말과 일치하도록 괄호 안에 주어진 말을 바르게 배열하시오.

01 축구 경기장은 얼마나 넓은가요? (is / wide / a soccer field / how)

_____

02 일 년에 몇 주가 있나요? (in a year / there / how / weeks / are / many)

_____

03 너는 체중을 얼마나 자주 재니? (weigh / how / yourself / you / do / often)

_____

04 달걀을 삶는 데 얼마나 걸리나요? (to boil / does / how / take / eggs / it / long)

_____

B
문장 완성

다음 우리말과 일치하도록 괄호 안에 주어진 말을 활용하여 문장을 완성하시오.

01 매표소는 여기서 얼마나 먼가요? (far)

_____ the box office from here?

02 너희는 하루에 얼마나 걷니? (much, walk)

_____ a day?

03 에펠탑의 높이는 얼마나 되나요? (tall)

_____ the Eiffel Tower?

04 이 운동화는 얼마입니까? (sneakers)

_____ ?

C
대화 완성

「how+형용사/부사」와 B의 응답에 쓴 표현을 활용하여 다음 대화를 완성하시오.

01 A: _____ Dr. Martin?

B: He is 45 years old.

02 A: _____ your room a week?

B: I clean my room twice a week.

03 A: _____ on the island last summer?

B: I stayed there for a week.

A
배열 영작

다음 우리말과 일치하도록 괄호 안에 주어진 말을 바르게 배열하시오.

01   신선한 공기를 좀 쐬어라. (some / air / fresh / get)

_____

02   내 안경을 조심해 줘. (careful / my glasses / be / with)

_____

03   그 실수에 대해서는 잊어라. (about / the mistake / forget)

_____

04   지금 바로 그 파일을 내게 보내라. (send / right now / the file / to me)

_____

B
문장 완성

다음 우리말과 일치하도록 괄호 안에 주어진 말을 활용하여 문장을 완성하시오.

01   영화관에서는 네 전화기를 꺼라. (turn off)

_____ at the movie theater.

02   저를 위해 이 노래를 불러주세요. (sing)

_____ for me.

03   당신의 오른손을 들어주세요. (raise)

_____, please.

04   네 남동생에게 잘해줘라. (nice)

_____.

C
문장 전환

다음 문장을 긍정 명령문으로 바꿔 쓰시오.

01   You have to take a break now.

→ _____

02   You must be careful on slippery roads.

→ _____

03   You should check the price before you buy something.

→ _____

A 배열 영작

다음 우리말과 일치하도록 괄호 안에 주어진 말을 바르게 배열하시오.

01 밤에 커피를 마시지 마라. (coffee / at night / drink / don't)

_____

02 그의 건강에 대해 걱정하지 마라. (don't / his health / worry about)

_____

03 낯선 사람들과 말하지 마라. (strangers / talk to / don't)

_____

04 질문하는 것을 두려워하지 마라. (to ask / don't / afraid / be)

_____

B 문장 완성

다음 우리말과 일치하도록 괄호 안에 주어진 말을 활용하여 문장을 완성하시오. (단, 축약형을 사용할 것)

01 박물관에서 사진을 찍지 마세요. (take pictures)

_____ in the museum.

02 게으르게 굴지 마. 너는 네 숙제를 해야 해. (lazy)

_____. You should do your homework.

03 빙판길에서 너무 빨리 걷지 마라. (walk, fast)

_____ on icy roads.

04 교실 안에서 뛰지 마라. (run)

_____ .

C 조건 영작

다음 우리말과 일치하도록 〈보기〉에서 알맞은 단어를 골라 부정 명령문을 완성하시오. (단, 축약형을 사용할 것)

보기 ▶	shy	sit	put	park

01 _____ on the floor. (바닥에 앉지 마라.)

02 _____ in a disabled space, please. (장애인 주차 구역에 주차하지 마세요.)

03 _____ about asking for help. (도움을 청하는 것을 부끄러워하지 마라.)

04 _____ the potatoes in the refrigerator. (감자를 냉장고에 넣지 마라.)

A
배열 영작

다음 우리말과 일치하도록 괄호 안에 주어진 말을 바르게 배열하시오.

01 우리는 거기서 무료 와이파이를 못 써, 그렇지? (can't / we / use / there / we / can / free Wi-Fi)

_____

02 Mike는 학교에서 돌아오지 않았지, 그렇지? (come back / Mike / from school / he / did / didn't)

_____

03 파리는 위험한 도시는 아니죠, 그렇죠? (it / is / not / Paris / a dangerous city / is)

_____

04 Jenny가 안경을 새로 샀더라, 그렇지 않니? (she / bought / Jenny / new glasses / didn't)

_____

B
문장 완성

다음 우리말과 일치하도록 괄호 안에 주어진 말을 활용하여 문장을 완성하시오. (단, 축약형을 사용할 것)

01 그들은 그 기차를 놓치면 안 돼, 그렇지? (miss, the train)

They shouldn't _____, _____?

02 네 남동생이 그 창문을 깼지, 그렇지 않니? (break)

Your brother _____, _____?

03 네가 내 가장 친한 친구잖아, 그렇지 않니? (best friend)

You are _____, _____?

04 너는 그 책이 필요 없잖아, 그렇지? (need)

_____?

C
대화 완성

다음 빈칸에 알맞은 형태의 부가의문문과 응답을 넣어 대화를 완성하시오. (단, 축약형을 사용할 것)

01 A: You can play the guitar, _____?

B: _____, I _____. I want to join the school band.

02 A: This Friday is Eric's birthday, _____?

B: _____, it _____. Why don't we throw him a surprise party?

03 A: Sora doesn't have a cellphone case, _____?

B: _____, she _____. I'll buy her a pretty one.

A
배열 영작

다음 우리말과 일치하도록 괄호 안에 주어진 말을 바르게 배열하시오.

01 그는 정말 정직한 사람이구나! (an / is / honest / man / what / he)
_____

02 너는 정말 예쁜 손을 가졌구나! (beautiful / hands / what / have / you)
_____

03 그것은 정말 지루한 영화네요! (a / what / movie / boring / is / it)
_____

04 그것은 정말 멋진 골이었어! (a / what / great / it / goal / was)
_____

B
문장 완성

다음 우리말과 일치하도록 괄호 안에 주어진 말을 활용하여 문장을 완성하시오.

01 정말 환상적인 주말이네요! (fantastic)
_____ weekend!

02 그것은 정말 유용한 프로그램이구나! (useful)
_____ program it is!

03 나는 정말 놀라운 동물들을 보았어! (amazing)
_____ I saw!

04 그것은 정말 바보 같은 생각이군요! (foolish, idea)
_____ !

C
문장 전환

다음 문장을 what으로 시작하는 감탄문으로 바꿔 쓰시오.

01 She is a really tall woman.
→ _____

02 The bridge is very long.
→ _____

03 The islands are very small.
→ _____

A

배열 영작

다음 우리말과 일치하도록 괄호 안에 주어진 말을 바르게 배열하시오.

01 지수는 정말 행복하구나! (happy / Jisoo / is / how)

_____

02 날씨가 참 끔찍했어! (was / how / the weather / terrible)

_____

03 너의 고양이는 정말 귀엽구나! (cute / your cat / how / is)

_____

04 인생은 정말 멋지군요! (wonderful / life / how / is)

_____

B

문장 완성

다음 우리말과 일치하도록 괄호 안에 주어진 말을 활용하여 감탄문을 완성하시오.

01 Nick의 새 자동차는 정말 멋지구나! (cool)

_____ Nick's new car is!

02 의자들이 참 편안했어! (comfortable)

_____ the chairs were!

03 그 건물은 정말 높구나! (tall, building)

_____ is!

04 네 여동생은 정말 사랑스럽구나! (lovely)

_____!

C

문장 전환

다음 문장을 how로 시작하는 감탄문으로 바꿔 쓰시오.

01 These shoes are too tight.

→ _____

02 They all look so tasty.

→ _____

03 The young man was very kind.

→ _____

쓰작 ^{중학}^{영어} 시리즈

중학 내신
서술형 완벽대비

· 중학 교과서 진도 맞춤형 내신 서술형 대비
· 한 페이지로 끝내는 핵심 영문법 포인트별 정리+문제 풀이
· 효과적인 3단계 쓰기 훈련: 순서 배열 → 빈칸 완성 → 내신 기출
· 서술형 만점을 위한 오답&감점 피하기 솔루션 제공
· 최신 서술형 유형 100% 반영된 <내신 서술형 잡기> 챕터별 수록
· 서술형 추가 연습을 위한 워크북 제공

부가자료 다운로드
www.cedubook.com

LISTENING Q

중학영어듣기 모의고사 시리즈

1 최신 기출을 분석한 유형별 공략

· 최근 출제되는 모든 유형별 문제 풀이 방법 제시
· 오답 함정과 정답 근거를 통해 문제 분석
· 꼭 알아두야 할 주요 어휘와 표현 정리

2 실전모의고사로 문제 풀이 감각 익히기

실전 모의고사 20회로 듣기 기본기를 다지고,
고난도 모의고사 4회로 최종 실력 점검까지!

3 매 회 제공되는 받아쓰기 훈련(딕테이션)

· 문제풀이에 중요한 단서가 되는
  핵심 어휘와 표현을 받아 적으면서 듣기 훈련!
· 듣기 발음 중 헷갈리는 발음에 대한 '리스닝 팁' 제공
· 교육부에서 지정한 '의사소통 기능 표현' 정리

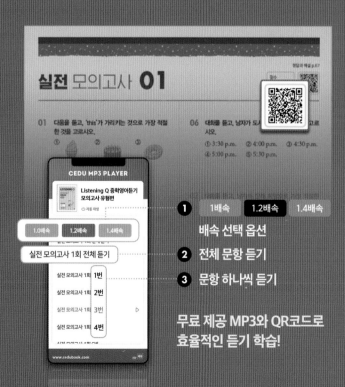

무료 제공 MP3와 QR코드로
효율적인 듣기 학습!

쎄듀

READING RELAY 한 권으로
영어를 공부하며 국·수·사·과까지 5과목 정복!

리딩릴레이 시리즈

① 각 챕터마다 주요 교과목으로 지문 구성!

우리말 지문으로 배경지식을 읽고, 관련된 영문 지문으로 독해력 키우기

중2 사회 교과서 中 해수면 상승과 관련 지문	리딩릴레이 Master 2권 해수면 상승 지문
② 기후 변화는 인간 생활에 어떤 영향을 미칠까? **빙하 감소와 해수면 상승** 지구 온난화의 영향으로 지표면의 ○ 가면서 빙하의 면적이 줄어들고 있다. 남극과 ○ 알프스산맥, 히말라야산맥, 안데스산○ 격하게 녹고 있다. 이렇게 녹은 물이 ○ 한다. 그 결과 방글라데시와 같이 해안 저지대에 있는 나○ 시로 범람 및 침수 피해를 겪고 있으며, 몰디브를 비롯하○ 나우루 등 많은 섬나라는 국토가 점차 바닷물에 잠겨 지구○ 라질 위기에 놓여 있다.	According to researchers, the Mal○ won't look the same as it does now. A○ the Maldives is the○ ands in the Maldives are○ likely to be sunk under the ocean and ○ researchers.

→ **배경지식 연계** → **타과목 연계 목차** →

Chapter 01	중학 역사1
초콜릿 음료	신항로 개척과 대서양 무역의 확○ 고등 세계사 - 문명의 성립과 통일 제○
ter 02	중학 국어
	○ 면 안 되는 나라 세상의 안과 밖 고등 통합사회 - 세계의 다양한 문화○
Chapter 03	중학 사회1
적도와 가까운 도시 Quito	자연으로 떠나는 여행 고등 세계지리 - 세계의 다양한 자연○

② 학년별로 국/영문의 비중을 다르게!

지시문 & 선택지 기준

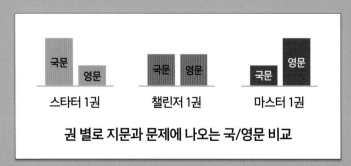

권 별로 지문과 문제에 나오는 국/영문 비교

③ 교육부 지정 필수 어휘 수록!

교육부 지정 중학 필수 어휘	
genius	명 1. **천재** 2. 천부의 재능
slip	동 1. **미끄러지다** 2. 빠져나가다
compose	동 1. 구성하다, ~의 일부를 이루다 2.○ 3. 작곡하다
	형 (현재) 살아 있는

쎄듀

중학 서술형이
만만해지는 문장연습

중학영어

쓰작

쓰기 + 작문

중학
영어

1

정답 및 해설

쎄듀

중학
영어

쓰작

쓰기 + 작문

1

정답 및 해설

Unit 01 be동사와 일반동사

01-01 be동사 – 긍정문

p. 16

A 배열 영작

01 Firefighters are brave.
02 They are my neighbors.
03 My room is on the second floor.

B 문장 완성

01 is our school uniform
02 are on the sofa
03 Bob and Ted are her brothers

내신 기출

01 He is our guest.
그는 우리 손님이다.
02 They are in the pool now.
그들은 지금 수영장에 있다.
03 I am a member of the school band.
나는 학교 밴드의 멤버이다.

🎯 **감점 피하기**
Kate and I are best friends.
Kate와 나는 제일 친한 친구이다.

01-02 be동사 – 부정문

p. 17

A 배열 영작

01 The song is not popular.
02 These books are not mine.
03 I am not in the library.

B 문장 완성

01 is not[isn't] busy
02 are not[aren't] my classmates
03 I am[I'm] not a good dancer

내신 기출

01 They are not[aren't] sisters.
그들은 자매가 아니다.
02 Kevin is not[isn't] strong.
Kevin은 힘이 세지 않다.

01-03 be동사 – 축약형

p. 18

A 배열 영작

01 I'm not tired now.
02 This is your last chance.

03 You're always on my mind.

B 문장 완성

01 isn't in my bag
02 aren't middle school students
03 He's a famous French painter

내신 기출

01 I'm tall and thin.
나는 키가 크고 말랐다.
02 We're not[We aren't] busy.
우리는 바쁘지 않다.
03 They're at the bus stop.
그들은 버스 정류장에 있다.

🎯 **감점 피하기**
This isn't my bag.
이것은 내 가방이 아니다.

01-04 be동사 – 의문문

p. 19

A 배열 영작

01 Is Jake late again?
02 Where is he now?
03 Are the boys good at soccer?

B 문장 완성

01 Is Amy a big fan
02 Are Sam and his daughter at the airport
03 Is his new book interesting

내신 기출

01 A: Are you in the music club?
너는 음악 동아리에 있니?
B: Yes, I am.
응, 그래.
02 A: Where is the Taj Mahal? Is it in Thailand?
타지마할은 어디에 있니? 그것은 태국에 있니?
B: No, it[it's] isn't[not]. It is in India.
아니, 그렇지 않아. 그것은 인도에 있어.
03 A: Are the sun and Sirius stars?
태양과 시리우스는 항성이니?
B: Yes, they are.
응, 그래.

🎯 **감점 피하기**
A: Are you good friends?
너희는 친한 친구니?
B: Yes, we are.
응, 그래.

A 배열 영작

01 Minho has a guitar.

02 Emily lives in an apartment.

03 I really like ice cream.

B 문장 완성

01 Noah goes to school

02 They play soccer

03 Jacob speaks three languages

내신 기출

01 enjoies → enjoys

해석   Kyle은 야외 활동을 즐긴다.

해설   「모음+y」로 끝나는 동사는 「동사원형+-s」 형태로 쓴다.

02 goes → go

해석   Tim과 나는 한 달에 한 번 영화를 보러 간다.

해설   주어가 복수(Tim and I)일 때는 동사원형을 쓴다.

03 fixs → fixes

해석   나의 아버지는 가끔 나의 자전거를 고쳐 주신다.

해설   -x로 끝나는 동사는 주어가 3인칭 단수일 때 「동사원형+-es」 형태로 쓴다.

감점 피하기

haves → has

Andy는 월요일에 수학 수업이 있다.

A 배열 영작

01 Some people don't eat meat.

02 They don't know the answer.

03 He doesn't play the piano well.

B 문장 완성

01 don't drink water

02 We don't have classes

03 My brother doesn't like me

내신 기출

01 The people don't read books.

그 사람들은 책을 읽지 않는다.

02 Adam doesn't drive a truck.

Adam은 트럭을 운전하지 않는다.

감점 피하기

He doesn't have a car.

그는 차가 없다.

A 배열 영작

01 Do you know the story?

02 Does he believe in magic?

03 Where do you go for a walk every morning?

B 문장 완성

01 Does Mr. Smith work

02 What do you play

03 Does Becky have a nickname

내신 기출

01 A: Does your mom like dogs?

너희 엄마는 개를 좋아하시니?

B: Yes, she does. She likes them very much.

응, 좋아하셔. 그녀는 그것들을 매우 좋아하셔.

02 A: What does he have for lunch?

그는 점심으로 무엇을 먹니?

B: He has a sandwich for lunch.

그는 점심으로 샌드위치를 먹어.

03 A: Do you wear a school uniform?

너는 교복을 입니?

B: No, I don't. But my brother wears a school uniform.

아니, 안 입어. 하지만 내 남동생은 교복을 입어.

내신 서술형 잡기   Unit 01~07

Step 1   기본 다지기   p. 23

| 배열 영작 |

01 Tomorrow is John's birthday.

02 I am not sick now.

03 It isn't your turn.

04 Is a tomato a fruit?

05 We eat out every Sunday.

06 The desert doesn't have a lot of water.

07 Do they speak English?

| 빈칸 완성 |

08 is from

09 is not cold

10 Is he

11 watch TV

12 doesn't have

13 Does she like

| 오류 수정 |

14 is → are

14 **해설** 주어가 복수(Ted and Kate)이므로 be동사는 are를 쓴다.
15 **해설** I am의 줄임말은 I'm이다.
16 **해설** be동사의 의문문은 be동사가 주어 앞으로 온다.
17 **해설** 주어가 3인칭 단수(Minjun)이므로 3인칭 단수형 동사로 쓴다. 동사 walk의 3인칭 단수형은 동사 뒤에 -s를 붙인다.
18 **해설** 주어가 3인칭 단수일 때 부정문은 동사원형 앞에 does not[doesn't]를 쓴다.
19 **해설** 의문사가 있는 의문문은 「의문사+do[does]+주어+동사원형 ~?」으로 쓴다.

Step 2 응용하기   p. 24

| 문장 완성 |

20 is at school
21 is not[isn't] busy
22 Who is that girl
23 goes fishing
24 do not[don't] live in deserts
25 Does Henry speak Chinese

| 문장 전환 |

26 My cat's tail is not[isn't] long.
27 Are they in the same class?
28 I enjoy shopping on weekends.
29 He does not[doesn't] brush his teeth after lunch.
30 Does Amy work at a hospital?

| 대화 완성 |

31 Are you, I'm not
32 Do you, don't, knows
33 Are, they aren't, are
34 Is, she's, She's
35 Do, I don't, do you, is
36 He's, Do you, I don't, have

---

26 **해석** 내 고양이의 꼬리는 길지 않다.
27 **해석** 그들은 같은 반이니?
28 **해석** 나는 주말에 쇼핑하는 것을 즐긴다.
29 **해석** 그는 점심 식사 후에 이를 닦지 않는다.
30 **해석** Amy는 병원에서 일하니?
31 **해석** A: 너는 이번 주말에 바쁘니?
　　　　 B: 아니, 그렇지 않아. 나는 이번 주말에 한가해.
32 **해석** A: 너희는 그녀의 번호를 아니?
　　　　 B: 아니, 몰라. 하지만 Chris가 그녀의 번호를 알아.
33 **해석** A: Ian과 Ted는 축구를 잘하니?
　　　　 B: 아니, 그렇지 않아. 그들은 농구를 잘해.
34 **해석** A: 이 애가 네 여동생이니?
　　　　 B: 응. 그녀는 내 동생 Lily야.

A: 그녀는 정말 귀엽구나.
35 **해석** A: 너는 수학을 좋아하니?
　　　　 B: 아니, 안 좋아해.
　　　　 A: 그럼. 너는 무엇을 좋아하니?
　　　　 B: 내가 가장 좋아하는 과목은 과학이야.
36 **해석** A: 사진에 있는 그 소년은 누구니?
　　　　 B: 그는 내 남동생 Mike야.
　　　　 A: 너는 여자 형제도 있니?
　　　　 B: 아니, 없어. 나는 남자 형제만 한 명 있어.

Step 3 고난도 도전하기   p. 25

37 (1) likes math
　 (2) don't like
　 (3) plays basketball well
38 isn't a good cook, but I like his pizza
39 ⓔ → love
40 I don't, do you, Yes, I do, love[like] cake

---

37 **해석** (1) Julie는 음악을 좋아하고, Simon은 수학을 좋아한다.
　　　　 (2) Julie와 Simon은 역사를 좋아하지 않는다.
　　　　 (3) Julie는 농구를 잘한다. Simon도 농구를 잘한다.
　 해설 • '좋아하다'는 like로 표현하고, '싫어하다(좋아하지 않는다)'는 don't[doesn't] like로 표현한다.
　　　　 • 주어가 3인칭 단수일 때는 likes와 plays로 쓰는 것에 주의한다.
38 **해설** • 상반되는 내용의 두 문장을 접속사 but(하지만)으로 연결한다.
　　　　 • 「is+not」은 isn't로 줄여 쓸 수 있다.
39 **해석** 내 이름은 Matt야. 나는 랩 음악을 좋아해. 나는 학교 음악 동아리 회원이야. 나는 랩 노래를 잘 써. 내 친구들은 내 노래를 정말 좋아해.
　 해설 주어가 복수(My friends)이므로 복수형 동사 love로 써야 한다.
40 **해석** A: Sally야. 너는 채소를 좋아하니?
　　　　 B: 아니, 안 좋아해. 너는 어때?
　　　　 A: 나는 좋아해. 그러면 너는 케이크는 좋아하니?
　　　　 B: 응, 그래. 나는 그것을 정말 좋아해.
　　　　 A: 나도 그래. 우리는 둘 다 케이크를 (정말) 좋아하는구나.
　 해설 • 소녀는 채소는 좋아하지 않지만 케이크를 좋아하고, 소년은 둘 다 좋아한다.
　　　　 • 「Do you ~?」로 물으면 「Yes, I do./No, I don't.」로 답한다.

Unit 02 　 시제

02-01 be동사의 과거형 - 긍정문/부정문   p. 26

A 배열 영작

01 The movie was really sad.
02 He was a vet.
03 I was not in class then.

B 문장 완성

01 was not[wasn't] Jake's fault
02 was on the floor
03 We were on a plane

ⓒ → was / ⓔ → were

지난주에, 나는 가족과 함께 방콕에 있었다. 방콕은 독특하고 흥미로운 도시였다. 날씨가 좋았다! 모든 것이 완벽했다. 음식도 맛있었고, 사람들의 마음도 정말 따뜻했다. 우리는 그곳에서 매우 행복했다!

해설 • ⓒ 주어인 Everything은 단수 취급하고 과거의 일을 나타내므로 was 를 써야 한다.
• ⓔ 주어가 복수(the people)이며 과거의 일을 나타내므로 be동사 were를 써야 한다.

🎯 감점 피하기

are → were

그들은 어제 학교에 있었다.

02-02 be동사의 과거형 – 의문문 　　　p. 27

A 배열 영작

01 Was the room empty then?
02 Were Max and Leo close to each other?
03 How was your day today?

B 문장 완성

01 Were you late for school
02 Was her answer important
03 Where was Jason last night

01 A: Where was my phone?
　　내 전화기 어디에 있었어?
　 B: It was under the sofa.
　　그것은 소파 아래에 있었어.
02 A: Were you at the party last night?
　　너희는 어젯밤에 파티에 있었니?
　 B: No, we weren't. We were busy.
　　아니, 그렇지 않았어. 우리는 바빴거든.
03 A: Was the boy hungry?
　　그 남자아이는 배고팠니?
　 B: Yes, he was. He was really hungry.
　　응, 그랬어. 그는 매우 배고팠어.

02-03 일반동사의 과거형 – 긍정문/부정문 　　　p. 28

A 배열 영작

01 I read the book last month.
02 Jisu studied hard last night.
03 He didn't clean his room.

B 문장 완성

01 Her car stopped
02 I did not[didn't] talk with my sister
03 We saw your pictures online

보라의 주간 계획	
01	내 개 산책시키기	○
02	소풍 가기	×
03	봉사활동 하기	○

01 Bora walked her dog last week.
　　보라는 지난주에 자신의 개를 산책시켰다.
02 She did not[didn't] go on a picnic last week.
　　그녀는 지난주에 소풍을 가지 않았다.
03 She did volunteer work last week.
　　그녀는 지난주에 봉사활동을 했다.

02-04 일반동사의 과거형 – 의문문 　　　p. 28

A 배열 영작

01 Did you see me there?
02 Did Alex watch a movie with you?
03 Where did you go last summer?

B 문장 완성

01 Did Sam break
02 Did you recycle
03 What did you do yesterday

01 A: Did you play badminton at the park?
　　너희는 공원에서 배드민턴을 했니?
　 B: No, we didn't. We played badminton at school.
　　아니, 그렇지 않아. 우리는 학교에서 배드민턴을 했어.
02 A: How long did you stay at the hotel?
　　당신은 호텔에 얼마나 머물렀나요?
　 B: I stayed there for three days.
　　나는 그곳에서 3일 묵었어요.
03 A: Did you go fishing last weekend?
　　너는 지난 주말에 낚시하러 갔니?
　 B: Yes, I did. I went fishing with my dad.
　　응, 그래. 나는 우리 아빠와 함께 낚시하러 갔어.

🎯 감점 피하기

A: When did you meet her?
　　너는 언제 그녀를 만났니?
B: I met her at 7.
　　나는 7시에 그녀를 만났어.

02-05 현재진행형 – 긍정문 　　　p. 30

A 배열 영작

01 They are walking along the beach.
02 She is putting on her jacket.
03 Liz is taking pictures in the park.

B 문장 완성

01 She is[She's] watching a movie

02 are waiting for the bus

03 He is[He's] fixing his bicycle

내신 기출

01 Linda's father is cooking in the yard.
Linda의 아버지는 마당에서 요리를 하고 있다.

02 Linda and her mother are setting the table.
Linda와 그녀의 어머니는 상을 차리고 있다.

03 Linda's older brother is helping her father.
Linda의 오빠는 아버지를 돕고 있다.

04 Linda's younger brother is chasing butterflies.
Linda의 남동생은 나비를 쫓고 있다.

02-06 현재진행형 – 부정문
p. 31

A 배열 영작

01 I am not playing mobile games.

02 The printer is not working.

03 They are not reading books.

B 문장 완성

01 is not[isn't] doing his homework

02 is not[isn't] taking off

03 They are not[They aren't] drawing a map

내신 기출

01 The woman is not[isn't] listening to music.
여자는 음악을 듣고 있지 않다.

02 The man is not[isn't] riding a bike.
남자는 자전거를 타고 있지 않다.

03 The two girls are not[aren't] running.
두 소녀는 뛰고 있지 않다.

02-07 현재진행형 – 의문문
p. 32

A 배열 영작

01 Are they sitting on the bench?

02 Is Mike doing the dishes?

03 Who is the man looking at?

B 문장 완성

01 Is Jeff making lunch

02 Are they having a party

03 What are you making now

내신 기출

01 A: Are those women cooking food on their boats?
저 여자들은 보트 위에서 음식을 만들고 있니?
B: No, they are not[aren't].
아니, 그렇지 않아.

02 A: Then, what are they doing?
그러면, 그들은 뭐 하고 있니?
B: They are[They're] selling fruit from their boats.
그들은 보트에서 과일을 팔고 있어.

02-08 미래형: will
p. 33

A 배열 영작

01 He will move to Seoul.

02 It's cold. I'll close the window.

03 What will you do after school?

B 문장 완성

01 We will[We'll] meet

02 They will not[won't] like

03 Will Judy be there tonight

내신 기출

01 She will[She'll] watch a talk show.
그녀는 토크쇼를 볼 것이다.

02 They will not[won't] be late.
그들은 늦지 않을 것이다.

03 Will the class begin at 10?
수업은 10시에 시작되나요?

🎯 **감정 피하기**
The bus will not[won't] come soon.
버스가 금방 오지 않을 것이다.

02-09 미래형: be going to – 긍정문/부정문
p. 34

A 배열 영작

01 We are going to be late.

02 He's going to be a famous actor.

03 They're not going to play basketball today.

B 문장 완성

01 Ted is going to leave

02 is not[isn't] going to happen

03 They are[They're] going to meet soon

내신 기출

15일 토요일	
01	Kate와 쇼핑가기
02	운동화 사기
03	새가방 사지 않기
Q	Nancy와 자전거 타기

01 Amy is going to go shopping with Kate this Saturday.
Amy는 이번 토요일에 Kate와 쇼핑을 갈 것이다.

02 Amy is going to buy sneakers.
Amy는 운동화를 살 것이다.

03 Amy is not[isn't] going to buy a new bag.
Amy는 새 가방을 사지 않을 것이다.

🎯 감점 피하기

Amy and Nancy are going to ride bikes this Saturday.
Amy와 Nancy는 이번 토요일에 자전거를 탈 것이다.

02-10　미래형: be going to – 의문문　　p. 35

A 배열 영작

01 Are you going to go swimming after school?
02 Is it going to rain tomorrow morning?
03 What are they going to do on Saturday?

B 문장 완성

01 Are you going to buy
02 Is Jackie going to be
03 When are they going to come back

내신 기출

01 Is he going to drive his car along the beach?
그는 해변을 따라 운전을 할거니?
02 Is she going to stay in the hotel today?
그녀는 오늘 호텔에 머물 거니?
03 Where are you going to go during vacation?
너는 방학 동안 어디를 가려고 하니?

내신 서술형 잡기　　Unit 01~10

Step 1　기본 다지기　　p. 36

| 배열 영작 |

01 Daisy was young and pretty.
02 How was the science camp?
03 I drank milk this morning.
04 How long did you stay there?
05 My dad is fixing my computer.
06 My cats are not sleeping.
07 Why are they standing in line?

| 빈칸 완성 |

08 weren't, were
09 Were you
10 They arrived
11 Did they wait
12 is not watching
13 Are you reading
14 will be cloudy

15 are going to stay
16 Is, going to learn

| 오류 수정 |

17 Is → Was
18 leaved → left
19 joins → join
20 take → taking
21 using not → not using
22 Are → Is
23 am → will
24 falls → fall
25 she is → is she

17 **해설** 시제가 과거이므로 Is의 과거형인 Was로 의문문을 시작해야 한다.
18 **해설** leave(떠나다)의 과거형은 left이다.
19 **해설** 일반동사의 과거 의문문은 「Did+주어+동사원형 ~?」 형태이므로 joins 대신 원형인 join으로 써야 한다.
20 **해설** 현재 진행 중인 동작을 나타낼 때는 「be동사+동사원형+-ing」 형태로 쓴다.
21 **해설** 현재진행형 부정문은 be동사 바로 뒤에 not을 쓴다.
22 **해설** 주어가 3인칭 단수인 Mr. Dennis이므로 be동사는 is를 쓴다.
23 **해설** 주어의 의지를 나타내므로 미래 시제 조동사 will이 필요하다.
24 **해설** 예정된 미래를 나타낼 때 「be going to+동사원형」 형태로 쓴다.
25 **해설** 의문사가 있는 be going to의 의문문은 「의문사+be동사+주어+going to +동사원형 ~?」 형태로 쓴다.

Step 2　응용하기　　p. 37

| 문장 완성 |

26 was my hero
27 How was your trip
28 We waited for the train
29 How did you come to school
30 They are[They're] taking a nap
31 Are they going on a picnic
32 Mike will[is going to] play the match
33 Is she going to get up[Will she get up] early

| 문장 전환 |

34 He was not[wasn't] from France.
35 Was Ms. Kim Suho's homeroom teacher last year?
36 I put my bag under the desk.
37 Did she get my email yesterday?
38 Taylor will[is going to] sing a song on the stage.
39 He is not[isn't] running in the hallway.
40 When is Brad going to visit Busan?

| 대화 완성 |

41 was, was, wasn't
42 did, watched, Was, it was
43 are, doing, I'm, What is, is wearing
44 Where are, I'm going to visit, swim, eat[have]
45 What is, going to, She's going to, will
46 how will, be, will be, I won't

34 해석 그는 프랑스 출신이 아니었다.

35 해석 작년에 김 선생님이 수호의 담임 선생님이셨나요?

36 해석 나는 책상 밑에 가방을 두었다.

37 해석 그녀가 어제 제 이메일을 받았나요?

38 해석 Taylor는 무대에서 노래를 부를 것이다.

39 해석 그는 복도에서 달리고 있지 않다.

40 해석 Brad는 언제 부산을 방문할 예정이니?

41 해석 A: 어젯밤 날씨가 어땠니?
        B: 눈이 왔지만, 춥지는 않았어.

42 해석 A: 너는 어제 무엇을 보았니?
        B: 나는 야구장에서 야구 경기를 봤어.
        A: 재미있었니?
        B: 응, 재미있었어.

43 해석 A: 너 여기서 뭐 하고 있니?
        B: 난 내 여동생 Susan을 찾고 있어.
        A: 그녀는 무엇을 입고 있니?
        B: 그녀는 빨간 티셔츠를 입고 있어.

44 해석 A: 넌 이번 여름에 어디에 방문할 예정이니?
        B: 나는 속초를 방문하려고 해.
        A: 거기서 무엇을 할 거니?
        B: 나는 바다에서 수영을 하고 해산물을 많이 먹을 거야.

45 해석 A: 지나는 방과 후에 무엇을 할 거니?
        B: 그녀는 힙합 춤을 연습할 거야. 그녀의 동아리가 다음 달 학교 축제 때 공연할 거거든.

46 해석 A: 엄마, 내일 날씨가 어떨까요?
        B: 내일은 덥고 화창할 거야.
        A: 잘됐네요. 저는 내일 소풍을 갈 예정이거든요.
        B: 모자를 가져가지 그러니?
        A: 네. 그것을 절대 잊지 않을게요.

Step 3 고난도 도전하기   p. 39

47 (1) Yes, she did.
   (2) No, she did not[didn't]., saw a movie
   (3) She[Kate] went to the mall.
48 He will spend lots of money on new shoes.
49 ⓒ → fed
50 (1) is waiting for a bus
   (2) is playing soccer
   (3) is lying on a sofa, watching TV

47 해석

요일	할 일
월요일	책 읽기
수요일	영화 보기
금요일	내 개 씻기기
토요일	쇼핑몰 가기

(1) Q: Kate는 지난 월요일에 책을 읽었나요?
    A: 네, 그랬어요.
(2) Q: Kate는 지난 수요일에 개를 씻겼나요?
    A: 아니요, 그러지 않았어요. 그녀는 수요일에 영화를 봤어요.
(3) Q: Kate는 지난 토요일에 무엇을 했나요?
    A: 그녀(Kate)는 쇼핑몰에 갔어요.

해설 • 「Did+주어+동사원형 ~?」으로 물었을 때 긍정 대답은 「Yes, 주어+did.」로 하고, 부정 대답은 「No, 주어+didn't[did not]」로 한다.

• 의문사가 있는 의문문은 Yes/No로 답하지 않고 묻는 것에 대해 직접 답한다.

48 해설 9단어로 쓰려면 미래의 일을 나타내는 조동사 will을 사용하여 영작해야 한다.

49 해석 지난 일요일, 나는 봉사활동을 하러 유기견 보호소에 갔다. 보호소에는 많은 개들이 있었다. 먼저, 나는 개들에게 먹이를 주었다. 나는 그들에게 많은 먹이를 가져다주었다. 다음으로, 나는 그들의 우리를 청소했다. 냄새가 좋지는 않았지만, 그렇게 나쁘지는 않았다.

해설 Last Sunday라는 과거 시점에 일어난 일을 나타내므로 feed의 과거형인 fed를 써야 한다.

50 해석 (1) Ken은 버스 정류장에서 버스를 기다리고 있다.
        (2) Eric은 친구들과 축구를 하고 있다.
        (3) Sophia는 소파에 누워 TV를 보고 있다.

해설 '~하는 중이다'라는 뜻의 현재진행형은 「be동사+동사원형+-ing」 형태로 쓴다.

Unit 03 조동사

03-01 can – 긍정문/부정문   p. 40

A 배열 영작

01 Horses can see behind their heads.
02 He cannot play tennis.
03 You can't take pictures here.

B 문장 완성

01 Jake cannot[can't] go there
02 Bats can see
03 I cannot[can't] use Wi-Fi in my room

내신 기출

그들이 할 수 있는 일 이름	자전거 타기	기타 연주하기	중국어 말하기
Judy	○	○	×
Brian	○	×	○

01 Judy can ride a bike and she can play the guitar.
   Judy는 자전거를 탈 수 있고 기타를 연주할 수 있다.
02 Judy cannot[can't] speak Chinese.
   Judy는 중국어를 할 줄 모른다.
03 Brian can ride a bike and he can speak Chinese.
   Brian은 자전거를 탈 수 있고 중국어를 할 수 있다.

감점 피하기

Judy and Brian can ride bikes.
Judy와 Brian은 자전거를 탈 수 있다.

03-02 can – 의문문   p. 41

A 배열 영작

01 Can you help me?

02 Can I open the window?

03 Can you do me a favor?

B 문장 완성

01 Can I talk to you

02 Can Taylor play

03 Can you close the door

내신 기출

A: Can you help me?
저를 좀 도와주시겠어요?

B: Sure. What is it?
물론이죠. 무슨 일이시죠?

A: How can I get to the ice cream shop?
아이스크림 가게에 어떻게 가나요?

B: Go straight and turn left at the corner. You cannot
[can't] miss it.
쭉 가셔서 모퉁이에서 왼쪽으로 도세요. 찾으실 수 있을 거예요.

A: Thank you.
감사합니다.

03-03 may – 긍정문/부정문 　　　　p. 42

A 배열 영작

01 Anna may be her sister.

02 You may touch the animals here.

03 He may not come.

B 문장 완성

01 You may[can] bring your friends

02 You may[can] feed

03 You may[can] use my computer

내신 기출

01 A: What are your plans for summer vacation?
여름방학 계획이 뭐니?

B: I'm not sure. I may go to Jeju Island with my family.
잘 모르겠어. 나는 가족과 제주도에 갈지도 몰라.

02 A: Did you hear the news? I can't believe it.
너 그 뉴스 들었니? 난 믿을 수가 없어.

B: I heard it too, but it may not be true.
나도 들었어. 하지만 그것은 사실이 아닐지도 몰라.

🎯 감점 피하기

He may not like me.

03-04 may – 의문문 　　　　p. 43

A 배열 영작

01 May I take your order?

02 May I come in?

03 May I leave now?

B 문장 완성

01 May[Can] I cancel

02 May[Can] I have

03 May[Can] I help you

내신 기출

01 A: Hi. May I speak to Mr. Carter?
안녕하세요. Carter 씨와 통화할 수 있을까요?

B: Sure, just a moment, please.
물론이죠. 잠시만 기다려주세요.

02 A: May I park my car over there?
제 차를 저곳에 주차해도 될까요?

B: No, you may not.
아니요, 안 됩니다.

03 A: May I turn on the air conditioner?
에어컨을 켜도 될까요?

B: Yes, you may. Go ahead.
네, 그러세요. 하세요.

03-05 will/would – 의문문 　　　　p. 44

A 배열 영작

01 Will you go there with me?

02 Will you do me a favor?

03 Would you like some hot tea?

B 문장 완성

01 Will[Would] you give me

02 Will[Would] you turn on

03 Would you like some more

내신 기출

01 won't → will
해석 A: 30분 후에 나 좀 깨워 줄래?
B: 물론이지, 안 그럴게(→ 그럴게). 알람 맞춰놓을게.
해설 「Will you ~?」에 대한 긍정 대답은 「Yes/Sure, I will.」이 적절하다.

02 will → won't[can't]
해석 A: 호텔까지 태워다 줄래?
B: 미안하지만, 그럴게요(→ 안 되겠어요). Jay한테 부탁해 봐.
해설 미안하다고 한 후 다른 사람한테 부탁하라는 말이 이어지므로 부정 응답이 와야 한다.

03-06 must 　　　　p. 45

A 배열 영작

01 You must finish the work by noon.

02 You must not bring your pet here.

03 That must be a very expensive car.

B 문장 완성

01 You must ask

02 His grandma[grandmother] must be

03 You must love yourself

01 You must stop.
　멈춰야 합니다.
02 You must not[mustn't] park your car here.
　여기에 차를 세워서는 안 됩니다.
03 Children must not[mustn't] play in this area.
　어린이는 이 지역에서 놀면 안 됩니다.

03-07 should
p. 46

A 배열 영작
01 You should help others.
02 You should not trust him.
03 You should listen to your teacher.

B 문장 완성
01 You should eat
02 We should wait for
03 You should not[shouldn't] water the flowers

	해야 할 것		하지 말아야할 것
01	과일 더 먹기	03	형과 싸우기
02	더 자기	Q	선생님께 무례하게 대하기

01 Paul should eat more fruit.
　Paul은 과일을 더 먹어야 한다.
02 Paul should sleep more.
　Paul은 잠을 더 자야 한다.
03 Paul should not[shouldn't] fight with his brother.
　Paul은 자신의 형과 싸우지 말아야 한다.

🎯 감점 피하기
Paul should not[shouldn't] be rude to his teacher.
Paul은 선생님께 무례하게 굴지 말아야 한다.

03-08 have to
p. 47

A 배열 영작
01 Do you have to go back soon?
02 You have to be quiet in class.
03 He doesn't have to start it now.

B 문장 완성
01 Laura has to speak
02 You don't have to be
03 Do we have to help others

01 Max had to wash his car.
　Max는 자신의 차를 세차해야 했다.

02 They don't have to worry about it.
　그들은 그것에 대해 걱정할 필요가 없다.
03 Do they have to wear uniforms?
　그들은 교복을 입어야 합니까?

🎯 감점 피하기
Ted has to learn Chinese.
Ted는 중국어를 배워야 한다.

내신 서술형 잡기
Unit 01~08

Step 1	기본 다지기

p. 48

| 배열 영작 |
01 Some birds can talk.
02 Can you ride a bike?
03 You may use my umbrella.
04 May I put my coat here?
05 Will you open the door?
06 You must not play with fireworks.
07 We should thank our parents all the time.
08 I have to do some research for my homework.

| 빈칸 완성 |
09 cannot[can't]
10 Can you
11 may
12 May[Can] I
13 Will[Would, Can] you
14 must[should]
15 must[should] not
16 doesn't have to

| 오류 수정 |
17 cans → can
18 turned → turn
19 must → may
20 speak you → you speak
21 not must → must not
22 are → be
23 must → don't have to

17 해설　can은 조동사이므로 주어와 관계없이 같은 형태로 써야 한다.
18 해설　'~해 줄 수 있어?'라는 의미는 「Can+주어+동사원형 ~?」 형태로 쓴다.
19 해설　'~일지도 모른다'라는 추측의 의미로는 may를 쓴다.
20 해설　will을 쓴 의문문은 「Will+주어+동사원형 ~?」의 순서로 쓴다.
21 해설　must의 부정형은 must not으로 쓴다.
22 해설　앞에 조동사 shouldn't가 있으므로 are의 원형인 be가 와야 한다.
23 해설　'~할 필요가 없다'라는 뜻은 don't[doesn't] have to로 쓴다. must not은 '~하면 안 된다'라는 금지의 뜻을 나타낸다.

| 문장 완성 |

24 cannot[can't] fly, (can) swim
25 May[Can] I see
26 Will[Would, Can] you call me
27 must not[mustn't, cannot, can't] take
28 He doesn't have to get up

| 문장 전환 |

29 You cannot[can't] bring your children here.
30 Will you cook breakfast for us?
31 You must not[mustn't] cross the road now.
32 Kate has to throw away the old clothes.

| 대화 완성 |

33 Can[May] I try
34 will[can], have to do, may[will, can]
35 Will[Can, Would] you, must[should] take
36 have to, cannot[can't] run, Can[Will, Would] you help

29 해석 이곳에는 아이들을 데려올 수 없습니다.
30 해석 우리를 위해 아침을 요리해 주시겠어요?
31 해석 너는 지금 길을 건너서는 안 된다.
32 해석 Kate는 낡은 옷을 버려야 한다.
33 해석 A: 나는 이 셔츠가 마음에 들어요. 입어 봐도 될까요?
    B: 네, 탈의실은 저쪽에 있습니다.
34 해석 A: 지민아, 오늘 밤에 우리랑 함께할래(할 수 있니)?
    B: 미안, 나는 숙제를 해야 해. 시간이 오래 걸릴지도 몰라(걸릴거야, 걸릴 수 있어).
35 해석 A: 덥다. 나와 함께 스위트 주스에 갈래?
    B: 물론이지. 하지만 그곳에는 규칙이 있어.
    A: 나도 알아. 우리가 각자 컵을 가져와야 하지.
36 해석 A: 우리 학교에 늦었어. 서둘러야 돼.
    B: 미안하지만, 가방 때문에 빨리 못 뛰겠어. 나 좀 도와줄 수 있니(도와줄래, 도와주겠니)?
    A: 알았어. 네 가방을 나에게 줘.

37 You don't have to worry about the exam.
38 (1) must not[mustn't] drink
    (2) You must not[mustn't] touch
    (3) You must talk softly
39 ⓐ → don't have to
40 should[can], have to, will[can], will[can]

37 해석 '~할 필요가 없다'라는 뜻은 don't[doesn't] have to로 표현한다.
38 해석 (1) 박물관 안에서는 마시면 안 됩니다.
    (2) 전시품을 만지면 안 됩니다.
    (3) 박물관 안에서는 조용히 이야기해야 합니다.
  해설 '~해야 한다'라는 의무를 나타낼 때는 must를 쓰고 '~하면 안 된다'라고 금지를 나타낼 때는 부정형인 must not 또는 mustn't를 쓴다.
39 해석 요즘 많은 사람들이 감기에 걸리고 있어요. 하지만 두려워할 필요는 없어요.

당신은 손을 자주 씻어야 합니다. 마스크도 착용해야 합니다. 어떤 사람들은 그것을 어렵다고 여길지도 몰라요. 하지만 우리는 인내심을 가져야 해요.
  해설 have to의 부정형은 don't[doesn't] have to로 쓰며, '~할 필요가 없다'라는 뜻을 나타낸다.
40 해석 A: 저는 경찰이 되고 싶어요. 무엇을 해야 하나요(할 수 있나요)?
    B: 경찰은 사람들을 위험으로부터 보호하기 때문에, 좋은 건강을 유지해야 해.
    A: 저는 매일 운동을 해요.
    B: 좋아. 그러면 너는 강해져서 경찰이 될 수 있단다.
  해설 '~해야 한다'라는 뜻의 의무를 나타낼 때 조동사 should 또는 have to를 쓴다.

Unit 04   문장 형식

04-01   비인칭 주어 it   p. 51

A 배열 영작

01 It is Friday today.
02 It will be cold tomorrow.
03 It's snowing in Pohang.

B 문장 완성

01 It was Saturday
02 It takes 20 minutes
03 It is[It's] dark outside

> **내신 기출**
>
> 01 A: How's the weather today in Seoul?
>   오늘 서울 날씨는 어떤가요?
>   B: It's not good. It's raining now.
>   날씨가 좋지 않아요. 지금 비가 오고 있어요.
>   A: How's the weather tomorrow?
>   내일 날씨는 어때요?
>   B: It'll[It's going to] be sunny.
>   화창할 거예요.

04-02   There be동사 – 긍정문   p. 52

A 배열 영작

01 There is a star in the sky.
02 There is a boat on the sea.
03 There were many elephants in the zoo.

B 문장 완성

01 There is a spider
02 There are many famous buildings
03 There are three rooms in his house[home]

01 There are five people in the classroom.
교실에 다섯 사람이 있다.

02 There are four students (in the classroom).
(교실에) 네 명의 학생이 있다.

03 There is a[one] globe on the locker.
사물함 위에 지구본이 하나 있다.

04 There are two boys and (there are) two girls.
두 명의 남자아이와 두 명의 여자아이가 있다.

04-03 There be동사 – 부정문   p. 53

A 배열 영작

01 There isn't a restaurant in this area.
02 There is not a cloud in the sky.
03 There were not many students on campus.

B 문장 완성

01 There is not[isn't] a library
02 There were not[weren't] many people
03 There is not[isn't] a clock in this room

01 There aren't many books on the desk.
책상 위에 책이 별로 없다.

02 There wasn't a bakery on Main Street.
메인 스트리트에 빵집이 없었다.

03 There weren't many children in the playground.
운동장에는 아이들이 별로 없었다.

04-04 There be동사 – 의문문   p. 54

A 배열 영작

01 Is there a holiday in November?
02 Is there a Korean restaurant near here?
03 Was there heavy traffic on the roads?

B 문장 완성

01 Are there five oceans
02 Is there a mistake
03 Were there two cups on the table

01 A: Is there a bird in the cage?
새장 안에 새가 한 마리 있나요?
B: Yes, there is. It's a parrot.
네, 그래요. 그것은 앵무새에요.

02 A: Are there five cooks in the kitchen?
주방에 요리사가 다섯 명 있나요?

B: No, there aren't. There is only one cook in the kitchen.
아니요. 그렇지 않아요. 주방에는 한 명의 요리사만 있어요.

04-05 주어+동사+형용사   p. 55

A 배열 영작

01 You look so cool.
02 The soup tasted salty.
03 My face turned red.

B 문장 완성

01 sounds strange
02 I feel happy
03 This egg smells bad

01 clearly → clear
해석   비가 온 후 하늘이 맑아졌다.

02 sadly → sad
해석   그녀의 목소리는 슬프게 들린다.

03 differently → different
해석   이 사진에서 너는 달라 보인다.

해설   become과 sound, look 같은 감각동사 뒤에는 보어로 부사가 아닌 형용사를 써야 한다.

🎯 감점 피하기

well → good
그 피자는 맛이 좋다.

04-06 주어+동사+목적어   p. 56

A 배열 영작

01 He knows your name.
02 Kate likes sports.
03 We have many fans.

B 문장 완성

01 He met his friends
02 Many people want a new logo
03 She helped me a lot

나에 대한 모든 것					
	자매나 형제		가장 좋아하는 음악		아침식사
01	형제 2명: Ted와 Bill	02	랩 음악	03	블루베리 팬케이크

01 Judy has two brothers. They are Ted and Bill.
Judy는 두 명의 형제가 있다. 그들은 Ted와 Bill이다.

02 She likes[loves] rap music.
그녀는 랩 음악을 좋아한다.

03 She eats[has] blueberry pancakes for breakfast every day.
그녀는 매일 아침으로 블루베리 팬케이크를 먹는다.

04-07 주어＋동사＋간접목적어＋직접목적어 p. 57

A 배열 영작

01 Jenny sent me a gift.
02 Dad will cook you breakfast tomorrow.
03 She lent her brother some money.

B 문장 완성

01 show my friends
02 pass me the salt
03 The sun gives us energy

내신 기출

01 a letter Santa Claus → Santa Claus a letter
내 남동생은 산타클로스에게 편지를 보냈다.
02 a funny story me → me a funny story
내게 재미있는 이야기를 들려주세요.
03 two books me → me two books
Alex가 내게 온라인으로 책 두 권을 사줬다.
해설 전치사 추가 없이 「주어＋동사＋간접목적어＋직접목적어」 형태로 쓴다.

04-08 주어＋동사＋직접목적어＋전치사＋간접목적어 p. 58

A 배열 영작

01 He gave a toy car to my brother.
02 I'll find a room for Mr. Myers.
03 I want to ask something of you.

B 문장 완성

01 showed his photos to
02 make cookies for my family
03 Mr. Brown teaches English to us

내신 기출

01 Sophia cooked pasta for us.
Sophia는 우리에게 파스타를 요리해 주었다.
02 Eddie gave his sneakers to me.
Eddie는 나에게 자신의 운동화를 주었다.
03 My little brother asks many questions of me.
내 남동생은 나에게 많은 질문을 한다.

🎯 **감점 피하기**

Joan sent a card to Jen.
Joan은 Jen에게 카드를 보냈다.

04-09 주어＋make＋목적어＋형용사 p. 59

A 배열 영작

01 The long trip made him tired.
02 This music makes me calm.
03 Too much stress can make you sick.

B 문장 완성

01 made me sleepy
02 made me bored
03 Caffeine can make you awake

내신 기출

01 sadness → sad
당신을 슬프게 하는 것은 무엇인가요?
02 nervously → nervous
낯선 남자가 우리를 긴장하게 했다.
03 happily → happy
창문에 비친 햇살은 나를 행복하게 한다.
해설 '목적어를 ~하게 하다'라는 의미로 「make＋목적어＋목적격보어(형용사)」 구문을 쓴다. happily와 nervously는 부사, sadness는 명사이므로 모두 형용사로 바꿔야 한다.

🎯 **감점 피하기**

deliciously → delicious
이 소스는 그것을 맛있게 만든다.

04-10 주어＋keep＋목적어＋형용사 p. 60

A 배열 영작

01 This sweater will keep you warm.
02 The project kept him busy.
03 Your love keeps me alive.

B 문장 완성

01 Keep vegetables fresh
02 keeps you healthy
03 Keep your car cool in the summer

내신 기출

01 The seat belt keeps you safe.
02 She keeps her desk neat.
03 Let's keep the water cold.

Step 1 기본 다지기 p. 61

| 배열 영작 |

01 It will rain tomorrow.
02 There is some milk in the fridge.
03 Are there any other questions?
04 My dad's jokes are not funny.
05 He can help you.
06 He gave Judy some flowers.
07 Leisure activities make life enjoyable.
08 Painting keeps him alive.

| 빈칸 완성 |

09 It is
10 There aren't
11 Is there
12 tastes sweet
13 I met Jane
14 sent me
15 built a[the] library
16 made me happy

| 오류 수정 |

17 That → It
18 not is → is not[isn't]
19 Are → Is
20 seriously → serious
21 to → of
22 my scarf the snowman → the snowman my scarf
   [the snowman → to the snowman]
23 to → for
24 sadness → sad
25 clean his clothes → his clothes clean

Step 2 응용하기 p. 62

| 문장 완성 |

26 It is[It's] spring, It is[It's] warm
27 There are a lot of balloons
28 There is not[isn't] any water
29 look delicious
30 Is there a bed
31 bought a present for
32 lend me your bike[lend your bike to me]
33 keep your umbrella dry

| 문장 전환 |

34 It is[It's] sunny.
35 There are not[aren't] any wild animals in the park.
36 Is there a magazine on the table?
37 Eric looks very tired now.
38 Can I ask you a question?
39 Sally told funny stories to her sister.
40 My friend made me angry.

| 대화 완성 |

41 It was
42 Are there, No, there aren't, are there, There are
43 looked[was], sounded[was]
44 watching, do[wash], do[wash]
45 for, me, give[buy] her[Cindy]
46 keep her, makes[keeps] me

17 해설 날씨를 나타내는 비인칭주어 It을 쓴다.
18 해설 「There be동사 ∼」 구문의 부정문은 be동사 뒤에 not을 붙인다. is not은 isn't로 줄여 쓸 수 있다.
19 해설 「There be동사 ∼」 구문의 의문문에서 단수 명사(a pool)가 주어이기 때문에 be동사는 앞에 Is를 쓴다.
20 해설 '∼해 보인다'라는 의미를 나타낼 때 「look+형용사」 형태로 쓴다.
21 해설 두 목적어의 순서를 바꿀 때 동사가 ask이면 전치사 of를 써야 한다.
22 해설 두 개의 목적어를 쓸 때는 「간접목적어+직접목적어」 순서로 쓰고, 간접목적어를 뒤에 두려면 전치사가 필요하다. 이때 give는 전치사 to를 쓴다.
23 해설 두 목적어의 순서를 바꿀 때 동사가 make이면 전치사 for를 써야 한다.
24 해설 「make+목적어+형용사」를 써서 '목적어를 ∼하게 하다'라는 의미를 나타낸다. sadness는 명사이므로 형용사 sad를 써야 한다.
25 해설 「keep+목적어+형용사」를 써서 '목적어를 ∼하게 유지하다'라는 의미를 나타낸다. 여기서는 his clothes가 목적어이다.

34 해석 날씨가 화창하다.
35 해석 그 공원에는 야생동물이 하나도 없다.
36 해석 탁자 위에 잡지가 있니?
37 해석 Eric은 지금 매우 피곤해 보인다.
38 해석 당신에게 질문 하나 해도 될까요?
39 해석 Sally는 언니에게 재미있는 이야기를 들려주었다.
40 해석 내 친구가 나를 화나게 했다.
41 해석 A: 어제가 며칠이었지?
    B: 7월 4일이었어.
42 해석 A: 이 집에는 방이 세 개 있습니까?
    B: 아니요, 그렇지 않아요. 방이 두 개밖에 없어요.
    A: 저 집은 어떤가요? 방이 몇 개나 있나요?
    B: 방이 4개 있습니다.
43 해석 A: 어제 Adam의 생일 파티에 갔니?
    B: 응. 아주 좋았어. Adam은 행복해 보였어(행복했어).
    A: Sandy는 무엇을 했니?
    B: Sandy가 그를 위해 피아노를 쳤어. 그 음악은 아름답게 들렸어(아름다웠어).
44 해석 A: 너 뭐 하고 있니?
    B: 저는 그냥 TV를 보고 있어요.
    A: 그럼 나 대신 설거지 좀 해줄래?
    B: 네. 바로 할게요.
    A: 고마워.
45 해석 A: 우리는 오늘 밤 Cindy의 생일파티를 열 거야. 나는 그녀를 위해 케이크를 만들 거고.
    B: 내가 파티에 가도 될까?

A: 왜 안 되겠어?

B: 내게 장소를 알려줘. 나는 그녀(Cindy)에게 꽃을 좀 (사)줘야겠다.

46 해석 A: Mike, 네 조카 Mary를 돌봐줄 수 있니?

B: 그럼요, 제가 그녀를 안전하게 지킬게요.

A: 정말 고맙구나.

B: 천만에요. Mary는 늘 저를 행복하게 하는걸요.

Step 3　고난도 도전하기　p. 64

47 (1) there are six pets, there are four pets

(2) there is a kite, there is not[isn't] a kite

(3) there are six clouds, there are five clouds

48 Jenny's new book made her famous.

49 ⓔ → my car

50 (1) wrote a letter to

(2) gave his friend

(3) bought a new scarf for

47 해석 (1) 그림 A에는 여섯 마리의 반려동물이 있다.

그림 B에는 네 마리의 반려동물이 있다.

(2) 그림 A에서, 한 소년의 손에 연이 하나 있다.

그림 B에서, 그의 손에는 연이 없다.

(3) 그림 A에서, 하늘에는 여섯 개의 구름이 있다.

그림 B에는 구름이 다섯 개 있다.

해설 '~가 있다'라는 뜻으로 존재나 수량을 나타낼 때 「There is[are] ~」 구문을 쓴다.

48 해설 '목적어를 ~하게 만들다'라는 뜻을 표현할 때 「make+목적어+형용사」를 쓴다.

49 해석 지금은 5시 30분인데, 밖이 벌써 어둡다. 비도 오고 있다. 거기까지 도착하는 데는 차로 한 시간 정도 걸린다. 하지만 나는 내 차를 운전할 수가 없다. 그것은 정비소에 있다.

해설 ⓐ는 시간, ⓑ는 명암, ⓒ는 날씨, ⓓ는 거리를 나타내는 비인칭주어이고, ⓔ는 앞의 my car를 가리키는 지시대명사이다.

50 해석 (1) Eric은 월요일에 선생님께 편지를 썼다.

(2) 그는 화요일에 자신의 친구에게 책을 주었다.

(3) 그는 지난 주말에 엄마께 새 스카프를 사 드렸다.

해설 (1), (3) 목적어가 두 개인 문장은 「주어+동사+직접목적어+전치사+간접목적어」 형태로 쓸 수 있는데, write는 전치사 to를, buy는 for를 쓴다.

(2) 「주어+동사+간접목적어+직접목적어」 형태의 문장이다.

Unit 05　부정사와 동명사

05-01　want to+동사원형　p. 65

A 배열 영작

01 Ryan wants to be a singer.

02 I didn't want to go shopping.

03 Do you want to build a snowman?

B 문장 완성

01 He wanted to take

02 I do not[don't] want to eat

03 What does she want to do

내신 기출

01 Emma doesn't want to see her uncle in Egypt.

Emma는 이집트에 있는 삼촌을 보고 싶어 하지 않는다.

Does Emma want to see her uncle in Egypt?

Emma는 이집트에 있는 삼촌을 보고 싶어 하니?

02 They didn't want to cook fish.

그들은 생선을 요리하고 싶지 않았다.

Did they want to cook fish?

그들은 생선을 요리하기를 원했니?

05-02　목적어나 보어로 쓰인 to부정사　p. 66

A 배열 영작

01 We plan to see a horror movie.

02 I hope to go to medical school.

03 My dream is to become a chef.

B 문장 완성

01 We wish to see

02 is to leave here

03 Hailey decided to buy a new car

내신 기출

01 need to sleep

02 Lily wanted to jog

03 I learned to play the piano

🅖 감점 피하기

Jihu hopes to study

05-03　부사로 쓰인 to부정사　p. 67

A 배열 영작

01 She came to see me.

02 People use smartphones to take pictures.

03 Daisy washed some vegetables to make a salad.

B 문장 완성

01 to walk his dog

02 to be a lawyer

03 She is[She's] running to catch the bus

내신 기출

01 Jaden exercises every day to stay healthy.

Jaden은 건강을 유지하기 위해 매일 운동한다.

02 Larry and his brother saved money to travel in Europe.

Larry와 그의 남동생은 유럽 여행을 위해 돈을 모았다.

03 I woke up early to go to the airport.

나는 공항에 가기 위해 일찍 일어났다.

05-04 주어나 보어로 쓰인 동명사   p. 68

A 배열 영작

01 Fishing is Ted's favorite hobby.

02 Building a robot is interesting.

03 Eric's plan is opening a brunch cafe.

B 문장 완성

01 is selling cars

02 Driving fast is

03 Making friends is not[isn't] difficult

내신 기출

01 Watch → Watching[To watch]

영화를 보는 것은 매우 즐겁다.

해설   문장에서 주어는 명사 형태여야 해서 Watch는 동명사인 Watching 또는 부정사 형태인 To watch가 되어야 한다.

02 be → being[to be]

사랑은 함께 있을 때 편안한 것이다.

해설   be comfortable이 보어이므로 be를 동명사인 being 또는 부정사 형태인 to be로 써야 한다.

03 are → is

쿠키를 굽기 전에 오븐을 데우는 것이 중요하다.

해설   동명사 주어는 단수 취급하므로 be동사는 is가 되어야 한다.

🎯 감점 피하기

are → is

젓가락을 사용하는 것은 쉽지 않다.

05-05 목적어로 쓰인 동명사   p. 69

A 배열 영작

01 Julie loves spending time with her family.

02 I finished writing a letter yesterday.

03 She hates being with her brother.

B 문장 완성

01 I do not[don't] mind cleaning

02 Can you imagine going

03 He enjoys watching TV

내신 기출

01 It began raining[to rain]

02 They avoided talking

03 kept thinking

05-06 동명사의 관용 표현   p. 70

A 배열 영작

01 She is interested in collecting toys.

02 Ava is good at making up stories.

03 I'm busy doing the dishes.

B 문장 완성

01 He spent an hour playing

02 keeps on growing

03 Thank you for inviting me

내신 기출

01 to shopping → shopping

Emily는 식료품을 사는 데 20달러를 썼다.

해설   '~하는 데 돈을 쓰다'는 「spend+돈+동명사」 형태로 써야 하므로 to shopping에서 to는 불필요하다.

02 go → going

나는 외국에 가는 것을 고대한다.

해설   '~하는 것을 고대하다'는 「look forward to+동명사」 형태로 표현하므로 go 대신 going을 써야 한다.

03 helps → helping

남을 돕는 게 어때?

해설   '~하는 게 어때?'는 「how about+동명사?」로 표현하므로 helps 대신 helping을 써야 한다.

내신 서술형 잡기   Unit 01~06

Step 1   기본 다지기   p. 71

| 배열 영작 |

01 He wants to hold my hand.

02 Do you like to travel?

03 They tried so hard to please her.

04 Having a good night's sleep is important.

05 I don't like getting up early.

06 How about telling him the truth?

| 빈칸 완성 |

07 didn't want to sell

08 learn to swim

09 to find

10 is teaching

11 love doing

12 Are, interested in drawing

| 오류 수정 |

13 is → be

14 go → to go

15 being → to be

16 are → is

17 to make → making

18 to prepare → preparing

13 해설 want 다음에는 명사적 용법의 to부정사가 와야 하며, to부정사는 「to+동사원형」 형태로 쓴다.

14 해설 plans 다음에 명사적 용법의 to부정사(to+동사원형)가 와야 한다.

15 해설 '~하기 위해서'라는 의미는 부사적 용법의 to부정사를 쓴다.

16 해설 동명사 주어는 단수 취급하여 단수형 be동사 is를 쓴다.

17 해설 enjoy는 동명사(동사원형+-ing)를 목적어로 쓴다.

18 해설 '~하느라 바쁘다'라는 의미는 「be busy+동명사」로 표현한다.

Step 2 응용하기 p. 72

| 문장 완성 |

19 want to be famous
20 They decided to build
21 to study architecture
22 keeps baking bread
23 Studying[To study] science is difficult
24 I was busy moving
25 How about taking a nap

| 문장 전환 |

26 Mike does not[doesn't] hope to go to university.
27 My dream is becoming a pilot.
28 Jim's hobby is to watch movies.
29 I went to the shop to buy a skirt for my sister.
30 Eric is good at swimming.
31 How about coming to a party tonight?
32 Chris likes collecting coins.

| 대화 완성 |

33 to go, want to go, to play
34 to read, to drink
35 to see, to see
36 doing, enjoy playing, to join

26 해석 Mike는 대학에 가기를 희망하지 않는다.

27 해석 내 꿈은 비행기 조종사가 되는 것이다.

28 해석 Jim의 취미는 영화 보기이다.

29 해석 나는 언니에게 줄 치마를 사러 가게에 갔다.

30 해석 Eric은 수영을 잘한다.

31 해석 오늘밤 파티에 오는 게 어때?

32 해석 Chris는 동전 모으는 것을 좋아한다.

33 해석 A: 수업 끝나고 어디 가고 싶어?
　　　 B: 나는 체육관에 가고 싶어. 나는 내 친구들과 배구를 하고 싶어.

34 해석 A: Steve가 이 책갈피를 좋아할까?
　　　 B: 아니. 그는 책 읽는 걸 싫어하잖아.
　　　 A: 그럼 이 컵은 어때?
　　　 B: 완벽해. 그는 커피 마시는 것을 아주 좋아하잖아.

35 해석 A: 나는 내일 사촌을 보러 이모 댁에 갈 거야.
　　　 B: 네 사촌은 몇 살이니?
　　　 A: 그는 세 살이야. 빨리 그를 보고 싶어.

36 해석 A: 너는 주말에 뭘 즐겨 하니?
　　　 B: 나는 친구들과 테니스 치는 것을 즐겨.
　　　 A: 이번 주말에도 그들과 테니스 칠 거니?
　　　 B: 응. 너도 우리랑 같이 할래?

Step 3 고난도 도전하기 p. 73

37 (1) Playing board games
　 (2) Waiting for a bus is
　 (3) Riding a bike is
38 She did her best to take care of sick animals.
39 ⓔ → preparing
40 cooking, reading, washing, to play, to stay

37 해석 (1) 보드게임을 하는 것은 재미있다.
　　　 (2) 버스를 기다리는 것은 지루하다.
　　　 (3) 자전거를 타는 것은 좋은 운동이다.

해설 동명사가 주어로 쓰일 때는 단수 취급한다.

38 해설 '~하기 위해서'라는 의미를 나타낼 때는 부사적 용법의 to부정사를 쓴다.

39 해석 학교 축제가 다음 주에 있어요. 수호는 노래를 잘해서 노래를 부를 거예요. Judy는 기타 치는 것을 좋아해서 기타 칠 거예요. 사진 찍는 것은 내 취미라서 나는 우리들의 사진을 찍을 거예요. 우리는 모두 축제를 준비하느라 바빠요.

해설 '~하느라 바쁘다'라는 뜻을 나타낼 때는 「be busy+동명사」로 쓴다.

40 해석 우리 아빠는 자주 우리를 위해 아침을 만드신다. 그는 요리하는 것을 정말 좋아한다. 우리 엄마는 설거지를 마친 후에 책 읽는 것을 좋아하신다. 내 여동생 Julie는 하루 종일 인형을 가지고 노는 것을 좋아한다. 그리고 나는? 나는 건강을 유지하기 위해 매일 아침 조깅을 한다.

해설 •동사 like나 love는 목적어로 동명사와 to부정사를 모두 쓸 수 있다. likes 다음에 빈칸이 하나 있으므로 동명사를, loves 다음에는 빈칸이 두 개 있으므로 to부정사를 쓴다.
　　　 •동사 finish는 목적어로 동명사만 쓸 수 있다.
　　　 •'건강해지기 위해'라는 뜻의 목적을 나타낼 때는 부사적 용법의 to부정사를 쓴다.

Unit 06 전치사와 접속사

06-01 시간 전치사 in, on, at p. 74

A 배열 영작

01 The TV show starts at noon.
02 My brother started school in 2020.
03 I take a walk on Sunday mornings.

B 문장 완성

01 in winter
02 close at 4 p.m
03 Bob went to the zoo on his birthday

> **내신 기출**
>
> 01 at Christmas
> 02 in September
> 03 on Sundays

06-02 기타 시간 전치사

p. 75

A 배열 영작

01 He went home after two hours.

02 Can I borrow your pen for a minute?

03 Harry got ill during the journey.

B 문장 완성

01 for ten days

02 open from Tuesday to Saturday

03 Wash your hands before lunch

> **내신 기출**
>
> 01 My grandmother lost her son during the war.
>
> 02 Let's take a walk around 8 a.m.
>
> 03 I have music class from 2:30 to 3:30 this afternoon.
>
> 🎯 **감점 피하기**
>
> She walked the dog for an hour.

06-03 장소 전치사 in, on, at

p. 76

A 배열 영작

01 He met his friends on the street.

02 Is the actor in that car?

03 I met him at Jenny's birthday party.

B 문장 완성

01 on the seat in the car

02 at the traffic lights

03 I saw her photos in my room

> **내신 기출**
>
> 01 A: Excuse me, where can I find men's shoes?
>
> 실례합니다만, 남성용 신발은 어디에 있나요?
>
> B: You can find them on the second floor.
>
> 그것들은 2층에서 찾을 수 있어요.
>
> 02 A: There was a fire at HK Market, and a boy couldn't escape from the building.
>
> HK 마트에 불이 났는데, 한 소년이 건물에서 빠져나오지 못했어.
>
> B: Really? What happened to the boy?
>
> 정말? 그 소년은 어떻게 됐는데?
>
> A: Luckily, a firefighter found him in the restroom and saved him.
>
> 다행히, 한 소방관이 화장실에서 그를 발견해서 구했어.

06-04 기타 장소 전치사

p. 77

A 배열 영작

01 The restaurant is next to the bank.

02 Many boats pass under the bridge.

03 The post office is behind the bakery.

B 문장 완성

01 over the trees

02 across the street

03 The boy hid under the desk

> **내신 기출**
>
> 01 There is a bookstore next to the flower shop.
>
> 꽃집 옆에 서점이 있다.
>
> 02 A dog is in front of the bookstore.
>
> 개 한 마리가 서점 앞에 있다.
>
> 03 A girl is walking behind the dog.
>
> 한 소녀가 그 개의 뒤에서 걷고 있다.
>
> 04 There are lots of pots on the shelf in front of the flower shop.
>
> 꽃집 앞 선반 위에 화분들이 많이 있다.

06-05 접속사 and, but, or

p. 78

A 배열 영작

01 Come and have a good time.

02 This car is nice but expensive.

03 Is she walking or riding a bike?

B 문장 완성

01 but (we) missed the train

02 three or four days

03 I have a headache and a runny nose

> **내신 기출**
>
> 01 The tropics are hot and wet places.
>
> 열대지방은 덥고 습한 곳이다.
>
> 02 Do you want to eat here or (to) get it to go?
>
> 여기서 드시겠어요, 아니면 포장하실래요?
>
> 03 They were very tired, but they didn't stop running.
>
> [They were very tired but didn't stop running.]
>
> 그들은 매우 피곤했지만 달리기를 멈추지 않았다.
>
> 🎯 **감점 피하기**
>
> Everything is new and exciting.
>
> 모든 것이 새롭고 흥미롭다.

06-06 접속사 before, after

p. 79

A 배열 영작

01 I will buy it after I use this. [After I use this, I will buy it.]

02 I drink some milk before I go to bed.
   [Before I go to bed, I drink some milk.]

03 She left for Shanghai after they arrived.
   [After they arrived, she left for Shanghai.]

B 문장 완성

01 after we saw him

02 Before Lisa went shopping

03 Amy went to the park after she had lunch

[After Amy had lunch, she went to the park]

01 After he developed the app

02 after I watched the movie

03 before he has a meal

06-07 접속사 when

p. 80

A 배열 영작

01 Bill was cooking when I arrived home.

[When I arrived home, Bill was cooking.]

02 You'll see his house when you cross the bridge.

[When you cross the bridge, you'll see his house.]

03 I wanted to be a doctor when I was young.

[When I was young, I wanted to be a doctor.]

B 문장 완성

01 When I watch a movie

02 when she goes to the party

03 He looks so cool when he wears this hat

[When he wears this hat, he looks so cool]

01 When I woke up in the morning, I still felt tired.

아침에 일어났을 때, 나는 여전히 피곤함을 느꼈다.

02 Don't use too much water when you take a shower.

샤워할 때 물을 너무 많이 사용하지 마라.

03 When you turn right at the corner, you'll find the bank.

모퉁이에서 오른쪽으로 돌면 은행을 찾을 수 있을 겁니다.

04 Eddie likes to stay home when it rains[is raining].

Eddie는 비가 올 때 집에 있는 것을 좋아한다.

🔊 감점 피하기

When you are[you're] ready, we'll leave.

네가 준비가 되면 우리는 떠날 거야.

06-08 접속사 so

p. 81

A 배열 영작

01 It's so cold, so I don't want to go out.

02 We're late for school, so we have to hurry up.

03 You look very tired, so you should get some rest.

B 문장 완성

01 so I closed the window

02 so we cannot[can't] swim here

03 He lost the key, so he could not[couldn't] get into his

house[home]

01 He was very hungry, so he ordered pizza.

그는 매우 배가 고파서 피자를 주문했다.

02 Her car ran out of gas, so she couldn't drive.

그녀의 차에 기름이 떨어져서 차를 몰 수 없었다.

03 I forgot to return the book, so I had to pay a late fee.

나는 책을 반납하는 것을 잊어버려서 연체료를 내야 했다.

06-09 접속사 because

p. 82

A 배열 영작

01 I can't buy it because it's too expensive.

[Because it's too expensive, I can't buy it.]

02 He stayed at home because it was rainy.

[Because it was rainy, he stayed at home.]

03 He bought a cake because it's Ann's birthday.

[Because it's Ann's birthday, he bought a cake.]

B 문장 완성

01 because I love taking[to take] pictures

02 because it is[it's] closer

03 I did not[didn't] go to school because I caught a cold

[Because I caught a cold, I did not[didn't] go to school]

01 I don't like math because it is[it's] boring.

나는 수학이 지루해서 좋아하지 않는다.

02 The planes couldn't take off because there was a snowstorm.

눈보라가 쳐서 비행기들이 이륙할 수 없었다.

03 I want to buy this shirt because it looks good on me.

이 셔츠가 저에게 잘 어울려서 사고 싶어요.

06-10 접속사 that

p. 83

A 배열 영작

01 I think that friends are very important.

02 Some people believe that he is a good man.

03 They know that Tim is from Norway.

B 문장 완성

01 I heard (that)

02 (that) the movie was very exciting

03 She thinks (that) her brother is smart

01 People believe that the number 7 brings

02 Mary hopes that she feels better

03 I knew that Mason drew

28 해설 열쇠를 잃어버린 것이 방에 들어갈 수 없는 원인이므로 접속사 Because
(~ 때문에)를 써야 한다.

29 해설 believe의 목적어인 명사절을 이끄는 접속사 that이 필요하다.

Step 1 기본 다지기   p. 84

| 배열 영작 |

01 The restaurant opens at noon.
02 You can't use this bridge after today.
03 The painting on the wall is very beautiful.
04 Turn left in front of the theater.
05 Ms. Kim is a good teacher and a kind mother.
06 Look both ways before you cross the street.
　　[Before you cross the street, look both ways.]
07 I'll go outside when you call me.
　　[When you call me, I'll go outside.]
08 I hurt my leg, so I stayed at home.
09 I think that I ate too much yesterday.

| 빈칸 완성 |

10 on Mondays
11 after three weeks
12 at the station
13 in front of the building
14 but, an animal
15 before you go
16 when he heard
17 so I cried
18 because he lost
19 I learned that

| 오류 수정 |

20 at → on
21 for → from
22 at → on
23 of → to
24 but → or
25 before → after
26 will arrive → arrive
27 because → so
28 When → Because
29 what → that

Step 2 응용하기   p. 85

| 문장 완성 |

30 goes to bed late at night
31 looked sad after the match
32 waited for her friend at[in] the library
33 wanted to sit next to me
34 but we (can) feel it
35 left Seoul before I arrived
36 When he was young
37 hear (that) she got a job
38 because he was always curious

| 문장 전환 |

39 Lucy doesn't exercise in the morning.
40 A man is walking behind his wife.
41 I know that Anna is very kind.
42 Picasso and Dali were from Spain.
43 Ted was tired, so he went to bed.
44 I'll tell him everything when he gets here.
　　[When he gets here, I'll tell him everything.]
45 Because science is difficult, I don't like it.
　　[I don't like science because it is difficult.]

| 대화 완성 |

46 during, in
47 at, at[in], at
48 so, that, because of
49 and, that, When[Because]
50 think that, think that

---

20 해설 특정한 날 앞에는 on을 쓴다.
21 해설 from A to B: A부터 B까지
22 해설 층을 나타낼 때는 on the ~ floor로 쓴다.
23 해설 next to: ~ 옆에
24 해설 '~이나, 또는'의 의미로 접속사 or를 쓴다.
25 해설 영화를 본 것이 영화가 히트하고 난 이후이므로 접속사 after(~ 후에)를 써
　　　　야 한다.
26 해설 접속사 when을 쓴 부사절에서는 현재시제가 미래시제를 대신한다.
27 해설 밖에 나가고 싶지 않은 것은 눈이 오는 데 따른 결과이므로 접속사 so를 써
　　　　야 한다.

39 해설 Lucy는 아침에 운동을 하지 않는다.
40 해설 한 남자가 자신의 아내 뒤에서 걷고 있다.
41 해설 나는 Anna가 매우 친절하다는 것을 안다.
42 해설 Picasso와 Dali는 스페인 출신이다.
43 해설 Ted는 피곤해서 자러 갔다.
44 해설 그가 여기 오면 내가 그에게 모든 것을 말할게.
45 해설 과학은 어렵기 때문에 나는 과학을 좋아하지 않는다.
46 해설 A: 휴일 동안 뭐 했어?
　　　　B: 런던에서 열리는 국제 재즈 페스티벌에 갔었어.
47 해설 A: 영화 〈겨울왕국〉이 몇 시에 시작하니?
　　　　B: 6시 30분에 시작해.
　　　　A: 그럼, 6시에 극장에서 만나자.
48 해설 A: 어제 콘서트 어땠어?
　　　　B: 사실은 그 가수가 목이 아파서 콘서트를 취소했어.
　　　　A: 안됐구나. 추운 날씨 때문에 아픈 사람이 많다고 들었어.
49 해설 A: Eric, 나가서 농구 하자.
　　　　B: 밖이 너무 덥다고 생각하지 않니?
　　　　A: 정말? 그러면 너는 무엇을 하고 싶은데?
　　　　B: 나는 더울 때는 (덥기 때문에) 수영장에서 수영하는 것을 좋아해.

50 해석
A: 현대미술은 이해하기가 어려워. 이건 나무 그림인 것 같은데.
B: 난 그런 것 같지 않아. 그것은 두 사람을 그린 그림인 것 같아.

Step 3 고난도 도전하기   p. 87

51 (1) bake[are baking] cookies in the kitchen
    (2) puts[is putting] some cookie dough on[in] the pan
    (3) mixes[is mixing] the dough in the bowl
52 When you open the box, you will find some letters.
    [You will find some letters when you open the box.]
53 ⓓ → in
54 at, or[and], on, After, and
55 practiced the guitar (at 5:30 p.m.) after she did yoga
    (at 4:00 p.m.)

51 해석
(1) Judy와 그녀의 엄마는 부엌에서 쿠키를 굽는다(굽고 있다).
(2) Judy는 약간의 쿠키 반죽을 팬에 올린다(올리고 있다).
(3) 그녀의 엄마는 그릇에 담긴 반죽을 숟가락으로 섞는다(섞고 있다).

해설
(1), (3) 공간의 내부를 나타내는 전치사 in(~ 안에)이 필요하다.
(2) '~ 위에'라는 의미의 전치사 on 또는 '~ 안에'라는 의미의 전치사 in이 적절하다.

52 해설 접속사 when을 쓴 부사절에서는 미래의 의미도 현재시제로 표현한다.

53 해석 우리 가족은 12월에 자주 여행을 간다. 작년에 우리는 일본으로 여행을 갔다. 우리는 크리스마스 날에 니가타를 방문했다. 날씨가 너무 추워서 우리는 하루 종일 호텔 안에 있었다. 올해 우리는 방콕에 갈 계획이다. 그곳은 겨울에 따뜻하다. 우리는 11월 30일에 출발할 것이다.

해설 계절을 나타내는 말 앞에는 전치사 in을 쓴다.

54 해석 Tien과 그의 가족은 오전 7시 30분에 아침을 먹습니다. 그들은 자주 따뜻한 두유와 함께 만두나(와) 튀김 스틱을 먹습니다. 그들은 보통 거리에 있는 식당에 갑니다. 아침 식사를 마친 후에, Tien은 학교에 가고, 그의 아빠는 일하러 갑니다.

해설 시각 앞에는 at을 쓰며, '만두나(와) 튀김 스틱'에서 '~이나'라는 의미의 접속사 or 또는 '~와'라는 의미의 접속사 and를 쓴다. '거리에서'는 on the street로 쓰며, 아침 식사를 마친 후에 학교에 가므로 접속사 after가 필요하다. Tien은 학교에 가고 Tien의 아빠는 일하러 간다는 동등한 내용을 연결하기 위해서는 등위접속사 and가 필요하다.

55 해석

오후 4:00	오후 5:30
요가하기	기타 연습하기

Sandy는 (오후 4시에) 요가를 한 후에 (오후 5시 30분에) 기타를 연습했다.

해설 요가를 한 게 기타 연습보다 전에 한 일이므로 after가 이끄는 절에는 요가 연습을 했다는 내용이 들어가면 적절하다.

Unit 07   빈도부사, 비교

07-01 빈도부사   p. 88

A 배열 영작

01 My brother never helps me.
02 I always travel with my friends.
03 Jimmy usually goes to school early.

B 문장 완성

01 often wears
02 You sometimes look
03 Time never waits for anyone

내신 기출

	습관	얼마나 자주(빈도)
01	책 읽기	항상
02	개 산책시키기	보통
03	식물에 물주기	자주
04	쇼핑가기	때때로
Q	학교 지각하기	절대 안 함

01 Jake always reads books.
    Jake는 항상 책을 읽는다.
02 He usually walks his dog.
    그는 보통 자신의 개를 산책시킨다.
03 He often waters the plants.
    그는 종종 식물에 물을 준다.
04 He sometimes goes shopping.
    그는 때때로 쇼핑하러 간다.

감점 피하기
He is never late for school.
그는 절대 학교에 지각하지 않는다.

07-02 비교급: -er   p. 89

A 배열 영작

01 The Nile is longer than the Han River.
02 Your phone case is prettier than mine.
03 Horses run faster than donkeys.

B 문장 완성

01 is hotter in August than
02 Cars are much safer than
03 He came earlier than me[I did]

내신 기출

이름	나이	몸무게	키
Tony	5살	15킬로그램	100센티미터
Eric	9살	20킬로그램	120센티미터

01 Tony is younger than Eric
    Tony는 Eric보다 더 어리다.
02 Eric is heavier than Tony
    Eric은 Tony보다 더 무겁다.
03 Tony is shorter than Eric
    Tony는 Eric보다 더 키가 작다.

07-03 비교급: more ~
p. 90

A 배열 영작

01 You look better than your picture.

02 I like baseball more than soccer.

03 This bag is more expensive than mine.

B 문장 완성

01 science is more difficult than math

02 is much more exciting than

03 Fishing is more boring than hiking

내신 기출

01 I like chicken more than beef.
나는 소고기보다 닭고기를 더 좋아한다.

02 Boxing looks more dangerous than skiing.
복싱은 스키보다 더 위험해 보인다.

03 Nancy can speak Italian better than before.
Nancy는 전보다 이탈리아어를 더 잘할 수 있다.

04 Water is far more useful than diamonds.
물은 다이아몬드보다 훨씬 더 유용하다.

05 I think you're more handsome than the actor.
나는 그 배우보다 네가 더 잘생겼다고 생각한다.

07-04 최상급: -est
p. 91

A 배열 영작

01 Hinduism is the largest religion in India.

02 Subin is the shortest in her family.

03 Who is the fastest runner in your class?

B 문장 완성

01 the closest planet

02 the smartest student

03 Monday is the busiest day

내신 기출

이름	Paul	보미	Antonio
나이	15세	14세	13세
키	168센티미터	170센티미터	162센티미터
가족	3명	4명	6명

01 Paul is the oldest of the three students.
Paul은 세 명의 학생 중 가장 나이가 많다.

02 Bomi is the tallest of the three students.
보미는 세 명의 학생 중 가장 키가 크다.

03 Antonio has the biggest family of the three students.
Antonio는 세 명의 학생 중 가장 가족이 많다.

07-05 최상급: the most ~
p. 92

A 배열 영작

01 Math is the most difficult subject.

02 Soccer is the most popular sport in the U.K.

03 Today's weather is the worst of this month.

B 문장 완성

01 the most important

02 is the most beautiful place

03 This is the most delicious cupcake in the world

내신 기출

01 Picasso's paintings are the most expensive in the world.
해설 expensive의 최상급 형태는 the most expensive이다.

02 Eric is the most handsome of his friends.
해설 handsome의 최상급 형태는 the most handsome이며, 비교 대상의 복수 명사(his friends) 앞에는 전치사 of를 써서 '~ 중에서'를 나타낸다.

🎯 감점 피하기
What is the most dangerous job in the world?

내신 서술형 잡기
Unit **01~05**

Step 1 　　기본 다지기
p. 93

| 배열 영작 |

01 Jenny is wiser than the other kids.

02 Reading is more helpful than watching TV.

03 Elena is the bravest person in my team.

04 This is the most expensive dish in this restaurant.

05 She often does volunteer work.

| 빈칸 완성 |

06 colder than

07 more than summer

08 the strongest student

09 the most powerful

10 often wins

| 오류 수정 |

11 bright → brighter

12 most → more

13 very → much[even, far, a lot, still]

14 biggest → the biggest

15 more → most

16 take usually → usually take

11 해설 '더 밝은'이라는 의미를 나타내려면 bright의 비교급 형태인 brighter를 써야 한다.

12 해설 much의 비교급 형태는 more이다.

13 해설 '훨씬 더 ~한'이라고 비교급을 강조할 때는 very 대신 much나 even, far, a lot, still 등을 쓴다.

14 해설 big의 최상급은 the biggest로 쓴다. 형용사의 최상급 앞에는 반드시 the를 써야 한다.

15 해설 important는 2음절 이상이므로 앞에 the most를 붙여 최상급은 the most important로 쓴다.

16 해설 빈도부사(usually)는 문구나 문미에 쓰는 것을 제외하고 본동사(take) 앞에 써야 한다.

Step 2 응용하기 p. 94

| 문장 완성 |

17 are sweeter than

18 more beautiful than the actress

19 is the hottest area in the world

20 is the most famous bridge in the U.S.

21 sometimes skip

22 do you usually go to bed

| 문장 전환 |

23 My dad is older than my uncle.

24 The white shirt is more expensive than the blue shirt.

25 Amy is the fastest of the three.

26 This place is the most famous beach in Hawaii.

27 I will never forget his smile.

| 대화 완성 |

28 more interesting, more interesting than the movie

29 the deepest lake, the largest lake

30 the greatest invention, fly faster than

31 are never, always leave, usually go

23 해석 나의 아빠는 나의 삼촌보다 나이가 많다.

24 해석 흰색 셔츠는 파란색 셔츠보다 더 비싸다.

25 해석 Amy는 셋 중에서 가장 빠르다.

26 해석 이곳은 하와이에서 가장 유명한 해변이다.

27 해석 나는 그의 미소를 절대 잊지 않을 것이다.

28 해석 A: 나는 〈반지의 제왕〉을 읽고 있어.
B: 우리 전에 그 영화 봤잖아. 영화랑 책 중에 어느 것이 더 재미있니?
A: 나는 책이 영화보다 더 재미있는 것 같아.

29 해석 A: 세계에서 가장 깊은 호수는 무엇이니?
B: 그것은 바이칼 호수야. 그 호수는 깊이가 1,642미터야.
A: 대단하다. 세계에서 가장 큰 호수는 무엇이니?
B: 그것도 바이칼 호수야.

30 해석 A: 나는 비행기가 그 어떤 것보다 가장 위대한 발명품이라고 생각해.
B: 나도 그렇게 생각해. 비행기에 대한 아이디어는 "우리가 새처럼 날 수 있을까?"라는 질문에서 비롯되었어.
A: 그 아이디어 덕분에 우리는 이제 새들보다 더 빨리 날 수 있어.

31 해석 A: 너는 학교에 절대 늦지 않는구나.
B: 응. 나는 항상 일찍 집에서 나와서 학교에 걸어가거든. 너는 학교에 어떻게 가니?
A: 나는 보통 버스를 타고 가. 그런데 가끔 버스를 놓칠 때가 있어.

Step 3 고난도 도전하기 p. 95

32 (1) Phone A is heavier than Phone B.
(2) Phone B is longer than Phone A.
(3) Phone A is more expensive than Phone B.

33 Her father often makes dinner for the family.

34 ⓒ → sometimes missed

35 is more popular than, is the most popular club

32 해석

	무게	길이	가격
A 전화기	175그램	142밀리미터	790달러
B 전화기	170그램	149밀리미터	680달러

(1) A 전화기는 B 전화기보다 더 무겁다.
(2) B 전화기는 A 전화기보다 더 길다.
(3) A 전화기는 B 전화기보다 더 비싸다.

해설 두 전화기의 무게와 길이, 가격을 비교하기 위해 「비교급+than ~」 구문을 사용한다. heavy의 비교급은 heavier, long의 비교급은 longer, expensive의 비교급은 more expensive이다.

33 해설 빈도부사(often)는 본동사(makes) 앞에 쓴다.

34 해석 Mia는 반에서 가장 조용한 소녀였다. 그녀는 항상 뒤에 앉았다. 그녀는 가끔 수업을 빼먹었지만 아무도 눈치 채지 못했다. 하지만 Emma는 반에서 가장 인기 있는 소녀였다. 그녀는 다른 소녀들과 달랐다. 그녀는 종종 Mia와 대화하고 싶어 했다.

해설 빈도부사(sometimes)는 본동사(missed) 앞에 써야 한다.

35 해석

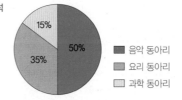

음악 동아리
요리 동아리
과학 동아리

이 그래프는 우리 반 친구들이 가장 좋아하는 학교 동아리를 보여줍니다. 요리 동아리는 과학 동아리보다 더 인기가 있습니다. 음악 동아리는 우리 반에서 가장 인기 있는 동아리입니다.

해설 요리 동아리는 과학 동아리보다 인기가 있으므로 비교급을 써서(more popular than) 표현하고, 음악 동아리는 가장 인기가 있으므로 최상급을 써서(the most popular club) 표현한다.

Unit 08 의문사

08-01 의문대명사 who – 주어 p. 96

A 배열 영작

01 Who went to the amusement park?

02 Who is next to you?

03 Who is calling Bill now?

B 문장 완성

01 Who used

02 Who can answer

03 Who cleaned our classroom

01 Who invented
02 Who likes
03 Who came

🎯 감점 피하기

Who wants to listen to

08-02 의문대명사 who – 보어, 목적어 p. 97

A 배열 영작

01 Who is that girl?
02 Who do you live with?
03 Who are your best friends?

B 문장 완성

01 Who is[Who's] the president
02 Who did Emily see
03 Who is[Who's] your favorite singer

01 A: Who did you borrow the phone from?
   너는 누구한테 전화기를 빌렸니?
   B: I borrowed it from Logan.
   Logan한테서 빌렸어.
02 A: Who are[Who're] you talking about?
   너희는 누구에 대해 말하는 거니?
   B: We are talking about our new math teacher.
   우리는 새 수학 선생님에 대해 말하고 있어.
03 A: Look at the boys over there. Who are[Who're] they?
   저기 있는 남자아이들 좀 봐. 그들은 누구지?
   B: They are my cousins, Sejun and Minjun.
   그들은 내 사촌인 세준이와 민준이야.

08-03 의문대명사 what – 주어 p. 98

A 배열 영작

01 What is on the table?
02 What comes next?
03 What's wrong with that?

B 문장 완성

01 What is[What's]
02 What is[What's] falling
03 What is[What's] in your bag

01 What made you
02 What is[What's] crawling
03 What is[What's] flying

🎯 감점 피하기

What happens

08-04 의문대명사 what – 보어, 목적어 p. 99

A 배열 영작

01 What are you doing now?
02 What does Jamie do?
03 What does he look like?

B 문장 완성

01 What did Kelly buy
02 What can we see
03 What is[What's] your best food

01 A: What did you play last Saturday?
   너는 지난 토요일에 뭐 했니?
   B: I played a board game.
   난 보드게임을 했어.
02 A: What can you see in this picture?
   이 사진에서 무엇을 볼 수 있니?
   B: I can see a car.
   차가 보여.
03 A: What is[What's] your favorite color?
   너는 어떤 색을 제일 좋아하니?
   B: My favorite color is green.
   내가 가장 좋아하는 색은 녹색이야.

08-05 의문형용사 what p. 100

A 배열 영작

01 What time does the next bus come?
02 What day is it today?
03 What plans do you have for this year?

B 문장 완성

01 What floor is
02 What size do you
03 What color does she like

01 does → is
   캐나다의 어린이날은 며칠입니까?
   해설   주어인 어린이날이 언제인지 묻는 말이므로 be동사가 필요하다.
02 likes → like
   너는 어떤 종류의 게임을 하는 것을 좋아하니?
   해설   일반동사의 의문문을 만드는 데 필요한 조동사 do 다음에는 동사원형이 와야 한다.

03 do → does

국립박물관은 몇 시에 문을 여나요?

해설 주어가 the National Museum이므로 조동사 do의 3인칭 단수형 does가 와야 한다.

08-06 의문형용사 which
p. 101

A 배열 영작

01 Which foods can dogs eat?
02 Which umbrella did you choose, this one or that one'?
03 Which animals use their tails to swim?

B 문장 완성

01 Which season do you like (the)
02 Which museum did you go
03 Which clothes do you like

내신 기출

01 A: Which color do you like, green or blue?

너는 녹색과 파란색 중 어떤 색을 좋아하니?

B: I like blue.

나는 파란색을 좋아해.

02 A: Which country is bigger, the U.S. or Canada?

미국과 캐나다 중 어느 나라가 더 큰가요?

B: Canada is bigger than the U.S.

캐나다가 미국보다 더 커.

03 A: Which book do you want to read first?

너는 어떤 책을 먼저 읽고 싶니?

B: I want to read *Wonder*.

나는 〈Wonder〉를 읽고 싶어.

08-07 의문부사 when – be동사
p. 102

A 배열 영작

01 When are you leaving?
02 When is your final exam?
03 When was Kate in Busan?

B 문장 완성

01 When is[When's] Chuseok
02 When is[When's] Damien
03 When is[When's] the moon closer

내신 기출

01 A: When is[When's] Henry's birthday?

Henry의 생일이 언제니?

B: His birthday is this Friday.

그의 생일은 이번 금요일이야.

02 A: When was your graduation ceremony?

네 졸업식이 언제였니?

B: My graduation ceremony was on February 25th.

내 졸업식은 2월 25일이었어.

감정 피하기

A: When[When's] is the last train to Lisbon?

리스본으로 가는 마지막 열차는 언제 있나요?

B: The last train leaves at 11:40 p.m.

마지막 열차는 오후 11시 40분에 떠납니다.

08-08 의문부사 when – 일반동사
p. 103

A 배열 영작

01 When does the class start?
02 When did the flight arrive?
03 When will you come back?

B 문장 완성

01 When is the next train
02 When did your brother get
03 What time does the library close

내신 기출

01 A: When did you leave home yesterday?

당신은 어제 언제 집에서 나왔나요?

B: I left home after dinner.

저녁 먹고 나서 집을 나왔어요.

02 A: When did your friend call you last night?

어젯밤 친구가 당신에게 언제 전화했지요?

B: She called me around 9 p.m.

그녀가 오후 9시쯤 제게 전화했어요.

03 A: When did you go to bed then?

그럼 당신은 언제 잠들었나요?

B: I'm not sure. I think it was around 1 a.m.

잘 모르겠어요. 새벽 1시쯤이었던 것 같아요.

08-09 의문부사 where – be동사
p. 104

A 배열 영작

01 Where is your sister?
02 Where is the Statue of Liberty?
03 Where are you from?

B 문장 완성

01 Where are[Where're] you calling
02 Where is[Where's] the art room
03 Where were you this afternoon

내신 기출

01 A: Where is[Where's] the Colosseum?

콜로세움은 어디에 있나요?

B: It's in Rome.

로마에 있어요.

02 A: Where are[Where're] you going now?

너 지금 어디 가니?

B: I'm going to the post office.

나는 우체국에 가는 중이야.

03 A: Where are[Where're] they?

그들은 어디에 있나요?

B: They are near the beach.

그들은 해변 근처에 있어요.

🎯 감점 피하기

A: Where is[Where's] she waiting?

그녀는 어디에서 기다리고 있니?

B: She is waiting on the bench.

그녀는 벤치에서 기다리고 있어.

08-10 의문부사 where – 일반동사　　p. 105

A 배열 영작

01 Where do you go jogging?

02 Where should I visit in Finland?

03 Where does the bus stop next?

B 문장 완성

01 Where did James go

02 Where did you have dinner

03 Where does Joan come from

내신 기출

01 Where did Gabriel live

02 Where did you buy

03 Where does your father[dad] work

🎯 감점 피하기

Where can I find

08-11 의문부사 why　　p. 106

A 배열 영작

01 Why do bears sleep all winter?

02 Why did you get up so early?

03 Why are they watching us?

B 문장 완성

01 Why did she want to be

02 Why does he need

03 Why were you so late yesterday

내신 기출

01 you → do you

너는 왜 우리 동아리에 가입하고 싶어하니?

해설　why로 시작하는 의문문에서 일반동사를 활용할 때는 조동사가 일반동사 앞에 와야 한다.

02 is → does

Lucy는 왜 마을을 싫어하지?

해설　why로 시작하는 의문문에서 일반동사(hate)를 사용하고 있으므로 조동사 do가 필요하다. 이때, 주어가 Lucy이므로 3인칭 단수형 조동사 does로 쓴다.

03 do → are

너는 왜 그렇게 슬퍼하니?

해설　sad는 형용사이므로 be동사와 함께 써서 주어의 상태를 나타내야 한다.

08-12 의문부사 why를 이용한 표현　　p. 107

A 배열 영작

01 Why don't we go home early?

02 Why don't you ask your teacher?

03 Why don't we go out?

B 문장 완성

01 Why don't you tell him

02 Why don't we have

03 Why don't we play badminton

내신 기출

01 Why don't we meet

02 Why don't you take

03 Why don't we go

08-13 의문부사 how를 이용한 표현　　p. 108

A 배열 영작

01 How did you go to Pohang?

02 How are your parents?

03 How can I get to the airport?

B 문장 완성

01 How is[How's] the weather

02 How did she make

03 How was the concert yesterday

내신 기출

01 A: How was your summer holiday?

네 여름휴가는 어땠니?

B: It was fantastic.

환상적이었어.

02 A: How did[could] you go to the mall?

너희는 쇼핑몰에 어떻게 갔어(갈 수 있어)?

B: We went there by bus.

우리는 버스를 타고 거기에 갔어.

03 A: How can[do] I get to the train station?

기차역에는 어떻게 갈 수 있나요(가나요)?

B: You can get there on foot. It takes about 10 minutes.

걸어서 가면 됩니다. 10분 정도 걸려요.

08-14 「how+형용사/부사」 구문 p. 109

A 배열 영작

01 How old is your cat?

02 How far can eagles see?

03 How much are the tickets?

B 문장 완성

01 How many students are there

02 How long did they stay

03 How often do you exercise

내신 기출

01 A: How long does it take from here to the park?

　　여기서 공원까지 얼마나 걸리나요?

　 B: It takes 30 minutes.

　　30분 걸려요.

02 A: How much does a new computer cost?

　　새 컴퓨터 한 대에 얼마예요?

　 B: It costs 600 dollars.

　　600달러입니다.

03 A: How many eggs do you want to buy?

　　계란을 몇 개 사시겠어요?

　 B: I want to buy 30 eggs.

　　계란 30개를 사려고 해요.

내신 서술형 잡기　　　Unit 01~14

Step 1　기본 다지기 p. 110

| 배열 영작 |

01 Who made this cheesecake?

02 Who do you go to school with?

03 What is in the basket?

04 What will Jackson do on Friday?

05 What kind of games do you want to play?

06 Which place do you like best in school?

07 Where does your family stay in Canada?

08 Why don't you buy her a concert ticket?

09 How did the TV show become popular?

10 How high is the mountain?

| 빈칸 완성 |

11 Who wants

12 Who do you like

13 What did they eat[have]

14 What time do you

15 Which team do

16 When did she hear

17 Why was he

18 Why don't you go

19 How is the weather

20 How much money

| 오류 수정 |

21 invited Jessi → did Jessi invite

22 are → is

23 is date → date is

24 you → do you

25 is → do

26 started → start

27 do be → are

28 What → Why

29 taking → take

30 is → does

21 해설 Who로 시작하며 Jessi를 주어로 하는 일반동사 의문문은 「Who+조동사+주어+동사원형~?」 형태로 써야 한다.

22 해설 what이 주어일 때는 단수 취급하므로 단수형 be동사 is를 써야 한다.

23 해설 '~은 며칠인가요?'라고 물을 때는 의문형용사 what을 써서 「What date ~?」으로 표현한다.

24 해설 의문사 which로 시작하는 의문문에서 일반동사를 쓸 때는 조동사가 일반동사 앞에 와야 한다.

25, 30 해설 의문사로 시작하는 의문문에서 일반동사(want, taste)를 쓸 때는 조동사 (do/does)가 필요하다.

26 해설 주어 앞에 조동사(did)가 있으므로 뒤에 오는 동사는 동사원형으로 써야 한다.

27 해설 시제가 현재진행형이므로 「의문사+be동사+주어+동사원형+-ing ~?」 형태로 써야 한다.

28 해설 이유를 묻는 의문문이므로 의문사 why가 필요하다.

29 해설 '~하는 게 어때?'라고 권유하는 말은 「Why don't you+동사원형 ~?」으로 표현한다.

Step 2　응용하기 p. 112

| 문장 완성 |

31 What makes you nervous

32 Who made you

33 What time did the party finish

34 Where did you find

35 When does Harry walk

36 Why don't we paint

37 When is[When's] the sports day

38 Why don't you join us

39 How many books do you read

40 How can[do] I get to

| 문장 전환 |

41 Who does she go fishing with?

42 Where does Hans come from?

43 What did you do last weekend?

44 What time do you usually have breakfast?

45 Which sea animal is larger, blue whales or whale sharks?
46 How much milk do you drink a day?

| 대화 완성 |

47 Who is, How old is
48 Who went, Where is she
49 Why don't you
50 Which animals, How fast can[do], run
51 How was, When did

41 해석　그녀는 누구와 함께 낚시를 가니?
42 해석　Hans는 어디 출신이니?
43 해석　너는 지난 주말에 무엇을 했니?
44 해석　너는 보통 몇 시에 아침을 먹니?
45 해석　대왕고래와 고래상어 중 어떤 바다동물이 더 큰가요?
46 해석　너는 하루에 우유를 얼마나 마시니?
47 해석　A: 노란 셔츠를 입은 저 소년은 누구야?
　　　　B: 내 남동생이야.
　　　　A: 와, 귀엽다. 그 애는 몇 살이니?
　　　　B: 그는 8살이야.
48 해석　A: 누가 지난 주말에 너와 캠핑을 갔니?
　　　　B: 내 친구 Julie야.
　　　　A: 그녀는 어디 출신이니?
　　　　B: 그녀는 캐나다에서 왔어.
49 해석　A: 저는 더 건강해지고 싶어요.
　　　　B: 매일 수영하는 게 어때?
　　　　A: 좋은 생각이에요. 그렇게 할게요.
50 해석　A: 치타와 말 중에서 어느 동물이 더 빠르니?
　　　　B: 치타가 더 빨라.
　　　　A: 그들은 얼마나 빨리 달릴 수 있는데(달리는데)?
　　　　B: 시속 110킬로미터로 달릴 수 있어.
51 해석　A: 네 여름방학은 어땠어?
　　　　B: 정말 즐거웠어. 나는 가족과 함께 하와이를 방문했어.
　　　　A: 정말? 나도 거기 갔었는데. 너는 언제 갔어?
　　　　B: 나는 7월 30일에 떠나서 3일 동안 그곳에 머물렀어.

| Step 3 | 고난도 도전하기 | p. 113 |

52 (1) When are[When're] they going to have the party?
　　(2) Where are[Where're] they going to have the party?
53 Which pet do you want to have, a dog or a cat?
54 ⓒ → Who is
55 (1) How long does it take
　　(2) How much does

52 해석　(1) A: 그들은 언제 파티를 열 예정인가요?
　　　　　　B: 6월 22일에요.
　　　　(2) A: 그들은 어디에서 파티를 열 건가요?
　　　　　　B: 팜비치하우스에서요.
　　해설　(1) 파티가 열리는 때를 물을 때는 「When ~?」으로 표현한다.
　　　　(2) 파티가 열리는 장소를 물을 때는 「Where ~?」로 표현한다.
53 해설　제한된 몇 개 중에서 선택을 해야 하는 경우 '어떤 ~'라는 뜻의 의문형용사
　　　　which를 활용하여 「Which ~, A or B?」로 묻는다.

54 해석　내 남동생은 항상 나에게 많은 질문을 해요. "곰과 코끼리 중 어떤 동물이 더 강해? 세계에서 가장 큰 놀이공원은 어디야? 누나 반에서 가장 똑똑한 학생은 누구야? 왜 꽃들은 좋은 냄새가 날까? ……" 제 동생을 어떻게 생각하시나요? 저는 동생이 호기심 덕분에 훌륭한 과학자가 될 거라고 생각해요.
　　해설　who가 문장의 보어이고 the smartest student가 주어인 문장이므로 「Who+be동사+주어 ~?」 형태로 써야 한다.
55 해석　(1) A: 서울에서 강릉까지 가는 데 얼마나 걸리나요?
　　　　　　B: 2시간 걸려요.
　　　　(2) A: 표 한 장에 얼마예요?
　　　　　　B: 27,600원입니다.
　　해설　(1) 소요되는 시간을 물을 때는 「How long does it take ~?」로 표현한다.
　　　　(2) 가격을 물을 때는 「How much ~?」로 표현한다.

Unit 09　문장 유형

09-01　긍정 명령문　p. 114

A 배열 영작

01 Be kind to your friends.
02 Please be quiet in the hospital.
　　[Be quiet in the hospital, please.]
03 Take them out of the house.

B 문장 완성

01 Drink a lot of water
02 Be polite
03 Wear a seat belt in the car

내신 기출

01 Do the dishes after meals.
　　식사 후에 설거지를 해라.
02 Be careful with your words.
　　말을 조심해라.
03 Watch your step.
　　발밑을 주의해라.

🎯 감정 피하기
Sleep enough at night.
밤에 충분히 잠을 자라.

09-02　부정 명령문　p. 115

A 배열 영작

01 Don't worry about me.
02 Don't try to understand everything.
03 Don't run in public places.

B 문장 완성

01 Don't forget
02 Don't make noise

03 Don't be angry

01 Don't go
02 Don't be afraid
03 Never give
04 Don't drink too much

09-03 부가의문문
p. 116

A 배열 영작

01 You are angry with me, aren't you?
02 You can play the guitar, can't you?
03 You won't do this again, will you?

B 문장 완성

01 don't need a new member, do we
02 answer my call, will he
03 This cake looks delicious, doesn't it

01 A: You have a lot of homework, don't you?
   너 숙제가 많구나. 그렇지 않니?
   B: Yes, I do. I have to finish it by tonight.
   네. 그래요. 오늘 밤까지 끝내야 해요.
02 A: It's a nice jacket, isn't it?
   멋진 재킷이야. 그렇지 않니?
   B: No, it isn't. It's not my style.
   아니, 그렇지 않아. 그건 내 스타일이 아니야.
03 A: Lucy likes horror movies, doesn't she?
   Lucy는 공포 영화를 좋아하지, 그렇지 않니?
   B: Yes, she does. She's a big fan of them.
   응. 그래. 그녀는 그것의 열렬한 팬이야.

🎯 감점 피하기
A: He went to the hospital, didn't he?
그는 병원에 갔어. 그렇지 않니?
B: No, he didn't. He went to the bank.
아니, 그렇지 않아. 그는 은행에 갔어.

09-04 What 감탄문
p. 117

A 배열 영작

01 What a beautiful day!
02 What an interesting book this is!
03 What pretty flowers!

B 문장 완성

01 What a strange
02 What lovely eyes
03 What a shy boy (he is)

01 What a smart student (she is)!
   (그녀는) 정말 똑똑한 학생이구나!
02 What an exciting race (it was)!
   (그것은) 정말 신나는 경주였어!

03 What friendly doctors (they are)!
   (그들은) 얼마나 친절한 의사들이구나!

🎯 감점 피하기
What cool smartphones (they are)!
(그것들은) 정말 근사한 스마트폰이네!

09-05 How 감탄문
p. 118

A 배열 영작

01 How lovely Mason's bird is!
02 How nice your bike is!
03 How big the moon is!

B 문장 완성

01 How cold
02 How quickly
03 How kind you are

01 How quiet this place is!
   이 장소는 정말 조용하구나!
02 How terrible the car accident was!
   그 자동차 사고는 정말 끔찍했어!
03 How happy the students look!
   그 학생들은 정말 행복해 보여!

🎯 감점 피하기
How amazing your son is!
당신의 아들은 정말 놀랍군요!

내신 서술형 잡기
Unit 01~05

| Step 1 | 기본 다지기 |
p. 119

| 배열 영작 |

01 Bring the newspaper to me.
02 Don't write your name on the board.
03 She looks prettier today, doesn't she?
04 What a fantastic song it was!
05 How wonderful this year was!

06 Turn your head

07 Don't run

08 doesn't he

09 What a happy

10 How kind

11 Leaves → Leave

12 Not → Do not[Don't]

13 didn't → did

14 boring → a boring

15 What → How

11 **해설** 긍정 명령문은 동사원형으로 시작한다.

12 **해설** '~하지 마라'라는 뜻의 부정 명령문은 「Do not[Don't]+동사원형」으로 쓴다.

13 **해설** 앞 문장이 부정문이므로 부가의문문은 긍정문으로 쓴다.

14 **해설** what으로 시작하는 감탄문은 「What+a(n)+형용사+명사+주어+동사!」 형태로 쓴다.

15 **해설** 문장에서 형용사(beautiful)를 강조하므로 what이 아닌 how를 이용해 감탄문을 만든다.

Step 2 　응용하기　　　　　　　　　　p. 120

16 Cut them

17 do not[don't] use your left hand

18 does not[doesn't] look sick, does he

19 What an amazing

20 How interesting

21 Take some vitamins every day.

22 Do not[Don't] take pictures during the performance.

23 Liz is not in her house, is she?

24 What a special parade (it is)!

25 How difficult this problem is!

26 won, didn't you, Yes, did

27 Wash, don't get

28 give, doesn't it, No, doesn't

29 how cool, isn't she, What a different

21 **해석** 약간의 비타민을 매일 섭취해라.

22 **해석** 공연 중에는 사진을 찍지 마라.

23 **해석** Liz는 집에 없지요, 그렇죠?

24 **해석** (그것은) 정말 특별한 퍼레이드군요!

25 **해석** 이 문제는 얼마나 어려운지!

26 **해석** A: 체육대회는 어땠어?

　　　B: 정말 좋았어.

　　　A: 너 경주에서 이겼지, 그렇지 않니?

　　　B: 응, 그랬어. 나는 경주에서 이겨서 정말 행복했어.

27 **해석** A: 우리 개 좀 씻겨주세요. 얘가 더러워요.

　　　B: 그럴게요. 지금 바로 씻겨 줄게요.

　　　A: 고마워요. 개 귀에 물이 들어가지 않게 해주세요.

28 **해석** A: 아빠, 저를 세종아트홀까지 태워다 주세요.

　　　B: 미안하지만, 안 되겠다. 회의에 늦었거든.

　　　A: 괜찮아요. 버스로 갈게요.

　　　B: 버스는 5분마다 오지, 그렇지 않니?

　　　A: 아니요, 그렇진 않아요. 하지만 버스 정류장이 우리 집에서 가까워요.

29 **해석** A: 스쿠터를 타고 있는 저 여성 좀 봐.

　　　B: 와, 그녀는 정말 멋져 보인다!

　　　A: 그녀는 우리의 새 음악 선생님이지, 그렇지 않니?

　　　B: 맞아! 그녀는 정말 다른 사람이네!

　　　A: 가서 그분께 인사하자.

Step 3 　고난도 도전하기　　　　　　　p. 121

30 (1) Park bicycles

　　(2) Don't cross the road

　　(3) don't waste food

31 You went to the concert with Jenny yesterday, didn't you?

32 ⓔ → don't use

33 (1) How popular his song was!

　　(2) What a beautiful nose she has!

30 **해석** (1) 여기에 자전거를 주차하세요.

　　　(2) 길을 건너지 마라.

　　　(3) 음식을 낭비하지 마세요.

　　해설 긍정 명령문은 동사원형으로 시작하고, 부정 명령문은 「Do not[Don't]+동사원형」 형태로 쓴다. 정중한 표현인 please는 문장 앞이나 뒤에 모두 올 수 있다.

31 **해설** 앞 문장이 일반동사의 과거시제이며 긍정문으로 쓰였으므로 부가의문문은 부정문 형태의 「didn't+주어?」로 쓴다.

32 **해석** 우리는 모두 스마트폰을 너무 많이 사용합니다. 전화기를 사용할 때, 여러분은 보통 오랫동안 목을 구부립니다. 가끔 목이 아프기도 하지요, 그렇지 않나요? 여기 여러분을 위한 몇 가지 건강 팁이 있습니다. 목을 자주 펴세요. 고개를 좌우로 돌리세요. 머리를 위아래로 움직이세요. 그리고 전화기를 너무 많이 사용하지 마세요.

　　해설 '~하지 마라'라는 금지의 뜻을 나타내는 부정 명령문은 「do not[don't]+동사원형」 형태로 쓴다.

33 **해설** (1) 형용사(popular)를 강조한 감탄문은 「How+형용사/부사+주어+동사!」 형태로 쓴다.

　　　(2) 명사구(beautiful nose)를 강조한 감탄문은 「What+a(n)+형용사+명사+주어+동사!」 형태로 쓴다.

중학
영어

쓰작

쓰기 + 작문

1
—

정답 및 해설
서술형 WORKBOOK

01-01　be동사 – 긍정문　　　　　p. 6

A　01　My favorite subject is science.
　　02　Tomorrow is Johnny's birthday.
　　03　The tall men are my uncles.
　　04　The sky is clear and blue.

B　01　I am[I'm] fourteen
　　02　is so cool
　　03　is on the wall
　　04　The boys are my new friends

C　01　I am from Spain.
　　　　저는 스페인 출신입니다.
　　02　We are at home now.
　　　　우리는 지금 집에 있어요.
　　03　They are so nice.
　　　　그들은 매우 친절하다.

01-02　be동사 – 부정문　　　　　p. 7

A　01　I am not an actor.
　　02　She is not in the room.
　　03　The museum is not open on Mondays.
　　04　Plastic bags are not good for the environment.

B　01　is not[isn't] mine
　　02　is not[isn't] short
　　03　is not[isn't] useful
　　04　Her hair is not[isn't] long

C　01　I am[I'm] not a good listener.
　　　　나는 남의 말을 잘 듣지 않는다.
　　02　The woman with the glasses is not[isn't] my teacher.
　　　　그 안경 쓴 여성은 나의 선생님이 아닙니다.
　　03　The students are not[aren't] in the classroom.
　　　　그 학생들은 교실에 없다.

01-03　be동사 – 축약형　　　　　p. 8

A　01　You're so lucky.
　　02　He's my hero.
　　03　I'm not good at math.
　　04　Your idea isn't new.

B　01　aren't doctors
　　02　They're in London
　　03　This isn't my favorite song
　　04　We're proud of you

C　01　I'm always free on weekends.
　　　　저는 주말에는 항상 한가합니다.

　　02　You're tall and handsome.
　　　　너는 키가 크고 잘생겼어.
　　03　His mom isn't from Vietnam.
　　　　그의 엄마는 베트남 출신이 아니다.

01-04　be동사 – 의문문　　　　　p. 9

A　01　Is today your birthday?
　　02　Is your dog smart?
　　03　Is Santa Claus a real person?
　　04　Where are your parents?

B　01　Is the singer popular
　　02　Are whales fish
　　03　Is that woman your sister
　　04　Are Jane's brothers twins

C　01　A: Max, where are you now?
　　　　Max, 너 지금 어디야?
　　　　B: I'm in Busan with my family.
　　　　나는 가족과 함께 부산에 있어.
　　02　A: Are your new friends from China?
　　　　네 새 친구들은 중국에서 왔니?
　　　　B: No, they aren't. They're from Japan.
　　　　아니, 그렇지 않아. 그들은 일본에서 왔어.
　　03　A: Is Katie your cousin?
　　　　Katie는 네 사촌이니?
　　　　B: Yes, she is. She's really cute.
　　　　응, 그래. 그녀는 아주 귀여워.

01-05　일반동사 – 긍정문　　　　　p. 10

A　01　I hate outdoor activities.
　　02　The boy is hungry and tired.
　　03　Jenny always dresses well.
　　04　He talks and talks all day long.

B　01　people die
　　02　Clara does her homework
　　03　have one brother
　　04　Tim goes to school by bike

C　01　listens → listen
　　　　해석　나는 항상 친구들의 말을 주의 깊게 듣는다.
　　　　해설　주어가 I이므로 동사는 원형을 쓴다.
　　02　spend → spends
　　　　해석　나의 할아버지는 일주일에 두 번 공원에서 시간을 보내신다.
　　　　해설　주어(My grandfather)가 3인칭 단수이므로 동사에 -s를 붙인다.
　　03　plaies → plays
　　　　해석　지호는 방과 후에 친구들과 농구를 한다.
　　　　해설　「모음+y」로 끝나는 동사의 3인칭 단수형은 동사원형에 -s를 붙인다.

01-06 일반동사 – 부정문 p. 11

A 01 My sister doesn't eat vegetables.
02 Snakes don't have legs.
03 I don't wake up at 7 a.m.
04 We don't have much time for lunch.

B 01 I do not[don't] eat popcorn
02 Mike does not[doesn't] study
03 She does not[doesn't] go to work
04 Many people do not[don't] like Mondays

C 01 Anna doesn't live with her family.
Anna는 그녀의 가족과 함께 살지 않는다.
02 Ali and his family don't eat fast food.
Ali와 그의 가족은 패스트푸드를 먹지 않는다.
03 The United States doesn't have a long history.
미국은 긴 역사를 가지고 있지 않다.

01-07 일반동사 – 의문문 p. 12

A 01 Do I eat too much?
02 Why do they grow ginseng in Nonsan?
03 Do you clean up your room every day?
04 Do Joe and his sister like curry?

B 01 Does your sister volunteer
02 Do Mr. Smith and his family live
03 What do people eat
04 Does she like apple pie

C 01 A: Do you have a brother?
당신은 남자 형제가 있나요?
B: No, I don't. I only have one sister.
아니요, 없어요. 저는 여동생 한 명만 있어요.
02 A: Do they play soccer once a week?
그들은 일주일에 한 번씩 축구를 하니?
B: Yes, they play soccer every Saturday.
응, 그들은 매주 토요일 축구를 해.
03 A: Does your dad cook well?
너희 아빠는 요리 잘하시니?
B: No, he doesn't. But he cooks ramyeon well.
아니, 그렇지 않아. 하지만 라면은 잘 끓이셔.

Unit 02 ▶ 시제

02-01 be동사의 과거형 – 긍정문/부정문 p. 13

A 01 The clerk was not friendly.
02 They were different from me.
03 I was not busy yesterday.
04 There were two bakeries near my house.

B 01 was so deep
02 was not[wasn't] boring
03 My new shoes were wet
04 was cold and dry last week
05 My parents were not[weren't] angry at me last night

C ⓒ → were / ⓔ → was
옛날에 한 늙은 농부가 있었습니다. 그는 세 아들이 있었습니다. 농부는 매우 부지런했지만 아들들은 게을렀습니다. 하루는 그 늙은 농부가 매우 아팠습니다. 농부는 자신의 아들들을 걱정했습니다.

해설 • ⓒ 주어가 복수(his sons)이므로 be동사는 복수형 were를 써야 한다.
• ⓔ 모두 과거 시제를 쓴 옛날이야기이므로 is의 과거형인 was를 써야 한다.

02-02 be동사의 과거형 – 의문문 p. 14

A 01 Was the woman a reporter?
02 Were his songs popular?
03 Was the bus stop far from here?
04 Were Harry and his uncle in Amsterdam?

B 01 Were you busy
02 Was the bus fare expensive
03 Were the tips helpful
04 Was the food too salty

C 01 A: Where were the police officers then?
그때 경찰들은 어디에 있었어?
B: They were at the main gate.
그들은 정문에 있었어.
02 A: Were they late again yesterday?
그들이 어제 또 늦었어?
B: Yes, they were. They're in trouble now.
응. 그랬어. 그들은 지금 곤경에 처해 있어.
03 A: Was the TV program helpful to you?
그 TV 프로그램이 너한테 도움이 되었니?
B: No, it wasn't. It was just boring.
아니. 그렇지 않았어. 그것은 지루하기만 했어.

02-03 일반동사의 과거형 – 긍정문/부정문 p. 15

A 01 You did a good job.
02 She went to school by subway.
03 Jessie didn't talk to me.
04 Max didn't like his job.

B 01 I saw you
02 I didn't keep
03 She lived in Sydney
04 My brother broke a plate

C

나의 일요일 계획			
01	8시에 일어나기	×	03	오후에 내 방 청소하기	×
02	정오에 수영하러 가기	○	04	숙제하기	○

01 I did not[didn't] get up at 8:00. I got up at 10:30.
나는 8시에 일어나지 않았다. 나는 10시 30분에 일어났다.

02 I went swimming at noon.
나는 정오에 수영하러 갔다.

03 I went shopping in the afternoon, so I did not[didn't] clean my room.
나는 오후에 쇼핑을 가서, 내 방을 청소하지 않았다.

04 I was tired, but I did my homework at night.
나는 피곤했지만, 밤에 숙제를 했다.

02-04 일반동사의 과거형 – 의문문 p. 16

A 01 Did you follow the rule?
02 Did Suji come to your party?
03 Did you hear the news about the earthquake?
04 Where did you and Kevin go last Saturday?

B 01 Did you see
02 Did Jack meet her
03 When did they open
04 Did you close the window

C 01 A: What did you have for breakfast this morning?
넌 오늘 아침에 뭐 먹었어?
B: I had blueberry pancakes with syrup.
난 시럽을 뿌린 블루베리 팬케이크를 먹었어.

02 A: Did Jason send you a gift?
Jason이 너한테 선물 보냈니?
B: Yes, he sent me a hat two days ago. I love it.
응. 그가 이틀 전에 내게 모자를 보내줬어. 난 그것이 정말 맘에 들어.

03 A: Did Derek bring his dog with him yesterday?
Derek이 어제 개를 데리고 왔니?
B: No, he didn't. He brought his cat.
아니. 그러지 않았어. 그는 고양이를 데려왔어.

02-05 현재진행형 – 긍정문 p. 17

A 01 They are running to the bus stop.
02 Alice is drinking water.
03 They are having a good time in Busan.
04 We are playing badminton now.

B 01 Ali is taking
02 is holding
03 is feeding his bird
04 Aiden and I are waiting for you

C 01 Jimin is running in the park.
지민이는 공원에서 달리고 있습니다.
02 Kevin is kicking a soccer ball.
Kevin은 축구공을 차고 있습니다.
03 Suho and his mom are riding bikes.
수호와 그의 엄마가 자전거를 타고 있습니다.

02-06 현재진행형 – 부정문 p. 18

A 01 My puppies are not sleeping.
02 Janet is not listening to him.
03 My sister and I are not saving money.
04 Katie is not texting her friend.

B 01 He is not[isn't] speaking
02 are not[aren't] looking at you
03 My dad is not[isn't] driving
04 He is not[isn't] playing the guitar

C 01 We aren't climbing the mountain.
우린 산을 오르고 있지 않다.
02 Kai and I aren't learning Japanese.
Kai와 나는 일본어를 배우고 있지 않다.
03 Judy isn't listening to the radio.
Judy는 라디오를 듣고 있지 않다.

02-07 현재진행형 – 의문문 p. 19

A 01 Is Minsu swimming in the river?
02 Are they talking now?
03 Is James playing baseball with his friends?
04 Are you looking for a cheesecake?

B 01 Are you eating
02 Is your dog barking
03 Is Clara traveling
04 Are the students painting the wall

C A: Come and look at those pandas.
와서 저 판다들 좀 봐.
B: Wow, are they sleeping now?
와, 그들은 지금 자고 있니?
A: No, they are not[aren't].
아니. 그렇지 않아.
B: What are they doing?
그들은 무엇을 하고 있니?
A: They are eating bamboo.
그들은 대나무를 먹고 있어.

02-08 미래형: will p. 20

A 01 We will be with you soon.
02 Harry will not read her text message.
03 Will you stay at home this afternoon?
04 I won't watch a soccer game this Saturday.

B 01 The dancer will have
02 Becky will not[won't] solve
03 They will[They'll] be happy
04 I will[I'll] exercise every day

C 01 Mary will be a world famous scientist.

Mary는 세계적으로 유명한 과학자가 될 것이다.

02 He will not[won't] spend lots of money on a new computer.

그는 새 컴퓨터를 사는 데 많은 돈을 쓰지 않을 것이다.

03 Will Danny go shopping tomorrow?

Danny는 내일 쇼핑하러 갈 거니?

02-09 미래형: be going to – 긍정문/부정문　p. 21

A 01 I'm going to wear a new jacket tomorrow.

02 Danna is going to volunteer here.

03 They're not going to go to school tomorrow.

04 A lot of people are going to take his class.

B 01 You are[You're] going to love

02 Nancy is not[isn't] going to go

03 We are[We're] going to eat

04 He is not[He's not/He isn't] going to pass the driving test

C 01 Jina is not[isn't] going to get up late.

지나는 늦게 일어나지 않을 것이다.

02 She is going to visit her aunt's place.

그녀는 자신의 이모 댁을 방문할 것이다.

03 She is not[isn't] going to skip lunch.

그녀는 점심을 거르지 않을 것이다.

04 She is going to water the plants.

그녀는 식물들에 물을 줄 것이다.

02-10 미래형: be going to – 의문문　p. 22

A 01 Is the program going to finish at 10 p.m.?

02 Are you going to make songpyeon on Chuseok?

03 Is your brother going to study abroad?

04 When are they going to go on a trip?

B 01 Is the actor going to change

02 Are you going to buy

03 Are they going to see

04 What is Kate going to do this weekend

C 01 Is he going to bring some food?

그가 음식을 좀 가져올 거니?

02 Is Janice going to be 15 years old next year?

Janice는 내년에 15살이 되니?

03 When is it going to snow tomorrow?

내일은 언제 눈이 올까요?

Unit 03 ▶ 조동사

03-01 can – 긍정문/부정문　p. 23

A 01 Pandas can sleep upside down.

02 You can share yours with your brother.

03 I can speak French very well.

04 You can't watch the dolphin show today.

B 01 cannot[can't] live

02 can correct your bad habits

03 You can invite anyone

04 They cannot[can't] leave here tonight

C

장소 ＼ 당신이 할 수 있는 일	반려동물 데려오기	사진 찍기
Han 박물관	○	×
May 카페	○	○

01 You cannot[can't] bring your pets into the Han Museum.

Han 박물관에는 당신의 반려동물을 데려올 수 없다.

02 You cannot[can't] take pictures in the Han Museum.

Han 박물관에서는 사진을 찍을 수 없다.

03 You can take pictures in Café May.

May 카페에서는 사진을 찍을 수 있다.

03-02 can – 의문문　p. 24

A 01 Can you lift this box?

02 How can I get to the bus stop?

03 Can I ask you a question?

04 Can you give me a wake-up call tomorrow?

B 01 Can I use

02 Can you read it

03 Can you swim

04 Can I leave early today

C A: Mom, ① can I help you?

엄마, 제가 도와드려도 될까요?

B: Sure, ② can you pour the milk in the bowl?

물론이지, 그릇에 우유를 부어줄 수 있니?

A: OK. ③ What can I do next?

네, 다음으로는 제가 무엇을 할 수 있을까요?

B: Mix the milk into the dough.

우유를 반죽에 섞으렴.

03-03 may – 긍정문/부정문　p. 25

A 01 We may be late for the class.

02 You may eat the whole pizza.

03 Eric may be in the library.

04 You may not throw trash on the street.

B 01 Some people may like

02 may upset them

03 You may not[cannot, can't] take pictures

04 You may[can] go home now

C 01 A: Did Daniel call you?

Daniel이 네게 전화했어?

B: No, he didn't. But he may call me tonight.

아니, 하지 않았어. 하지만 그가 오늘 밤에 나한테 전화할지도 몰라.

02 A: Oh, no! You may not bring your dog to the pool.

오, 안 돼요! 수영장에 당신의 개를 데리고 오면 안 돼요.

B: I'm sorry. I didn't know that.

죄송합니다. 몰랐어요.

03-04   may – 의문문

A 01 May I feed the animals?

02 May I turn up the volume a little?

03 May I ask your address?

04 May I go to Suho's house tonight?

B 01 May[Can] I have

02 May[Can] I go to Jackie's party

03 May[Can] I try on

04 May[Can] I introduce my sister

C 01 A: I left my book in the library. May I go back and get it?

도서관에 책을 두고 왔어요. 다시 가서 가져와도 될까요?

B: Yes, you may. Why don't you hurry?

응, 그럼. 서두르지 그러니?

02 A: May I cancel my order now?

지금 주문을 취소해도 될까요?

B: No, you may not. You can only make changes to it.

아니요, 안 됩니다. 변경만 할 수 있습니다.

03 A: May I ask your name, please?

성함을 여쭤 봐도 될까요?

B: Sure. My name is Nathan Lane.

물론이죠. 제 이름은 Nathan Lane입니다.

03-05   will/would – 의문문
p. 27

A 01 Will you have some coffee?

02 Will you wait for your brother here?

03 Will you pass me the red umbrella?

04 Would you like some dessert?

B 01 Will[Would] you join

02 Will[Would] you play the piano

03 Would you like

04 Will[Would] you open the door

C 01 will → will not[won't] 또는 cannot[can't]

A: 내일 우리와 함께 소풍 갈래?

B: 미안하지만, 그럴게(→ 그럴 수 없어). 나는 약속이 있어.

02 No → Yes

A: 물 좀 드릴까요?

B: 아니요(→ 네), 주세요. 목이 말라요.

03-06   must
p. 28

A 01 You must slow down here.

02 They must win the game tonight.

03 You must not cross the street on a red light.

04 Your sister must be in the playground.

B 01 We must help

02 You must go to bed

03 She must not[musn't] hide it

04 You must not[musn't] enter there

C 01 You must not[musn't] cross the road.

길을 건너지 말아야 합니다.

02 You must go straight.

직진해야 합니다.

03 You must not[mustn't] park in this area.

이곳에 주차하면 안 됩니다.

03-07   should
p. 29

A 01 You should turn off your cell phones.

02 Janet should take care of her brother.

03 We should not lose hope.

04 You should get enough sleep before exams.

B 01 They should stay

02 You should not[shouldn't] send it

03 should play the guitar

04 Eric should not[shouldn't] come with you

C

해야 할 것		하지 말아야 할 것	
01	매일 운동하기	03	TV 너무 많이 보기
02	일찍 자기	Q	패스트푸드 많이 먹기

01 Clara should exercise every day.

Clara는 매일 운동해야 한다.

02 She should go to bed early.

그녀는 일찍 자야 한다.

03 She should not[shouldn't] watch too much TV.

그녀는 텔레비전을 너무 많이 보면 안 된다.

04 She should not[shouldn't] eat too much fast food.

그녀는 패스트푸드를 너무 많이 먹으면 안 된다.

03-08　have to　　p. 30

A　01　You have to wear your socks.
　　02　I don't have to go to work tomorrow.
　　03　The firefighters had to get to the fire fast.
　　04　Do you have to wake up early tomorrow?

B　01　She has to take care of
　　02　She doesn't have to pay for
　　03　We don't have to be perfect
　　04　Do you have to go now

C　01　You have to be patient.
　　당신은 인내심을 가져야 해요.
　　02　Did Mr. Herd have to buy a new car?
　　Herd 씨는 새 차를 사야 했나요?
　　03　I don't have to call him now.
　　나는 지금 그에게 전화할 필요가 없다.

Unit 04 ▶ 문장 형식

04-01　비인칭 주어 it　　p. 31

A　01　It's really cold and windy.
　　02　It's three o'clock in the afternoon.
　　03　It is so dark in here.
　　04　It's snowing in New York.

B　01　It is[It's] May
　　02　It takes five hours
　　03　It is[It's] Tuesday
　　04　Is it raining outside

C

일기예보		
		10월 10일 화요일
어제	오늘	내일
춥고 바람 부는	화창하고 따뜻한	구름이 끼고 따뜻한

　01　It's October 10th.
　　Q 오늘은 며칠이니?　A 10월 10일이야.
　02　It's sunny and warm.
　　Q 오늘 날씨가 어때?　A 화창하고 따뜻해.
　03　It was Monday.
　　Q 어제는 무슨 요일이었니?　A 월요일이었어.
　04　It'll be cloudy and warm.
　　Q 내일 날씨는 어떨까?　A 구름이 끼고 따뜻할 거야.

04-02　There be동사 – 긍정문　　p. 32

A　01　There are six chairs in the kitchen.
　　02　There is a cat under the table.
　　03　There are four people in my family.
　　04　There are many stores on Bernard Street.

B　01　There are many mosquitoes
　　02　There were three guests
　　03　There is a pizza place
　　04　There are many clouds in the sky

C　01　There are two pencils.
　　연필이 두 자루 있다.
　　02　There is an eraser.
　　지우개가 한 개 있다.
　　03　There are four notebooks.
　　공책이 네 권 있다.

04-03　There be동사 – 부정문　　p. 33

A　01　There aren't many people on the street.
　　02　There weren't many buildings in our town before.
　　03　There isn't anyone in your room.
　　04　There aren't any old shops on 5th Street.

B　01　There isn't enough time
　　02　There wasn't an elevator
　　03　There weren't many paintings
　　04　There isn't a bus stop near here

C　01　There isn't a parking lot behind the restaurant.
　　식당 뒤에는 주차장이 없다.
　　02　There aren't many trees on the field.
　　들판에 나무가 많지 않다.
　　03　There weren't many animals on his farm.
　　그의 농장에는 동물이 많지 않았다.

04-04　There be동사 – 의문문　　p. 34

A　01　Are there many horses in Mongolia?
　　02　Is there a mistake on the bill?
　　03　Was there an escalator on the first floor?
　　04　Are there any blouses with pockets?

B　01　Is there a guitar
　　02　Were there many files
　　03　Is there a good Chinese restaurant
　　04　Was there a party last night

C　01　A: Excuse me. Is there a subway station near here?
　　실례합니다. 이 근처에 지하철역이 있나요?
　　B: Yes, there is. Turn right at that corner.
　　네, 있어요. 저 모퉁이에서 우회전하세요.
　　02　A: Were there many cars on the road?
　　길에 차가 많았나요?
　　B: No, there weren't. So we got to the cinema on time.
　　아뇨, 많지 않았어요. 그래서 우리는 제시간에 영화관에 도착했어요.
　　03　A: Were there any baby elephants at the zoo?
　　동물원에 새끼 코끼리가 있었니?
　　B: Yes, there was one. It was really small.
　　응, 한 마리 있었어. 그것은 정말 작았어.

04-05 주어+동사+형용사 p. 35

A 01 Your room looks messy.
02 Some mangrove trees grow really tall.
03 The pasta smells delicious.
04 Dad's voice sounds happy.

B 01 tastes bitter
02 I feel tired
03 Her face turned white
04 Jessica looks sick

C 01 nicely → nice
그의 주간 계획은 좋아 보인다.
02 sweetly → sweet
이 딸기 케이크는 단 맛이 난다.
03 sadly → sad
Dave의 목소리는 슬프게 들린다.
해설 감각동사 look, taste, sound 뒤에 오는 보어는 부사를 쓸 수 없고 형용사로 써야 한다.

04-06 주어+동사+목적어 p. 36

A 01 Amy likes bulgogi.
02 Chickens usually eat grains and seeds.
03 I will help sick people.
04 We must save our time and money.

B 01 She called me
02 I bought three pairs of
03 Do you have any special plans
04 I do not[don't] like sports

C

나에 대한 모든 것		
01	가장 좋아하는 과목	과학
02	디저트	초콜릿 케이크
03	나의 도시	서울

01 Jeremy likes[loves] science.
Jeremy는 과학을 좋아한다.
02 He eats[has] chocolate cake for dessert every day.
그는 매일 디저트로 초콜릿케이크를 먹는다.
03 He lives in Seoul with his family.
그는 가족과 함께 서울에 산다.

04-07 주어+동사+간접목적어+직접목적어 p. 37

A 01 My uncle gave me a nice guitar.
02 I asked my teacher a few questions.
03 What can bring you happiness?
04 I'll buy Jack a baseball cap.

B 01 give us fresh air
02 asked them the way
03 showed us a brochure

04 Can you tell me your plan

C 01 a newspaper my father → my father a newspaper
나는 매일 아버지께 신문을 가져다드린다.
02 Chinese us → us Chinese
Mao 선생님이 우리에게 중국어를 가르쳐 주실 거예요.
03 she → her
우리 할아버지가 그녀에게 연을 만들어주셨다.
해설 01~03 두 개의 목적어를 쓸 때는 간접목적어(~에게)를 직접목적어(~을(를)) 앞에 쓴다.
03 made 다음에 목적어가 와야 하므로 she의 목적격 형태인 her를 써야 한다.

04-08 주어+동사+직접목적어+전치사+간접목적어 p. 38

A 01 Joan wrote a postcard to her mother.
02 Ted made a cake for Jane last Sunday.
03 Steve lent his umbrella to me on a rainy day.
04 He asks too many questions of his parents.

B 01 I showed my ticket to
02 sells ice cream to people
03 Susan bought a yoga mat for me
04 I will[I'll] make some cookies for Linda

C 01 My dad often makes pancakes for us.
아빠는 종종 우리에게 팬케이크를 만들어주신다.
02 Pass the pepper to me, please.
제게 후추 좀 건네주세요.
03 I asked a favor of him.
나는 그에게 부탁을 했다.

04-09 주어+make+목적어+형용사 p. 39

A 01 Fresh vegetables make food delicious.
02 The music makes me sleepy.
03 Rainy days make me sad.
04 Math tests make me nervous.

B 01 make our lives comfortable
02 made them happy
03 made us tired
04 What makes us unhealthy

C 01 richly → rich
그의 새 노래는 그를 부유하게 만들었다.
02 health → healthy
규칙적인 운동은 당신을 건강하게 만듭니다.
03 we → us
그 소식은 우리를 매우 화나게 했다.
해설 01~02 「make+목적어+목적격보어(형용사)」를 써서 '목적어를 ~하게 하다'라는 의미를 나타낸다. richly는 부사, health는 명사이므로 모두 형용사로 바꿔야 한다.
03 「make+목적어+목적격보어」 구문이므로 목적어 자리에 오는 we는 목적격 us로 써야 한다.

04-10 주어+keep+목적어+형용사   p. 40

A   01   Rob kept the front door open.

     02   These boots will keep your feet warm.

     03   Keep your room tidy.

     04   The ice keeps my coffee cold.

B   01   kept me awake

     02   keeps a child safe

     03   I could not[couldn't] keep my eyes open

     04   Keep the windows clean

C   01   Her soft voice kept him calm.

     02   My aunt always keeps her hair short.

     03   The village people keep the pond clear.

Unit 05 ▶ 부정사와 동명사

05-01 want to+동사원형   p. 41

A   01   I don't want to change my password.

     02   He wants to build a new house.

     03   My family wanted to help him.

     04   Do you want to be a fashion designer?

B   01   She wanted to be

     02   I want to go skiing

     03   He does not[doesn't] want to talk

     04   Did you want to see him again

C   01   Leo doesn't want to live in New York.

       Leo는 뉴욕에 살고 싶어 하지 않는다.

       Does Leo want to live in New York?

       Leo는 뉴욕에서 살고 싶어 하니?

     02   They don't want to play basketball after school.

       그들은 방과 후에 농구를 하고 싶어 하지 않는다.

       Where do they want to play basketball after school?

       그들은 방과 후에 어디에서 농구를 하고 싶어 하니?

05-02 목적어나 보어로 쓰인 to부정사   p. 42

A   01   They decided to exercise every day.

     02   Liam didn't like to draw pictures.

     03   I plan to sing in front of people.

     04   Jenny's dream is to be a pianist.

B   01   I hope to travel

     02   to invite twenty (people)

     03   Brian learned to catch fish

     04   They wish to open a new restaurant

C   01   We need to slow

     02   Ali plans to visit

     03   Brenda forgot to update

05-03 부사로 쓰인 to부정사   p. 43

A   01   I learn English to talk with foreigners.

     02   We went to the park to watch fireworks.

     03   He went to Paris to study fashion design.

     04   She did everything to lose weight.

B   01   to write her science report

     02   to go to the concert

     03   to get good grades

     04   We go to the cafeteria to have lunch

C   01   I eat salad for lunch to be healthy.

       나는 건강해지기 위해 점심으로 샐러드를 먹는다.

     02   Jimin went to California to visit his aunt.

       지민이는 자신의 고모를 뵙기 위해 캘리포니아에 갔다.

     03   He mixed red and blue to make purple.

       그는 보라색을 만들기 위해 빨간색과 파란색을 섞었다.

05-04 주어나 보어로 쓰인 동명사   p. 44

A   01   My hobby is going shopping.

     02   Cooking was important for him.

     03   Wearing sunscreen is good for your skin.

     04   His good habit is exercising daily.

B   01   Keeping a diary is

     02   is having a nice car

     03   Smoking can cause

     04   Playing soccer is fun

C   01   skydive → skydiving[to skydive]

       지구상에서 가장 재밌는 활동은 스카이다이빙이다.

       해설   skydive가 문장에서 보어이므로 동명사 skydiving이나 부정사

            to skydive로 써야 한다.

     02   Drink → Drinking[To drink]

       아침에 우유를 마시는 것은 너의 두뇌 활동에 도움을 줄 수 있다.

       해설   Drink ~ morning은 문장에서 주어이므로 Drink 대신 동명사

            Drinking이나 부정사 To drink로 써야 한다.

     03   were → was

       연예인들을 만난 것은 나에게 놀라운 경험이었다.

       해설   동명사 주어는 단수 취급하므로 be동사는 단수형 was가 되어야 한다.

05-05 목적어로 쓰인 동명사   p. 45

A   01   I don't mind opening the window.

     02   Ted enjoys listening to music.

     03   She hates cleaning her room.

     04   My dad finished doing the dishes.

B 01 Emily started growing[to grow]

02 kept screaming his name

03 They avoided talking

04 I like playing[to play] with my cat

C 01 Did you enjoy watching

02 finished developing the program

03 The singer avoided answering

05-06 동명사의 관용 표현 p. 46

A 01 How about playing golf with me?

02 John is good at drawing cartoons.

03 Are you interested in studying abroad?

04 He keeps complaining about his problems.

B 01 We look forward to moving

02 They spent three hours fixing

03 Seth is busy writing

04 She kept on learning Spanish

C 01 come → coming

이곳에 와 주셔서 감사합니다.

해설 '~에 대해 …에게 감사하다'는 「Thank somebody for+동명사」로 표현하므로, come 대신 coming으로 써야 한다.

02 to join → in joining

Amy가 우리 동아리에 가입하는 것에 관심 있니?

해설 '~에 관심이 있다'는 「be interested in+동명사」로 표현하므로, to join 대신 in joining을 써야 한다.

03 making → at making

그들은 영화를 잘 만든다.

해설 '~을 잘한다'는 「be good at+동명사」로 표현한다.

Unit 06 ▶ 전치사와 접속사

06-01 시간 전치사 in, on, at p. 47

A 01 The museum closes on Mondays.

02 He goes to school at 7:30 a.m.

03 My final exam will be in November.

04 She will take a swimming lesson on Friday.

B 01 at night

02 starts on July fifteenth

03 Snow fell in March

04 We have lunch at noon

C 01 in spring

02 on a cold day

03 on her birthday

06-02 기타 시간 전치사 p. 48

A 01 I was so sleepy during the class.

02 We will arrive there around two o'clock.

03 They stayed here for three days.

04 I turn off my phone from 11 p.m. to 6 a.m.

B 01 slept for three hours

02 during the summer

03 After lunch, we took the kids

04 He finished his homework before dinner

C 01 I did the dishes after breakfast.

02 I listened to music for two hours.

03 My uncle worked at the company from 2010 to 2022.

06-03 장소 전치사 in, on, at p. 49

A 01 My sister is sitting on the chair.

02 There was an accident at the crossroads.

03 My family lived in Mokpo ten years ago.

04 You can have breakfast at the cafeteria.

B 01 at the cafe

02 on the table

03 fell asleep on the sofa

04 Victoria met her at the main gate

C 01 A: What are you going to do on Saturday?

너는 토요일에 뭐 할 거야?

B: I'm going to read books in[at] the library and go shopping at[in] the new shopping mall.

도서관에서 책을 읽고 새로 생긴 쇼핑몰에 쇼핑하러 갈 거야.

02 A: Hello. I'd like a room for two nights.

안녕하세요. 이틀 묵을 방을 하나 주세요.

B: Sure, do you know that that room in our guesthouse has no beds?

물론이죠. 우리 게스트하우스의 방에는 침대가 없는 것을 알고 있나요?

A: Do I have to sleep on the floor?

바닥에서 자야 하나요?

B: Yes, you do.

네, 그렇습니다.

06-04 기타 장소 전치사 p. 50

A 01 The drummer is sitting behind the singer.

02 Put the pan over high heat.

03 Let's meet in front of the park.

04 What did you hide under your bed?

B 01 under the table

02 the people across the street

03 in front of the pink house

04 Can I sit next to the window

C 01 We went to the bakery in front of the cafe.
우리는 카페 앞에 있는 빵집에 갔다.

02 There is a good restaurant next to the bakery.
그 빵집 옆에는 좋은 음식점이 있다.

03 I sometimes buy flowers at the flower shop behind the restaurant.
나는 그 음식점 뒤에 있는 꽃집에서 가끔 꽃을 산다.

06-05 접속사 and, but, or
p. 51

A 01 The dog is ugly but cute.
02 It will be rainy or cloudy tomorrow.
03 Danny is handsome and creative.
04 Jordan and I like soccer.

B 01 but the policeman chased him
02 go to Paris or London
03 long hair and blue eyes
04 Ted bought vegetables and some milk

C 01 I called you many times, but you didn't answer.
내가 너에게 여러 번 전화했지만, 너는 받지 않았어.

02 Gordon is a famous chef, and he owns many restaurants. [Gordon is a famous chef and owns many restaurants.]
Gordon은 유명한 요리사이면서 많은 레스토랑을 소유하고 있다.

03 Do you have any brothers or sisters?
너는 형제나 자매가 있니?

06-06 접속사 before, after
p. 52

A 01 After Tom finished his homework, he went to bed.
[Tom went to bed after he finished his homework.]

02 Before you wash the pants, empty the pockets.
[Empty the pockets before you wash the pants.]

03 Do it before you forget. [Before you forget, do it.]

04 Katie cleaned her room before she went out.
[Before Katie went out, she cleaned her room.]

B 01 before the test begins
02 After Henry read a newspaper
03 after he ate dinner
04 Lucas listens to music before he goes to bed

C 01 Before he became president
02 After you eat breakfast
03 brushed her hair after she washed

06-07 접속사 when
p. 53

A 01 I eat chocolate when I am sad.
[When I am sad, I eat chocolate.]

02 We went fishing when we were on vacation.
[When we were on vacation, we went fishing.]

03 Watch your head when you get in the car.
[When you get in the car, watch your head.]

04 Mike was short when he was 15 years old.
[When Mike was 15 years old, he was short.]

B 01 When he meets me
02 When it rained
03 when I turned my head
04 What will you wear when you go to the party
[When you go to the party, what will you wear]

C 01 When it is[it's] sunny and warm outside, I walk my dog.
밖이 화창하고 따뜻할 때, 나는 내 개를 산책시켜.

02 My dad cooks dinner when he comes home early.
우리 아빠는 집에 일찍 오면 저녁을 만드신다.

03 When I feel sleepy in class, I drink cold water.
나는 수업 중에 졸리면 찬물을 마신다.

04 When I left my phone at home, I felt nervous.
나는 내 전화기를 집에 두고 왔을 때 초조해졌다.

06-08 접속사 so
p. 54

A 01 Jason broke his arm, so he had to see a doctor.
02 I want to be an actor, so I watch a lot of movies.
03 The skater hurt his ankle, so he couldn't take part in the contest.
04 Sally is often sick, so her mom worries about her.

B 01 so she has
02 so people used the stairs
03 so I have to study hard
04 I did not[didn't] have breakfast, so I am[I'm] hungry

C 01 Ms. Dale is strict, so I don't like her.
Dale 선생님은 엄격해서 나는 그분을 좋아하지 않는다.

02 I love Emma Stone, so I will watch her new movie.
나는 Emma Stone을 너무 좋아해서 그녀의 새 영화를 볼 거야.

03 You helped me a lot, so I want to help you, too.
네가 나를 많이 도와줘서 나도 너를 도와주고 싶어.

06-09 접속사 because
p. 55

A 01 I couldn't answer because I was busy.
[Because I was busy, I couldn't answer.]

02 Amy felt good because she got a birthday present.
[Because Amy got a birthday present, she felt good.]

03 I don't like Brad because he isn't my type.
[Because Brad isn't my type, I don't like him.]

04 They canceled the game because it rained a lot.
[Because it rained a lot, they canceled the game.]

B 01 because you work
02 because she missed the last bus
03 because he ate spicy noodles
04 I like her because she is[she's] a great singer.

[Because she is[she's] a great singer, I like her.

C 01 You need to wear your coat because it's cold outside.
밖이 추우니까 너는 코트를 입어야 해.

02 Many people watched the TV show because it was really interesting.
그 TV쇼는 정말 재미있어서 많은 사람들이 그것을 보았다.

03 I like carrots because they are good for my health.
당근은 건강에 좋기 때문에 나는 그것을 좋아한다.

06-10 접속사 that   p. 56

A 01 Kate believes that she will be a doctor.

02 Did you hear that a new music teacher came yesterday?

03 I think that my mom is the best cook.

04 We hope that nobody gets hurt by the hurricane.

B 01 They hope (that) it will[it'll] rain

02 believe (that) Santa Claus is a real person

03 said (that) he was handsome

04 I think (that) the game was exciting.

C 01 My aunt always says that she misses me.

02 Many people know that he is[he's] a good politician.

03 His parents believe that he will[he'll] study hard.

Unit 07 ▶ 빈도부사, 비교

07-01 빈도부사   p. 57

A 01 I usually have a late dinner.

02 It never snows in this town.

03 We will always love you.

04 My dad often takes a walk with me.

B 01 usually takes pictures

02 sometimes fall in love

03 is never on time

04 I often take the subway

C

	활동	월	화	수	목	금
01	자전거 타기	○	○	○	○	○
02	방 청소하기			○		
03	학교 결석하기					

01 Kate always rides her bike.
Kate는 항상 자전거를 탄다.

02 She sometimes cleans her room.
그녀는 가끔 자신의 방을 청소한다.

03 She is never absent from school.
그녀는 절대 학교에 결석하지 않는다.

07-02 비교급: -er   p. 58

A 01 Hanoi is hotter than London.

02 She is much slower than her sister.

03 I got up earlier than yesterday.

04 Ashley is older than Nicole.

B 01 is lower than

02 freeze faster than

03 My brother is lighter than

04 Leo is busier than his father

C 01 The baseball is smaller than the basketball.
야구공은 농구공보다 더 작다.

02 The soccer ball is bigger than the tennis ball.
축구공은 테니스공보다 더 크다.

03 The rugby ball is heavier than the shuttlecock.
럭비공은 셔틀콕보다 더 무겁다.

07-03 비교급: more ~   p. 59

A 01 The news is more interesting than the movie.

02 His brother is more active than him.

03 Ethan is more diligent than Oliver.

04 I like noodles more than rice.

B 01 is worse than

02 was more crowded than

03 far more dangerous than

04 He is[He's] more careful than me[I am]

C 01 He eats less than his brother.
그는 자신의 형보다 더 적게 먹는다.

02 She likes dogs much more than cats.
그녀는 고양이보다 개를 훨씬 더 좋아한다.

03 I think science is more difficult than history.
나는 과학이 역사보다 더 어렵다고 생각한다.

04 I believe the moon is more beautiful than the sun.
나는 달이 태양보다 더 아름답다고 생각한다.

05 Your cookie looks more delicious than mine.
네 쿠키는 내 것보다 더 맛있어 보인다.

07-04 최상급: -est   p. 60

A 01 This is the easiest question on this page.

02 This city has the fastest internet speed in the world.

03 This building is the tallest in Taiwan.

04 Diamonds are the hardest things in the world.

B 01 the smartest animal

02 the most beautiful smile

03 is the highest mountain in Korea

04 This tree is the oldest tree in my town

C

세계에서 가장 큰 나라	한국에서 가장 긴 다리	세계에서 가장 무거운 동물
러시아	인천대교	대왕고래

01 Russia is the largest country in the world.
러시아는 세계에서 가장 큰 나라이다.

02 Incheon Grand Bridge is the longest bridge in Korea.
인천대교는 한국에서 가장 긴 다리이다.

03 The blue whale is the heaviest animal in the world.
대왕고래는 세상에서 가장 무거운 동물이다.

07-05 최상급: the most ~ p. 61

A 01 Shanghai is the most crowded city in China.

02 My cellphone is the most expensive thing in my bag.

03 The most important thing is doing your best.

04 This hat is the most popular item in our store.

B 01 the most wonderful city

02 is the best hotel

03 the most comfortable chair in the room

04 He is[He's] the most curious boy in his class

C 01 What is the hottest region in the world?
해설 hot의 최상급 표현은 the hottest이다.

02 This is the best book for a gift.
해설 good의 최상급 표현은 the best이다.

Unit 08 ▶ 의문사

08-01 의문대명사 who – 주어 p. 62

A 01 Who called me last night?

02 Who planted roses in the garden?

03 Who made this mess in here?

04 Who is going with you?

B 01 Who can help

02 Who turned off the light

03 Who will take care of

04 Who went shopping with you yesterday

C 01 Who ate

02 Who can lend

03 Who took

08-02 의문대명사 who – 보어, 목적어 p. 63

A 01 Who is that tall boy?

02 Who will Jacob invite to his party?

03 Who do you want to thank?

04 Who were those people in the park?

B 01 Who do you like (the)

02 Who did she visit

03 Who do you usually go to school

04 Who is[Who's] the girl in this picture

C 01 A: Who did you help in the subway?
너는 지하철에서 누구를 도왔니?

B: I helped an old woman.
나는 한 나이 드신 여성분을 도와드렸어.

02 A: Who is[Who's] he going to bring here?
그는 누구를 여기로 데려올 거니?

B: He's going to bring his brother.
그는 남동생을 데리고 올 거야.

03 A: Who did you find in the theater?
너는 극장에서 누구를 발견했니?

B: I found Tim there.
난 그곳에서 Tim을 발견했어.

08-03 의문대명사 what – 주어 p. 64

A 01 What spoiled your trip?

02 What made Jane angry?

03 What caused the accident last night?

04 What comes to your mind when you think of him?

B 01 What brought him

02 What goes well

03 What keeps her awake

04 What is[What's] in your pocket

C 01 What changed

02 What makes him

03 What is[What's] happening

08-04 의문대명사 what – 보어, 목적어 p. 65

A 01 What is your favorite food?

02 What does "Te amo" mean?

03 What did you lose on the subway?

04 What did she think about the event?

B 01 What did he study

02 What are your plans

03 What can I do

04 What is[What's] the date today

C 01 A: What do you want to be in the future?
넌 미래에 뭐가 되고 싶니?

B: I want to be a firefighter.
나는 소방관이 되고 싶어.

02 A: What are you going to do this weekend?
넌 이번 주말에는 뭐 할 거니?

B: I'm going to go fishing with my dad.
난 아빠랑 낚시하러 갈 거야.

03 A: <u>What did you eat for lunch?</u>
　너 점심으로 뭐 먹었어?

　B: I ate curry and rice.
　난 카레라이스를 먹었어.

08-05　의문형용사 what　　　p. 66

A　01　What street does he live on?
　02　What time does this airplane land in New York?
　03　What kind of food does he make?
　04　What cartoon character does Kathy look like?

B　01　What city does
　02　What date is
　03　What subject does Mr. Carter teach
　04　What time will you meet

C　01　does flower → flower does
　사라는 어떤 꽃을 가장 좋아하니?
　해설　'어떤 ~'이라는 의미를 나타낼 때는 의문형용사 what을 명사 바로 앞에 쓴다.
　02　enjoys → enjoy
　Mike는 어떤 종류의 활동을 즐기니?
　해설　주어 앞에 조동사 does를 썼으므로 본동사(enjoy)는 원형으로 써야 한다.
　03　do → does
　백화점은 몇 시에 문을 엽니까?
　해설　주어가 the department store이므로 3인칭 단수형 조동사 does를 써야 한다.

08-06　의문형용사 which　　　p. 67

A　01　Which class do you want to take?
　02　Which animal is the smartest?
　03　Which hairstyle do you like?
　04　Which country often eats pancakes for breakfast?

B　01　Which characters appear
　02　Which sport do you like
　03　Which places can you see
　04　Which movie do you want to see

C　01　A: <u>Which shirt will you wear,</u> the white one or the orange one?
　너는 흰색과 주황색 중 어떤 색 셔츠를 입겠니?
　B: I'll wear the orange one.
　주황색 셔츠를 입을게요.
　02　A: <u>Which animals are faster,</u> zebras or ostriches?
　얼룩말과 타조 중 어느 동물이 더 빠른가요?
　B: The zebras are faster.
　얼룩말이 더 빨라.
　03　A: <u>Which team won</u> the baseball match yesterday?
　어제 야구 경기에서 어느 팀이 이겼어?
　B: *The Tigers* won.
　타이거즈 팀이 이겼어.

08-07　의문부사 when – be동사　　　p. 68

A　01　When is Thanksgiving Day in the U.S.?
　02　When are you going to tell me the truth?
　03　When is Lisa going to do her homework?
　04　When are you coming home?

B　01　When was the happiest time
　02　When are[When're] we going to have
　03　When were you going to tell us
　04　When is[When's] the school festival

C　01　A: <u>When was your school trip</u> last year?
　작년에 너희 수학여행은 언제였니?
　B: Our school trip was from May 15 to 17.
　우리 수학여행은 5월 15일부터 17일까지였어.
　02　A: <u>When is[When's] Eddie going to move</u> into the new house?
　Eddie가 언제 새 집으로 이사할 예정인가요?
　B: He's going to move into it next month.
　그는 다음 달에 그곳으로 이사할 예정이에요.

08-08　의문부사 when – 일반동사　　　p. 69

A　01　When will the meeting begin?
　02　When do you wear a cap?
　03　When did the final match end?
　04　When does Amy need the money?

B　01　When did you find
　02　When do you feel
　03　When did she decide to be
　04　When did it rain

C　01　A: <u>When did you hear about</u> the new shopping mall?
　넌 새 쇼핑몰에 대해 언제 들었니?
　B: I heard about it yesterday.
　난 그것에 대해 어제 들었어.
　02　A: <u>When do you want to go</u> there with me?
　너는 나랑 언제 거기 가고 싶니?
　B: I want to go there this weekend.
　나는 이번 주말에 거기 가고 싶어.
　03　A: <u>What time do you want to meet?</u>
　넌 몇 시에 만나고 싶니?
　B: I want to meet at 10 a.m.
　나는 오전 10시에 만나고 싶어.

08-09　의문부사 where – be동사　　　p. 70

A　01　Where is the bathroom in this building?
　02　Where is Mr. Richard from?
　03　Where are you spending your holidays?
　04　Where is Istanbul on this map?

B 01 Where is[Where's] the nearest hospital
　　02 Where is[Where's] your family
　　03 Where is[Where's] this music coming
　　04 Where are[Where're] my socks

C 01 A: Where are[Where're] you from, Sally?
　　　　Sally야, 너는 어디에서 왔니?
　　　 B: I'm from Los Angeles.
　　　　나는 로스앤젤레스에서 왔어.
　　02 A: Where are[Where're] you going to stay in Germany?
　　　　너희들은 독일 어디에서 머무를 예정이니?
　　　 B: We're going to stay in Frankfurt.
　　　　우리는 프랑크푸르트에 머무를 거야.
　　03 A: Where is[Where's] he hiding?
　　　　그는 어디에 숨어 있니?
　　　 B: He's hiding behind the curtain.
　　　　그는 커튼 뒤에 숨어 있어.

08-10　의문부사 where – 일반동사　　　p. 71

A 01 Where will Peter go tomorrow?
　　02 Where do penguins live?
　　03 Where did she find her phone?
　　04 Where did Amy and her friends stay last night?

B 01 where can I find
　　02 Where did you park
　　03 Where do you want to go
　　04 Where did you study this afternoon

C 01 Where did they have
　　02 Where can I put
　　03 Where does Mr. Smith work

08-11　의문부사 why　　　p. 72

A 01 Why did you choose this book?
　　02 Why is she laughing?
　　03 Why can't we live on Mars?
　　04 Why does my back hurt?

B 01 Why did your uncle become
　　02 Why do people like
　　03 Why is the sky blue
　　04 Why do you want to live there

C 01 we can't → can't we
　　　왜 우리는 새처럼 날 수 없을까?
　　　해설　조동사가 있는 의문문은 「의문사+조동사+주어+동사원형 ~?」의 순서로 쓴다.
　　02 do → are
　　　이 청바지는 왜 이렇게 비싸요?
　　　해설　주어 these jeans에 대한 동사로 일반동사(do)가 아닌 be동사(are)가 와야 한다.

03 does → do
　　왜 그들은 Paul을 좋아하니?
　　해설　주어가 they이므로 복수형 조동사 do가 와야 한다.

08-12　의문부사 why　　　p. 73

A 01 Why don't you take off your coat?
　　02 Why don't we take a break for a while?
　　03 Why don't you ask Jessica about it?
　　04 Why don't we make a school band?

B 01 Why don't we have dinner
　　02 Why don't you write
　　03 Why don't we go outside
　　04 Why don't we hurry

C 01 Why don't we learn
　　02 Why don't you try it
　　03 Why don't you tell her

08-13　의문부사 how　　　p. 74

A 01 How was your trip to Paris?
　　02 How do you like your steak?
　　03 How will you celebrate the New Year?
　　04 How did you get my phone number?

B 01 How do you say this
　　02 How can I get to
　　03 How did the dog get out of
　　04 How was your basketball game

C 01 A: How will you pay for this skirt?
　　　　이 치마는 어떻게 계산하실 건가요?
　　　 B: I'll pay for it with my credit card.
　　　　신용카드로 계산할게요.
　　02 A: How can I open this door?
　　　　이 문을 어떻게 열 수 있나요?
　　　 B: You can open it with the key under the mat.
　　　　매트 아래에 있는 열쇠로 열 수 있어요.
　　03 A: How did you get these books?
　　　　이 책들을 어떻게 구했니?
　　　 B: I got them at a bookshop.
　　　　난 그것들을 서점에서 구했어.

08-14　how+형용사/부사　　　p. 75

A 01 How wide is a soccer field?
　　02 How many weeks are there in a year?
　　03 How often do you weigh yourself?
　　04 How long does it take to boil eggs?

B 01 How far is
　　02 How much do you walk

03 How tall is
04 How much are these sneakers

C 01 A: How old is Dr. Martin?
　　　Martin 박사님은 몇 살인가요?
　　B: He is 45 years old.
　　　그분은 45세입니다.
02 A: How many times[often] do you clean your room a week?
　　　너는 일주일에 방 청소를 몇 번(얼마나 자주) 하니?
　　B: I clean my room twice a week.
　　　나는 일주일에 두 번 내 방을 청소해.
03 A: How long did you stay on the island last summer?
　　　너는 지난여름에 그 섬에 얼마나 머물렀니?
　　B: I stayed there for a week.
　　　거기서 일주일 동안 머물렀어.

Unit 09 ▶ 문장 유형

09-01 긍정 명령문　　　　　　　　　　p. 76

A 01 Get some fresh air.
02 Be careful with my glasses.
03 Forget about the mistake.
04 Send the file to me right now.

B 01 Turn off your phone
02 Please sing this song
03 Raise your right hand
04 Be nice to your brother

C 01 Take a break now.
　　　이제 쉬어라.
02 Be careful on slippery roads.
　　　미끄러운 길에서는 주의해라.
03 Check the price before you buy something.
　　　무언가를 구매하기 전에 가격을 확인해라.

09-02 부정 명령문　　　　　　　　　　p. 77

A 01 Don't drink coffee at night.
02 Don't worry about his health.
03 Don't talk to strangers.
04 Don't be afraid to ask.

B 01 Don't take pictures
02 Don't be lazy
03 Don't walk too fast
04 Don't run in the classroom

C 01 Don't sit
02 Don't park

03 Don't be shy
04 Don't put

09-03 부가의문문　　　　　　　　　　p. 78

A 01 We can't use free Wi-Fi there, can we?
02 Mike didn't come back from school, did he?
03 Paris is not a dangerous city, is it?
04 Jenny bought new glasses, didn't she?

B 01 miss the train, should they
02 broke the window, didn't he
03 my best friend, aren't you
04 You don't need the book, do you

C 01 A: You can play the guitar, can't you?
　　　너 기타 칠 줄 알지, 그렇지 않니?
　　B: Yes, I can. I want to join the school band.
　　　응, 칠 수 있어. 나는 학교 밴드에 가입하고 싶어.
02 A: This Friday is Eric's birthday, isn't it?
　　　이번 주 금요일이 Eric의 생일이지, 그렇지 않니?
　　B: Yes, it is. Why don't we throw him a surprise party?
　　　응, 그래. 그에게 깜짝 파티를 열어주면 어떨까?
03 A: Sora doesn't have a cellphone case, does she?
　　　소라는 휴대폰 케이스를 가지고 있지 않지, 그렇지?
　　B: No, she doesn't. I'll buy her a pretty case.
　　　아니, 가지고 있지 않아. 내가 그녀에게 예쁜 케이스를 사줄 거야.

09-04 What 감탄문　　　　　　　　　　p. 79

A 01 What an honest man he is!
02 What beautiful hands you have!
03 What a boring movie it is!
04 What a great goal it was!

B 01 What a fantastic
02 What a useful
03 What amazing animals
04 What a foolish idea (it is)

C 01 What a tall woman (she is)!
　　　(그녀는) 정말 키가 큰 여자군요!
02 What a long bridge (it is)!
　　　(그것은) 정말 긴 다리구나!
03 What small islands (they are)!
　　　(그것들은) 얼마나 작은 섬인가!

09-05 How 감탄문　　　　　　　　　　p. 80

A 01 How happy Jisoo is!
02 How terrible the weather was!
03 How cute your cat is!
04 How wonderful life is!

B 01 How cool
  02 How comfortable
  03 How tall the building
  04 How lovely your sister is

C 01 How tight these shoes are!
  02 How tasty they all look!
  03 How kind the young man was!

쓰작 시리즈

중학 내신
서술형 완벽대비

· **중학 교과서 진도 맞춤형** 내신 서술형 대비
· **한 페이지로 끝내는 핵심 영문법 포인트별 정리+문제 풀이**
· 효과적인 **3단계 쓰기 훈련**: 순서 배열 → 빈칸 완성 → 내신 기출
· 서술형 만점을 위한 **오답&감점 피하기 솔루션** 제공
· **최신 서술형 유형 100% 반영**된 <내신 서술형 잡기> 챕터별 수록
· 서술형 추가 연습을 위한 **워크북 제공**

부가자료 다운로드
www.cedubook.com

독해 사고력을 키워주는

READING Q 시리즈

✦ READING IS THINKING ✦

 ①

영어 독해 완성을 위한
단계별 전략 제시

문장 ▶ 단락 ▶ 지문으로 이어지는
예측 & 추론 훈련

 ②

사고력 증진을 위한 훈련

지문의 정확한 이해를 위한
3단계 Summary 훈련

 ③

픽션과 논픽션의
조화로운 지문 학습

20개 이상의 분야에 걸친
다양한 소재의 지문 구성

쎄듀 초·중등 커리큘럼

	예비초	초1	초2	초3	초4	초5	초6
구문		천일문 365 일력 |초1-3| 교육부 지정 초등 필수 영어 문장		초등코치 천일문 SENTENCE 1001개 통문장 암기로 완성하는 초등 영어의 기초			
문법					초등코치 천일문 GRAMMAR 1001개 예문으로 배우는 초등 영문법		
		왓츠 Grammar			Start (초등 기초 영문법) / Plus (초등 영문법 마무리)		
독해				왓츠 리딩 70 / 80 / 90 / 100 A / B 쉽고 재미있게 완성되는 영어 독해력			
어휘				초등코치 천일문 VOCA&STORY 1001개의 초등 필수 어휘와 짧은 스토리			
		패턴으로 말하는 초등 필수 영단어 1 / 2		문장 패턴으로 완성하는 초등 필수 영단어			
ELT	Oh! My PHONICS 1 / 2 / 3 / 4		유·초등학생을 위한 첫 영어 파닉스				
		Oh! My SPEAKING 1 / 2 / 3 / 4 / 5 / 6		핵심 문장 패턴으로 더욱 쉬운 영어 말하기			
		Oh! My GRAMMAR 1 / 2 / 3		쓰기로 완성하는 첫 초등 영문법			

	예비중	중1	중2	중3
구문		천일문 STARTER 1 / 2		중등 필수 구문 & 문법 총정리
문법		천일문 GRAMMAR LEVEL 1 / 2 / 3		예문 중심 문법 기본서
		GRAMMAR Q Starter 1, 2 / Intermediate 1, 2 / Advanced 1, 2		학기별 문법 기본서
		잘 풀리는 영문법 1 / 2 / 3		문제 중심 문법 적용서
		GRAMMAR PIC 1 / 2 / 3 / 4		이해가 쉬운 도식화된 문법서
			1센치 영문법	1권으로 핵심 문법 정리
문법+어법		첫단추 BASIC 문법·어법편 1 / 2		문법·어법의 기초
문법+쓰기	EGU 영단어&품사 / 문장 형식 / 동사 써먹기 / 문법 써먹기 / 구문 써먹기			서술형 기초 세우기와 문법 다지기
				올씀 1 기본 문장 PATTERN 내신 서술형 기본 문장 학습
쓰기	거침없이 Writing LEVEL 1 / 2 / 3			중등 교과서 내신 기출 서술형
		중학 영어 쓰작 1 / 2 / 3		중등 교과서 패턴 드릴 서술형
어휘	천일문 VOCA 중등 스타트 / 필수 / 마스터			2800개 중등 3개년 필수 어휘
		어휘끝 중학 필수편	중학 필수어휘 1000개	어휘끝 중학 마스터편 고난도 중학어휘 +고등기초 어휘 1000개
독해	ReadingGraphy LEVEL 1 / 2 / 3 / 4			중등 필수 구문까지 잡는 흥미로운 소재 독해
		Reading Relay Starter 1, 2 / Challenger 1, 2 / Master 1, 2		타교과 연계 배경 지식 독해
		READING Q Starter 1, 2 / Intermediate 1, 2 / Advanced 1, 2		예측/추론/요약 사고력 독해
독해전략			리딩 플랫폼 1 / 2 / 3	논픽션 지문 독해
독해유형			Reading 16 LEVEL 1 / 2 / 3	수능 유형 맛보기 + 내신 대비
			첫단추 BASIC 독해편 1 / 2	수능 유형 독해 입문
듣기	Listening Q 유형편 / 1 / 2 / 3			유형별 듣기 전략 및 실전 대비
		쎄듀 빠르게 중학영어듣기 모의고사 1 / 2 / 3		교육청 듣기평가 대비